Orando con los Salmos

Rodolfo del Ángel

BARKER & JULES®

BARKER ⊖ JULES®

Orando con los Salmos

Edición: Barker and Jules™
Diseño de Portada: Barker & Jules Books™
Diseño de Interiores: María Elisa Almanza | Barker & Jules Books™

Primera edición - 2021
D. R. © 2021, Rodolfo del Ángel

I.S.B.N. | 978-1-64789-493-1
I.S.B.N. eBook | 978-1-64789-494-8

BARKER & JULES, LLC
2248 Meridian Blvd. Ste. H, Minden, NV 89423
barkerandjules.com

Prólogo

Nuestra vida necesita esperanza y seguridad frente a las adversidades que nos sobrevienen y ante las cuales estamos absolutamente inermes e indefensos. Como no había sucedido en la historia reciente de la humanidad, todo aquello en lo que hemos basado nuestra fortaleza y confianza se ha venido abajo en unos cuantos meses. Un virus microscópico nos ha azotado condenándonos al miedo, al encierro y al distanciamiento social. Personas muy queridas para nosotros han enfermado y fallecido de este mal. No ha sido posible estar al lado de ellas para sostener su mano en el hospital; no hemos podido despedir a quienes han partido compartiendo con la familia y los demás dolientes nuestras lágrimas y nuestra presencia humana.

El miedo y la ansiedad se han hecho presentes en nuestras vidas con sus muchos rostros inquietantes. En nuestra mente ronda la gran interrogante respecto a lo que va a suceder mañana. Frente a esta realidad se vuelve relevante la espiritualidad, no como un recurso provisorio, sino como la respuesta a nuestra más profunda necesidad humana: la necesidad de la presencia de Dios en nuestras vidas.

El presente libro surgió con la intención pastoral de llevar una palabra de esperanza y de fe, mientras nuestro templo, como muchos otros alrededor del mundo, permanecía cerrado. Originalmente las meditaciones aquí contenidas fueron transmitidas por medio de mensajes grabados en las redes sociales. De manera sorprendente para mi, muchos agradecieron cada mensaje y los compartieron con familiares y amigos de tal manera que llegaron a más personas de las que hubiera imaginado.

Los 150 Salmos de la Escritura reflejan toda la gama de las emociones humanas: alegría, temor, culpa, tristeza y confianza. Estas emociones surgen y se expresan dentro de las diversas experiencias que sin importar la época o el contexto cultural nos acontecen: la enfermedad, la guerra, la muerte, el pecado, las relaciones rotas, la soledad, el acoso de los perseguidores, en fin, todas aquellas situaciones que acompañan y condicionan nuestra vida. Frente a estas realidades la experiencia de la presencia de Dios, su consuelo, su perdón y su gracia, nos hacen saber que el sufrimiento, el dolor o la pérdida jamás pueden ser lo último y definitivo. Siempre hay esperanza y la fuente de esa esperanza es un Dios amoroso que está a nuestro lado, aunque no estemos conscientes de su presencia.

Los Salmos nos invitan a la oración personal y comunitaria, a esperar en Dios en medio de las relatividades de la vida. Aunque todo cambie, Él permanece y en Él podemos confiar. Para Dios no existen los distanciamientos, ni tampoco para aquellos que en la comunión de las almas lo buscan en medio del gozo o la tristeza con esta certeza: *"Cercano está el Señor para salvar a los que tienen roto el corazón y el espíritu". (Salmo 34:18 RVC)*

Dr. Rodofo del Ángel del Ángel
Cd.Valles, S.L.P. México
Mayo 7 de 2021

Agradecimientos y Dedicatoria

Mi eterno agradecimiento al querido amigo Dr. David Rodríguez Enríquez. Fue él quien me animó a publicar el presente libro y lo hizo posible gracias a su generosidad y la de su esposa, la querida maestra Irma Nora Rodríguez Pedraza. Este es el testamento espiritual que recibo de él y es a su imborrable memoria que lo dedico. Está hecho querido hermano. Estas meditaciones lo acompañaron antes de partir a Casa. Que honor haber estado en conversación con Dios teniendo un vislumbre de su gloria. Ahora lo ve cara a cara en el gozo eterno de quienes alaban en Su presencia.

Mi agradecimiento al equipo que me auxilió en la paciente tarea de edición. Gracias a Celia Villasana Galarza, a Yolanda Martha Lavín Torres y a mi amada esposa Ethel Hernández Rodríguez, su estimulo y complicidad son una fuente constante de inspiración.

A mis hijos y nueras: Rodolfo, Enrique Isaí, Josué David, Yazmin y Mariana. A mi nieta Camila Amélie y mi nieto Josue Isaí. Cada día me hacen ver la gracia de Dios con su amor y las alegrías que me regalan.

A la familia cristiana que me honro en pastorear, la comunidad de la Iglesia Presbiteriana El Divino Redentor. Juntos hemos andado estos días difíciles animándonos en la fe y llevando a muchos la palabra de esperanza.

Mi agradecimiento también a la Casa de Publicaciones BARKER & JULES ® Por acompañarme a cada paso en la realización del presente proyecto. Sencillamente hacen un trabajo fantástico.

A la gloria del Dios Altísimo, el Padre de misericordias y Dios de toda consolación que nos ha amado en su Hijo y nos conforta siempre con su Espíritu. Bendito su Nombre por siempre.

 Notas al lector

¡Bienvenido! Gracias por estar dispuesto a abrir estas páginas. Las 150 meditaciones aquí contenidas pueden ser leídas en cualquier orden. Cada meditación contiene una oración al final, la cual le animo a leer en voz alta, a fin de apropiarse mejor de ella.

Los versículos tomados de la Biblia se encuentran entre comillas y en cursivas y han sido tomadas de tres traducciones al español: La Reina Valera traducción 1960 (RV), la Reina Valera Contemporánea (RVC) y la Nueva Traducción Viviente (NTV) No se específica a la cita o el versículo en cada caso cuando se trata de la referencia al salmo en cuestión. En los casos en los que hay una referencia a otros pasajes de la Escritura sí se especifica la cita.

Los pronombres personales, "tú" y "él" cuando se refieren a la divinidad estan escritos con mayúscula al principio: "Tú", "Él". De la misma manera la palabra "nombre" referida a la divinidad se escribe con la "N" mayúscula al principio.

Es mi deseo que la lectura de estas meditaciones lo inspiren y fortalezcan llevándole a la comunión con el Dios eterno.

A la grata e imborrable memoria del querido hermano
Dr. David Rodríguez Enríquez
Gracias siempre.

Introducción

El libro de los salmos, conocido también como El Salterio, es el himnario inspirado del pueblo hebreo cuyo contenido tiene un valor universal e intemporal, como lo tiene toda literatura y lirismo que eleva el espíritu humano que aspira a la comunión con lo trascendente. Diversos son los autores de los cantos que allí encontramos, especialmente el rey David, quien, inspirado por Dios mismo, compuso al menos 73 de estos cantos.

Los Salmos, en su dimensión humana, reflejan toda la gama de vivencias y sentimientos que experimenta el creyente en Dios: gratitud, gozo, culpa, arrepentimiento, sufrimiento, indignación frente a la maldad humana, acoso de los enemigos, todo ello dentro de la experiencia central de la adoración a Dios a quien nuestro canto de alegría, lamento, gratitud o petición se dirige; a veces, con gritos de exaltación, otras veces en la silenciosa oración interior meditativa y callada.

En los Salmos, Dios recibe nuestra adoración personal o comunitaria hecha canto y petición confiada. La experiencia de buscar a Dios y estar ante su presencia transforma nuestra percepción de la vida y de nuestro destino. Dios se alegra con el pueblo que lo busca de corazón, acompañando sus luchas, dándoles fortaleza frente a las adversidades, victoria frente a sus enemigos, perdón y comunión renovada en medio de la derrota espiritual y el mal que nos asedia. De esta manera el creyente puede andar caminos de justicia, atravesar valles sombríos, experimentar gozo en las adversidades y seguridad para el futuro, aún más allá de la muerte misma.

Los Salmos nos invitan a la oración, al dialogo con Dios, a quien podemos dirigirnos con absoluta confianza mediante Jesucristo. El Espíritu Santo nos anima en la oración recordándonos constantemente que somos amados de manera perfecta por el Padre Divino y que Él siempre está dispuesto a escucharnos y bendecirnos.

Orar con los salmos es vivir con un sentido de adoración y comunión con Dios que nos llena de confianza y seguridad. En medio de la emergencia que vivimos, volvamos nuestra mirada a Dios, no olvidemos que Él reina y bendice a los que en Él confían.

Índice

Salmo 1

EL SEÑOR CONOCE EL CAMINO DE LOS JUSTOS

Este salmo es la puerta de entrada a todo el libro y, de alguna manera, propone su tema central: la vida dichosa que surge de andar en los caminos de Dios.

La palabra éxito se ha vuelto muy común en nuestros tiempos, todos anhelamos obtenerlo. La gran pregunta es: ¿Qué clase de éxito es aquel al que aspiramos?

En realidad, solo hay dos caminos que describen dos formas de conducta con sus resultados consecuentes. El camino que conduce a la vida, y el camino que lleva a la muerte; no se puede andar en ambos a la vez, o estamos en uno, o en el otro.

El éxito descrito en el primer salmo se refiere a la persona que honra a Dios y nos comunica una imagen de estabilidad y abundancia, en suma, una vida fructífera. El que anda en justicia es como árbol frondoso, plantado junto a corrientes de aguas que da su fruto en su tiempo y su hoja no cae.

Por otra parte, el que camina en injusticia dando la espalda a Dios y haciendo el mal es comparado al tamo, no tiene peso ni consistencia. Esta imagen describe al campesino que criba la semilla; en el proceso, la basura es arrebatada por el viento. Así el malo y sus acciones serán llevados sin rumbo ni destino.

Los grandes males de nuestro tiempo son la corrupción y la ambición. La justicia se vende al mejor postor. El egoísmo y la ambición desmedida arrebatan a otros el derecho a tener lo esencial para vivir de una manera humana y decente.

La persona justa cuyo corazón ha sido transformado por el poder y la gracia de Dios no negocia con el mal, no es cómplice de las injusticias, no vende su conciencia, ni sus convicciones, se mantiene fiel a sus principios porque le importa más agradar a Dios que complacer a los hombres.

Ciertamente tiene un precio andar en el camino de justicia, no seremos muy populares, pero la recompensa será grande y eterna. Por otra parte, el malo está destinado a desaparecer después de haber sembrado maldad e injusticia.

El mundo necesita hoy más que nunca esta clase de personas que tienen en Dios su delicia y meditan en su ley constantemente para entender y hacer su voluntad. Ellos no solamente son del agrado de Dios, pero también la esperanza del mundo.

OREMOS

Eterno Dios, nos acercamos a Tú presencia con humildad y confianza. Vemos el mal del mundo y desesperamos a veces porque parece no terminar, Tú nos invitas a ser valientes y decididos en hacer el bien y vivir en justicia honrando Tú Nombre. De esta manera nos llamas a ser el cambio que nosotros esperamos ver en los demás. Que nuestro deleite sea honrarte y nuestro deseo hacer Tú voluntad, de esta manera seremos bendecidos con alegría y seremos de bendición a quienes nos rodean. Amén

Salmo 2

YA HE ESTABLECIDO A MI REY

El salmo 2 nos presenta al Dios soberano que reina con poder absoluto sobre toda potestad en el universo. Su trono es alto, está en los cielos mismos, desde allí Él reina sobre todo y sobre todos. Cuando vemos la maldad y los poderes endiosados que parecen tener el control del mundo nos preguntamos: ¿Quién gobierna? El corazón caído del ser humano lo hace llenarse de pretensiones, los que detentan el poder se endiosan, el ser humano cree tener el control, cree poder determinar las reglas del juego y quien debe ser favorecido o no. Los poderes de este mundo negocian en el mercado decidiendo la abundancia de unos pocos y asegurando el hambre de la mayoría, se preparan para la guerra, confían demasiado en el poder de sus armas para establecer su dominio, pero todo eso es una vana ilusión, un espejismo engañoso, los seres humanos pasan, su poder se esfuma como el rocío mañanero con el calor del sol. Sus planes se frustran, sus imperios se derrumban. El que reina en los cielos se ríe de las pretensiones humanas.

Que imagen más poderosa y elocuente es esta: el Señor desmenuza a los falsos poderes de este mundo como quien golpea con una vara de hierro una vasija de barro.

Desde luego, hay poderes que se ejercen legítimamente, pero estos, para cumplir su cometido, que es el bien común, debe estar sometidos humildemente a Dios buscando de Él prudencia, consejo y sabiduría. Esto es justamente lo que estamos necesitando en este mundo, gobiernos justos y temerosos de Dios.

Este es un salmo mesiánico, anticipa a Cristo, el Hijo, a quien todo poder y autoridad le han sido dados y a quien todos debemos honrar como el Señor. La esperanza mesiánica consiste en saber que en medio de la historia que corre nos aproximamos cada día a la consumación, al glorioso día en que todos los poderes del mundo y del universo serán sometidos definitivamente. ¡Todas las cosas serán al fin reunidas y puestas a los pies de Rey de reyes y Señor de señores, Cristo Jesús!

Este salmo nos llama a someternos de manera confiada al gobierno de Dios, Él nos guarda y guardará, nos defiende y nos llevará a participar de la victoria de Cristo, porque, definitivamente, quienes esperamos en Él estamos del lado ganador de la historia. El salmo concluye con una bendición: bienaventurados todos los que confían en Él. Y cómo no habríamos de confiar si Él reina con poder en el universo y en nuestras vidas, y podemos tener por cierto que en sus manos y bajo su soberanía estamos seguros para la eternidad.

OREMOS

Soberano Dios, ayúdanos a no desesperar al ver como los poderes falsos de este mundo parecen tener el control. Tú reinas en los cielos para bendición de quienes te honran. Que nada nos asuste, ni la enfermedad, la guerra, o la muerte. Nuestra vida está segura en tus manos. Qué más allá y por encima de la ruina del mundo, nuestra fe nos sostenga con la visión de Tú gloria y la confianza que nos da saber que Jesús ha triunfado sobre la muerte y el pecado. Amén.

Salmo 3

Tú, Señor, eres escudo alrededor de mí

El salmo 3 es una expresión de confianza en Dios en medio de los enemigos que nos rodean y nos amenazan. *"¡Cuánto se han multiplicado mis adversarios!"*, expresa el salmista, el está bajo asedio constante, su paz y su seguridad están amenazadas, se encuentra rodeado y sin salida y nadie parece estar de su lado. Lo más terrible es que estos enemigos a los que se refiere el salmista son los de su propia casa. El rey David enfrentó la rebelión de su hijo quien inició una conspiración armada para derrocarlo del trono. Uno puede luchar con extraños y esperar que entre ellos se levanten quienes desean hacernos daño, pero ¡qué difícil tener como enemigos a los de casa! Uno no espera en la vida tener que defenderse de los propios como si fueran sus más grandes opositores.

A lo largo de los años he sido testigo de historias de sufrimiento, de distanciamiento y dolorosas rupturas entre familiares, entre padres e hijos, entre hermanos ¿Cómo lidiar con los sentimientos de decepción, tristeza y frustración que nos produce que alguien amado, cercano a nosotros de pronto, y sin justos motivos, solo por envidia, se vuelva en nuestra contra? ¿Con qué armas podemos luchar contra el familiar, el hijo, el amigo que ahora nos hiere con sus palabras, sus actitudes y sus acciones?

En medio de esa contrariedad y ese cerco amenazante, el salmista vuelve su mirada a Dios: *"Tú, Señor, eres escudo alrededor de mí; mi gloria y el que levanta mi cabeza".* ¡Qué maravillosa expresión de confianza en medio de la prueba más dura!

En medio de la calumnia, de los injustos reclamos, de las traiciones más dolorosas, de las más grandes injusticias, nunca estamos solos. Dios es nuestra defensa segura, él que nos rodea de su presencia protectora, el que nos levanta de nuestra humillación elevando nuestra cabeza inclinada para devolvernos la dignidad y el amor propio.

La clave para enfrentar batallas difíciles es buscar a ese Dios que siempre escucha nuestras oraciones, que nos libra del temor, y que se convierte en el más formidable aliado que podemos tener en nuestras batallas. El salmista se guarda de tomar venganza personal o pagar con la misma moneda, él único juez de nuestra vida y ante quien están nuestra intenciones y actos es Dios, por eso encomienda su causa a Él diciéndole: "Levántate, Señor; sálvame Dios mío". Con esta confianza podemos tener paz con Dios y dormir con una conciencia tranquila y segura: *"Yo me acosté y dormí, y desperté, porque el Señor me sustentaba".*

OREMOS

Tú sabes, Señor, lo difícil y desgastante que ha sido librar mis batallas espirituales, y mucho más por causa de aquellos que son mis más cercanos, no necesito luchar solo, Tú estás siempre a mi lado, escuchas mis oraciones, me das paz y un sueño tranquilo. Ayúdame a no desear mal a quien me hace daño sin razón, ni albergar en mi corazón el deseo de venganza. Que pueda confiar en que Tú eres juez justo y misericordioso, y que en Tu sabiduría tendrás la mejor salida a los conflictos que experimento. Te ruego me des confianza y fe sobre todas las cosas. Amén.

Salmo 4

EN PAZ ME ACOSTARÉ, Y ASIMISMO DORMIRÉ

El salmo 4 es una oración vespertina de confianza en Dios. Las sombras de la noche ya se cierran alrededor, el sueño ha huido del orante del salmo y lucha interiormente con sus pensamientos mientras sus ojos se niegan a cerrarse para entregarse al descanso. Un torbellino de emociones se agita dentro de su alma inquieta quitándole el sueño y la paz, y así noche tras noche. Enemigos insidiosos se han levantado contra él haciéndole el blanco de chismes y calumnias manchando su integridad y su buen nombre. Es como luchar contra las sombras, porque estos enemigos no dan la cara, trabajan encubiertamente, acechan, aprovechando la ocasión para hacerle la guerra.

En medio de esta circunstancia, el salmista eleva su oración a Dios con un solo ruego: *"Respóndeme cuando clamo"*. Encomienda su causa a Dios que es justo, Él sabe bien que las acusaciones que lanzan en su contra son injustas, a Dios no se le puede engañar, ni burlar. Da un giro a sus pensamientos negativos, a sus sentimientos de indignación, al recordar que Dios nunca lo olvida. En medio de esos ataques injustos no ha dejado de bendecirle, le ha dado abundancia y alegría, no así a aquellos que procuran su propio beneficio destruyendo la honra de los demás. ¡Él puede disfrutar con una conciencia tranquila de lo que ha ganado justamente, a diferencia de aquellos que tienen que inventar una nueva maldad para tener ganancia! Ellos no conocen la paz.

Desde luego que hay quienes tratan de convencerle de que en realidad a Dios no le importa lo que nos pueda suceder, estos han cedido a la desconfianza encerrándose en la falta de fe. En realidad, no conocen a Dios. Sólo en la comunión íntima, y en la oración nos encontramos con Él y nos damos cuenta de que no parpadea cuando de cuidar a sus hijos e hijas se trata. Si el sueño se nos va, busquemos de su presencia en oración. Él siempre está dispuesto a escucharnos y a venir en nuestra ayuda.

¿Cuál debiera ser nuestra actitud cuando estamos en medio de una batalla contra enemigos gratuitos que quieren destruir nuestro buen nombre? Dejemos que nuestros pensamientos reposen en Dios, abandonemos toda intención de luchar con las mismas armas del malo porque Dios todo lo ve y lo juzga. No queremos ser juzgados como el malo ante Él. La alabanza y la gratitud nos guardarán de la ansiedad de tal manera que la queja y el enojo no nos abrumen quitándonos el sueño y la tranquilidad.

Ante la adversidad y la calumnia, confía. Dios no se aparta de Ti y la íntima alegría que experimentamos en la comunión con Él nos devuelve el sueño y la calma, de tal manera que podemos decir: *"En paz me acostaré, y asimismo dormiré; porque solo tú Señor, me haces vivir confiado"*

OREMOS

Amado Dios, Tú sabes de las tormentas de inquietud y ansiedad que agobian mi espíritu esta noche. Que mis pensamientos no persistan en mirar lo malo que me rodea, sino en meditar en las muchas bendiciones que recibo de Ti cada día. Nadie tiene derecho a arrebatarme la paz que Tú me has dado. Gracias te doy porque me escuchas, me cuidas y bendices de muchas maneras. Como cada día, esta noche estás conmigo para velar mi sueño, así puedo dormir seguro sabiendo que Tú no te apartes de mi. Amén.

Salmo 5

Oh, Señor, de mañana oirás mi voz

A diferencia del salmo 4 que es una oración que se pronuncia por la noche, el salmo 5 es una oración que se eleva a Dios por las mañanas, cuando todavía el alba no despunta. El salmista inicia su conversación con Dios con estas palabras: *"Escucha, oh, Señor, mis palabras"*. Su oración en esta ocasión más que palabras es gemido y clamor. Se encuentra afligido, agobiado por sus enemigos, desesperado frente a los ataques de gente injusta que le dan una cara amistosa, pero a sus espaldas fraguan su destrucción. Ante el asedio constante no tiene fuerzas para seguir luchando, por eso acude a Dios, le faltan palabras, pero Aquel que le escucha sabe de su gran necesidad. Confía en la justicia divina, sabe que Dios no se complace en la maldad, que no le agradan los que siembran injusticia y muerte. Si él conoce sus acciones y es el blanco de sus ataques, Dios lo sabe mejor. Este es uno de los salmos que conocemos como imprecatorios porque pide a Dios que ejecute venganza sobre los malos. Uno puede entender el sentir del salmista. Cuando estamos asediados injustamente reaccionamos con indignación, no obstante, el salmista se guarda de ejecutar venganza él mismo y encomienda su causa a Dios porque el malo se ha constituido como enemigo de Dios antes que en un enemigo personal. En lo que a nosotros respecta no debemos desear el mal de quien nos hace daño, aún, de acuerdo con la enseñanza de Jesús debemos devolver bien por mal. Dejemos que Dios que es juez justo y misericordioso trate con los injustos.

¿Qué podemos esperar en medio de nuestras adversidades y luchas? Dios siempre escucha nuestras oraciones y nos bendice con su comunión constante fortaleciendo nuestra confianza y dándonos la íntima alegría de que Él conoce nuestra necesidad y nos defiende. ¡Qué otro defensor podemos tener en nuestra vida, sino a Aquel que nos ama, nos escucha y nos guarda con su poder!

Si el sueño se nos va por la preocupación y a veces la ansiedad nos levanta de madrugada. ¿Cuál es el primer pensamiento que viene a nuestra mente al despertar? Elevemos nuestra oración confiada a Dios. *"Oh Señor, de mañana oirás mi voz; de mañana me presentaré delante de ti y esperaré"* Estas palabras dichas desde el corazón darán un giro a nuestros pensamientos cambiando la ansiedad por confianza. Hoy, mañana y siempre podemos esperar en Dios. En estos días que estamos agobiados no por enemigos personales, sino por la enfermedad que nos ha obligado a permanecer en casa, no permitamos que los pensamientos de desesperación y temor nos asedien. Busquemos a Dios confiadamente y unamos nuestra oración a la del salmista para decir: *"Porque tú, oh, Señor, bendecirás al justo; como con un escudo le rodearás de tu favor"*

OREMOS

Señor, dirijo mi oración a Ti en esta mañana, me faltan las palabras y las fuerzas, pero Tu conoces mi necesidad e interpretas el lenguaje de mi corazón. Dame fuerza, confianza y fe, necesito de Tu presencia y la seguridad que viene de Ti que eres salvación y justicia del que padece. Quita de mi mente la ansiedad y dame a cambio la alegría y la seguridad que solo Tu sabes dar a los tuyos. En medio de la necesidad me bendices y como con un escudo me rodeas de Tu presencia. Amén.

Salmo 6

EL SEÑOR HA OÍDO MI RUEGO

El salmo 6 es una oración pidiendo a Dios misericordia en tiempo de prueba. El salmista libra una intensa batalla en el interior de su alma. No nos menciona la causa, es probable que haya cometido un gran pecado ante los ojos de Dios o este frente a una tentación que le resulta insuperable. No tiene las fuerzas para decir no a la tentación, como si estuviera al borde de un abismo al que irremediablemente caerá de un momento a otro. Podemos ver en la experiencia del salmista como se vive la dinámica de la culpa, siente que le ha fallado a Dios haciéndose merecedor de su represión. ¡El peso de la ira divina está a punto de caer sobre él! No solo experimenta turbación en su alma, pero su cuerpo también se duele, sus huesos se estremecen, el gemido y el llanto constante no se apartan de él. ¡Todas las noches inunda de llanto su lecho, sus ojos se han gastado de sufrir! Tal es el quebranto por la intensa lucha y la culpa que se siente consumido, como si en pocos días hubiera envejecido.

Sabemos que Dios nos ha hecho seres integrales de tal manera que todo aquello que aflige al alma se manifiesta también en nuestro cuerpo en forma de síntomas físicos. El pecado con la culpa correspondiente nos trae también malestares físicos, y estos no se curan con medicamentos solamente, es necesario ir a la raíz del asunto a través de los siguientes pasos: reconocimiento de nuestra falta ante Dios, pesar por haberle fallado en primer término a Él y a otras personas a las que tal vez hemos dañado con nuestra conducta, determinación de abandonar el pecado y a quienes se complacen en él y, finalmente, buscar de corazón el perdón divino. El salmista nos enseña que el camino de la liberación consiste en volverse a Dios y pedir de Él misericordia, ciertamente Él es juez justo, pero también es Padre compasivo y perdonador. Él escuchará la oración del que le busca de corazón.

Una vez confesada la falta podemos tener la confianza de que Dios nos ha escuchado, de que Él nos ha perdonado por su gran misericordia. Esto es un hecho que nos alienta y fortalece: Dios no solo perdona el pecado cubriéndolo con la sangre de Cristo, sino que también nos libera de la culpa trayendo sanidad a nuestra alma y a nuestro cuerpo. Hay quienes viven en las culpas de los errores del pasado, ¡aunque ya han sido perdonados aún no se perdonan a sí mismos! Dios no quiere que vivas en la aflicción sino en la gratitud, la alegría y la libertad del Espíritu. Al ruego que dice: *"Vuélvete, oh, Señor, libra ahora mi alma"*, debemos unir la oración que dice: *"El Señor ha oído mi ruego; ha recibido mi oración"*.

OREMOS

Sabemos que a pesar de nuestros mejores esfuerzos te fallamos Señor, nos apartamos del camino de Tú voluntad. A veces la batalla espiritual se vuelve intensa de tal manera que llegamos a sentirnos desgastados y afligidos, se nos acaban las fuerzas y enfermamos. Ayúdanos a conocerte mejor sabiendo que no solo estás dispuesto a perdonar nuestro pecado, sino a liberarnos de la culpa para vivir en el gozo y la libertad del Espíritu. Amén.

Salmo 7

MI ESCUDO ESTÁ EN DIOS

Los salmos del 5 al 7 pueden ser agrupados dentro de una misma temática, protección y vindicación frente a los enemigos que ponen en entredicho el nombre del justo y fraguan su destrucción. Es probable que el salmo 7 haya surgido como resultado de la persecución de Saúl en contra del salmista. Ya sabemos que por envidia el rey Saúl persigue a David para quitarle la vida. David se siente acosado, pero a la ves, viviendo un intenso conflicto entre el afecto hacia Saúl al cual veía como un padre, y su derecho a defenderse para preservar su vida. En este salmo, David, antes que lanzar acusaciones reflexiona delante de Dios considerando si él ha hecho mal a quien ahora lo persigue. Él sabe muy bien que Dios conoce lo íntimo de nuestros pensamientos y sabe aún aquello que nosotros ignoramos de nosotros mismo. Dios prueba la mente y el corazón. Cuando nos encontramos en medio de una situación de acoso, perseguidos o falsamente acusados es necesario que nos acerquemos a Dios para pedirle que examine nuestro corazón, lo profundo de nuestros pensamientos, motivaciones y deseos de los cuales no nos hemos percatado, a fin de poder corregir nuestra conducta y proceder con integridad y justicia. Tal actitud conviene no por causa de nuestros opositores, sino por causa de nuestra conciencia ante Dios. Sin embargo, el acudir a Dios es para rogarle que, si la razón está de nuestro lado, ejerza la justicia necesaria. Él es nuestro defensor y abogado, si nuestra causa es justa, es la causa de Dios. Acudir ante Dios en oración en medio de la persecución nos ayudará a no encerrarnos en el problema, adquiriremos una nueva perspectiva de la situación por la que atravesamos. Dios sigue reinando en su trono, tiene el control del universo, de las naciones y de nuestra vida en sus manos, Él conoce las intenciones y acciones de las personas, ejerce justicia y ejecuta sentencia, sin embargo, es también misericordioso, se compadece del que sufre injustamente y lo defiende, y perdona a los que se arrepienten de corazón.

Es así como, en medio de la ansiedad y los temores que nos agobian, frente a toda amenaza, en la comunión con Dios somos fortalecidos. Él está a nuestro lado siempre y, tal como el salmista, saldremos al paso en medio de una situación desesperante con una confianza renovada haciendo nuestras estas palabras: *"Mi escudo está en Dios, que salva a los rectos de corazón"*. De esta manera la oración desesperada se volverá un canto de adoración: *"Alabaré al Señor conforme a su justicia, y cantaré al Nombre del Señor el Altísimo"*.

OREMOS

Oh, mi Dios, te pido pruebes mi mente y examines mi corazón. Ayúdame a ser consciente de aquello por lo cual soy responsable. Deseo de todo corazón actuar siempre conforme a Tu voluntad siendo justo e íntegro en mis intenciones y acciones. Tú sabes también que, a veces, la ansiedad me domina, siento miedo de las amenazas y veo al malo con mucho poder. Ayúdame a tener presente que puedo confiar en Ti. Tú tienes el control de todas las cosas, estás siempre a mi lado para defenderme y bendecirme, de tal manera que puedo cambiar mi lamento en alabanza. Amén.

Salmo 8

¡CUÁN GLORIOSO ES TU NOMBRE EN TODA LA TIERRA!

El salmo 8 exalta la grandeza de Dios en la creación y la gloria que Dios ha puesto en el ser humano. Al contemplar la grandeza de la creación, el inmenso universo y las pequeñas criaturas nos llenamos de asombro, la huella de Dios está por todas partes manifestada. Toda la creación es el espejo que refleja la belleza y el poder del Creador, aún los bebés de pecho en su balbucear lo alaban. La vida misma en sus diversas manifestaciones es un milagro. El salmista se pregunta: ¿Qué somos los simples mortales para que pienses en ellos? Esta es la gran pregunta por el significado de la existencia: ¿quiénes somos y para qué hemos sido creados? El salmista mismo responde, el ser humano es una criatura especial, Dios lo ha coronado de gloria y de honra al formarlo a su propia imagen y semejanza. Como creación especial tenemos un doble llamado: vivir para la gloria de Dios gozando de Él ahora y para siempre, y cuidar como sus administradores de todo lo que Él ha hecho. Todo lo ha sometido bajo nuestra autoridad. Entendemos que esa autoridad es delegada por Dios, dueño original y creador de todas las cosas, por lo tanto, somos responsables ante Él por la manera como cuidamos de lo que se nos ha confiado

En esto consiste la gloria en cada uno de nosotros: cultivar la creación, es decir, desarrollar la cultura humana en sus diversas manifestaciones. Cada tarea, oficio y profesión es, por lo tanto, un llamado divino a descubrir y enriquecer los tesoros de la creación para la honra de Dios y bendición de la familia humana.

Sabemos que a causa del pecado hemos hecho mal nuestro papel al realizar de manera descuidada nuestra tarea. Tal como San Pablo afirma en su Carta a los Romanos, la creación está sujeta a maldición y gime de angustia como si tuviera dolores de parto. Hemos abusado saqueando la naturaleza, llevando sus riquezas al agotamiento, ensuciando el aire y los ríos, acabando con las especies, generando desigualdad y amenazando la supervivencia de la humanidad. Que alto es el costo que estamos pagando por semejante abuso, sin embargo, nuestro llamado no prescribe, todos aquellos que hemos sido renovados en Cristo tenemos la sagrada tarea de trabajar por la restauración de la creación, retomando nuestros oficios y profesiones a fin de reclamar cada espacio de la cultura, cada centímetro de tierra, y la entera creación, a fin de redirigirla hacía su propósito original, hasta que todas las cosas sean reconciliadas y puestas a los pies de Cristo el Señor.

Nuestra tarea comienza en el corazón al responder al llamado divino, y luego en el ejercicio de nuestro oficio para la gloria de Dios. Esta es una tarea desafiante, pero esperanzadora porque sabemos que un día todas las cosas serán renovadas definitivamente en los cielos y la tierra nuevos que aguardamos con fe.

OREMOS

Dios, al contemplar asombrados todas las cosas que has formado te alabamos con la alegría de un pequeño. Estás presente en las pequeñas y grandes cosas que has hecho con Tu poder. Reconocemos con pesar que hemos fallado en cuidar de todo aquello que nos has confiado.

Perdónanos y concédenos de aquí en adelante realizar nuestra tarea con la conciencia de que es un llamado sagrado para cultivar la creación para la gloria de Tu Nombre y bendición de la familia humana. Amén.

Salmo 9

EL SEÑOR NUNCA DESAMPARA A LOS QUE LE BUSCAN

Si los salmos 3 al 7 son peticiones del salmista en medio de la desesperación para que Dios imparta justicia y lo proteja de sus enemigos, el salmo 9 contiene la oración gozosa y agradecida porque Dios lo ha escuchado y ha respondido poderosamente a su ruego. El Señor desde su trono ha impartido justicia, ha hecho valer su derecho y su causa ante sus opositores y les ha dado el justo pago a sus acciones malvadas. La situación del salmista había llegado a ser muy desesperada, prácticamente había quedado a merced de sus perseguidores, perdiendo aún la esperanza de salir con vida. Dios lo levantó de las puertas de la muerte. Él nunca nos hace atravesar por la prueba sin un propósito. Entre las bendiciones que el salmista experimenta, puede decir que ahora conoce mejor al Dios en quien confía, ahora sabe mucho mejor que *"El Señor es refugio del pobre, refugio en el tiempo de angustia. En Él confían los que conocen su nombre, por cuanto el Señor nunca desampara a los que le buscan"*. Ahora su oración, que antes había sido una súplica desesperada en momentos de gran quebranto, se convierte en un gozoso canto de alabanza. Esta alabanza se eleva a Dios no solo desde lo interno del corazón. El quiere contar a viva voz las maravillas que Dios ha hecho en él y que, incluso, todos los pueblos se enteren de las poderosas obras de Dios.

De este salmo aprendemos que Dios es nuestro refugio en todo tiempo, que las dificultades y pruebas que enfrentamos no solo desafían nuestra fe, pero nos lleva a conocer a Dios de una manera más íntima como nuestro aliado. Toda experiencia difícil en nuestra vida es, también, un período de aprendizaje, por una parte, las pruebas nos hacen conscientes de lo vulnerables que somos y lo escaso y débiles que resultan nuestros recursos. Tomar conciencia de nuestra debilidad es una de las maneras que Dios usa para que volvamos nuestra mirada a Él, a fin de descubrir que su poder se perfecciona y manifiesta en nuestra debilidad. Las pruebas en sí no tienen nada de bueno o deseable, pero no hay duda de que, si nos volvemos a Dios en medio de ellas para esperar y confiar en Él, serán un medio de perfeccionamiento que nos hará madurar, de tal manera que, lo que nuestros opositores ven como nuestra inminente derrota, se tornará en un triunfo de la fe porque aprendimos a confiar en Dios. Por otra parte, cuando hemos sido librados de una muerte que parecía inminente, sea que sanamos de una enfermedad, o fuimos librados de una situación de gran riesgo, sin duda, se nos ha extendido una prorroga que debemos agradecer valorando la vida y el tiempo que se nos concede. Esta liberación es un llamado divino a vivir en el gozo y la gratitud. De esta manera, al igual que el salmista, nuestra oración desesperada se tornará en un canto de gratitud. *"Tú me levantaste de las puertas de la muerte para que cuente yo todas tus alabanzas [...]y me goce en tu salvación"*.

OREMOS

Gracias Dios nuestro, Dios de misericordia y justo juez de nuestras vidas, por todas tus bendiciones, porque en los momentos de gran desesperación escuchas nuestro ruego y acudes para librarnos cambiando nuestro lamento en un canto de alabanza. Gracias porque muchas veces me has librado de peligros inesperados, me has levantado del quebranto y la enfermedad. Que mi mayor alegría sea adorarte agradecidamente y contar todas tus obras maravillosas. Amén.

Salmo 10

En ti busca amparo el desvalido

El salmo 10 expresa el sentir de indignación de los justos frente al mal del mundo y quienes lo producen. Podemos apropiarnos de este salmo porque bien expresa nuestros sentimientos cuando vemos las acciones de quienes siembran injusticia y no les importa la suerte de los pobres. El salmo nos da una descripción extensa de los que ejercen maldad. Con arrogancia persiguen al pobre, son codiciosos, su ambición no tiene medida. El colmo de su maldad es su altivez que desafía a Dios mismo. No hay Dios en ninguno de sus pensamientos, sus caminos son torcidos, se sienten invencibles, su boca está llena de maldición, engañan y defraudan. ¡Como fieras acechan a los desvalidos! Qué bien encaja esta descripción hoy día con nuestro mundo lleno de desigualdades en el que unos cuantos endiosados egoístas se creen con el derecho a acaparar toda la riqueza, condenando a la mayoría al hambre y la miseria ¿No es verdad que cuando vemos la arrogancia de los malos, de los que se apropian de la tierra y de la vida, de los que ejercen violencia y pisotean el derecho, nos indignamos y nos hacemos la misma pregunta del salmista? "¿Por qué estás lejos, oh, Señor, ¿y te escondes en el tiempo de la tribulación?" A veces tenemos la impresión de que Dios, cansado del pecado humano, se ha retirado del mundo, que ya no escucha el clamor que grita: *"Levántate, oh, Señor, alza tu mano; no te olvides de los pobres"*. Pero el salmista en medio de su indignación se responde a sí mismo al volver su mirada a Dios. Dios no solo comprende su indignación, sino que participa de ella. Él no tolera al malo y al arrogante que le ha dado la espalda. Él mira las obras de cada uno y hará justicia en su tiempo. Él es el refugio del desvalido y amparo del huérfano. No son los injustos que se sienten muy confiados en su aparente seguridad los que gobiernan. Dios es Rey eternamente y para siempre, tiene el universo, el mundo y nuestra vida en sus manos. Él conduce la historia hacia su finalidad cuando la aurora de un mundo nuevo de justicia, paz y reconciliación irrumpirá de manera definitiva. Tenemos la evidencia de que Dios ha vuelto su mirada a nosotros por que ha venido en persona a este mundo por medio de Jesucristo. Él en su debilidad se humilló siendo víctima de la injusticia para triunfar sobre los poderes de maldad en este mundo, de esta manera por la victoria de su cruz, no solo se colocó del lado de los que sufren opresión, pero hizo presente su reino de salvación y justicia para todos lo que confían en él. Por eso podemos tener esperanza y saber hoy que el mal no será para siempre, que solamente los pobres de corazón, los que se arrepienten y se vuelven a Dios determinados a hacer el bien, a pesar del mal del mundo, participarán de ese reino para la eternidad.

OREMOS

Dios, ayúdanos a no desesperar por el mal del mundo. Que no olvidemos que Tú reinas soberano en Tu trono de justicia y santidad. Escucha el clamor del necesitado y juzga con justicia las obras del malo, que los que hacen injusticia y no se cuidan de nadie puedan volverse a Ti con humildad y verdadero arrepentimiento. Que por la victoria de la cruz tengamos esperanza y estemos determinados a hacer el bien sin desmayar, anunciando la presencia de Tu reino hasta que vengan los cielos y la tierra nuevos, y con ellos la justicia perfecta. Amén.

Salmo 11

EL SEÑOR ES JUSTO, Y AMA LA JUSTICIA

Frente a los que hacen el mal el salmista se pregunta en el salmo 11: *"Si fueren destruidos los fundamentos ¿Qué ha de hacer el justo?"* ¡Qué pregunta tan actual y desafiante! Hace algunos años me di cuenta de lo importante que son los fundamentos cuando una amiga me contó que tenía dificultades en su vivienda recién adquirida, las paredes comenzaron a agrietarse, algunas de estas grietas prácticamente atravesaban las paredes de arriba abajo. Buscó una solución práctica y barata, antes de consultar la opinión de un experto contrató un albañil para reparar las grietas, pero después de algunos días volvieron a aparecer, llamó entonces a un profesional. El peritaje fue demoledor, el problema está en los cimientos y la calidad del suelo, sencillamente no tienen la consistencia necesaria para sostener la edificación. Puede usted intentar todas las reparaciones que desee, el resultado será el mismo, ¿Cuál es el remedio? preguntó esta amiga, la respuesta fue derribar y construir nuevamente desde abajo asegurándose de que la cimentación sea la adecuada. Esto es justamente lo que ocurre en nuestro mundo hoy día. Abunda la violencia, el menosprecio de la vida, el egoísmo que se expresa en toda forma de abuso: hacia el prójimo y hacia la tierra que es nuestra casa común. ¡Todo se está viniendo abajo en este mundo que le ha dado la espalda a Dios! Podemos intentar construir un mundo mejor con lo que consideramos nuestras mejores soluciones, pero el problema está en el fundamento. Si ese fundamento no es la honra a Dios y la obediencia a sus normas, entonces todo se vendrá abajo. No podemos construir una familia, un gobierno, una sociedad y un mundo estable si los fundamentos están destruidos. Ante esta realidad ¿qué puede hacer el justo? No hay más que tres posibles respuestas: perder toda esperanza y retirarnos del mundo, declarar la derrota y hacer como hacen los malos, o bien, ser una presencia que hace diferencia en la cultura y comenzar a echar de nuevo el fundamento llamando a las personas a volverse a Dios. Ciertamente toda transformación para bien debe comenzar en corazones regenerados por la gracia divina. No podemos simplemente retirarnos o declarar la derrota. Dios reina soberano en su trono y mira los hechos de las personas pagando a cada uno justamente conforme a sus obras. El carácter justo de Dios que ama la justicia es el más grande aliento y, a la vez, la más grande exigencia a vivir en justicia e integridad. Quien teme a Dios no tendrá miedo de los hombres. La recompensa es grande. La persona recta mirará el rostro de Dios, es decir, gozará de su aprobación y comunión.

OREMOS

Eterno Dios, santo y soberano, cuando miro como todo en este mundo se vienen abajo: la vida, las familias, las naciones, me desanimo porque todo esfuerzo para reparar este mundo parece inútil. Ayúdame a no olvidar que Tú tienes el control de todas las cosas y la palabra decisiva y final. Tú proyecto de rescate mediante Jesucristo no puede fracasar de ninguna manera. Tú me llamas a trabajar contigo para cambiar los fundamentos, dame fortaleza y confianza para comenzar hoy con mi familia y comunidad sabiendo que Tú bendecirás todo esfuerzo por más modesto que sea y me usarás para hacer diferencia para bien dondequiera que me lleves. Amén.

 Salmo 12

¡SÁLVANOS, SEÑOR, PUES YA NO HAY GENTE PIADOSA!

El salmista inicia el salmo 12 con una nota de desesperanza: *"Se acabaron los piadosos; [...]han desaparecido los fieles"*. Algo semejante expresó el profeta Elías cuando se encuentra con Dios en la montaña: *"Han matado a todos tus profetas; y solo he quedado yo, y me buscan para quitarme la vida"*. *(y Reyes 19:10b)* No es para menos. Ante el mal que parece avanzar incontenible y la aparente extinción de los que hacen el bien en nombre de Dios, es fácil darlo todo por perdido. Pero el bien jamás será derrotado porque no depende de cuantos hacen mal, sino del poder y los propósitos de Dios que prevalecerán sobre toda oposición e intento de rebelión. El salmista mira el mal del mundo, lo describe. Los que se oponen a Dios mienten y se burlan. ¡Parecen tan fuertes y seguros! Por otra parte, mira a los desvalidos, a las victimas inocentes, a los menesterosos que gimen. Tal parece que nadie está al lado de ellos para defenderlos. Pero esa no es toda la realidad. ¡El Señor mismo se levantará para poner a salvo al que por ello suspira!

¿Cómo hacer frente a esta realidad que parece no dejar espacio para la bondad en el mundo? El gran Gandhi dijo alguna vez que no le preocupaba tanto el hecho de que los malos hicieran el mal, sino que los buenos dejaran de hacer el bien. Si, los que hemos nacido de nuevo en Cristo e ingresado por su gracia en el reino de Dios estamos llamados no solo a creer en la esperanza, sino a hacer todo el bien posible. Porque cada acto de generosidad, cada gesto de amor hace diferencia, siembra semillas de esperanza, de tal manera que el mundo puede seguir adelante. Estamos gestando el mundo nuevo tal como la mujer que aún no tiene a su pequeño en sus manos, pero siente palpitar la vida en su vientre crecido como realidad y promesa de lo que está por venir.

No estamos solos, Dios está con nosotros. Él ha entrado en la historia del mundo y de nuestra vida por medio de la Palabra encarnada: Cristo Jesús. Aunque no lo veamos, en esta misma hora hay miles y miles de personas haciendo el bien. Por cada bomba que estalla, o bala que se dispara, hay miles de besos y abrazos que se comparten, miles de actos de servicio y entrega desinteresada al prójimo, solo que no lo vemos, porque no hacen ruido como una bomba, pero gestan maravillosamente el bien y siembran la semilla de la esperanza que va creciendo de manera silenciosa, pero fuerte e invencible.

No estamos solos, tenemos la palabra de Dios que son palabras limpias y verdaderas como la más refinada plata y, sobre todo, tenemos la presencia de Dios. Esta oración que inicia con un tono de desánimo y derrota concluye con una declaración de confianza: *"Tú, Señor, nos guardarás de esta generación nos preservarás para siempre".* ¡Bendito sea su Nombre!

OREMOS

Ayúdanos Dios nuestro a no dejarnos llevar por la aparente ausencia del bien. El día de hoy miles de gestos de amor y bondad se comparten por todas partes, sembrando el bien como semillas de esperanza. Tu mismo, Señor, estás de nuestro lado, nos proteges y nos defiendes, nos das valor para creer en el bien y hacer el bien. Que nuestra fe sea más fuerte que la desesperanza y que nunca tengamos en poco el poder que tiene el amor para cambiar el mal en bien. Ayúdanos hoy y cada día. Amén.

 Salmo 13

CANTARÉ AL SEÑOR, PORQUE ME HA HECHO BIEN

El que espera desespera, de ello da testimonio el salmista en el salmo 13. *¿Hasta cuándo, Señor? ¿Me olvidarás para siempre? ¿Hasta cuando esconderás tu rostro de mí?*

¿Alguna vez ha orado de esta manera? Aquí el salmista se refiere a sus enemigos que le amenazan y fraguan su muerte. El temor y la ansiedad se presenta especialmente por las noches. Todos sus sentidos están alertas, no puede entregarse al sueño, observa entre las ventanas tratando de descubrir a sus enemigos que se mueven entre las sombras. Sus labios no dejan de murmurar una súplica desesperada: *"Mira, respóndeme, oh, Señor Dios mío; alumbra mis ojos, para que no duerma de muerte".*

¡Qué gran sentido adquiere este salmo en medio de la emergencia que vivimos! Nuestras vidas están amenazadas por un enemigo silencioso. ¡Quién lo hubiera imaginado! Esta pandemia que enfrentamos nos ha hecho darnos cuenta dramáticamente de nuestra vulnerabilidad y lo limitado que resultan nuestras capacidades. En este salmo tenemos una descripción clínica de la angustia: Temor especialmente incrementado durante la noche, tristeza, desesperanza, sentimiento de soledad y aislamiento y la sensación de que estamos abandonados por Dios y no responde a nuestras oraciones.

¿Cómo podemos superar semejante estado de angustia? Lo primero que debemos hacer es aceptar nuestra vulnerabilidad, algunos problemas son previsibles, otros no. Tarde o temprano enfrentaremos dificultades de diversa índole en nuestra vida, no obstante, nuestra actitud es muy importante, no podemos estar anticipando lo que todavía no sucede. Nuestro presente y futuro está en las manos de Dios. Jesús nos ha enseñado que debemos confiar en el Padre. Si El tiene cuidado de las aves y las alimenta, y viste a las flores de hermosos colores, ¿no hará mucho más por nosotros que somos sus hijos? Vivamos un día a la vez.

Cambiemos el sentido de nuestras oraciones. Demos el paso de la plegaria desesperada a la oración confiada. La súplica, la meditación en los hechos poderosos de Dios, la gratitud y la adoración transformarán nuestro lamento en un canto de alegría. El Dios de nuestras oraciones tiene el poder de sanar nuestra alma y volver nuestro lamento en bendición. Nuestra vida está segura en sus manos. Él nos guarda del temor, vela nuestros sueños y nos da la paz de su presencia. En medio de las pruebas y dificultades podemos decir confiadamente: Dios esta a mi lado, su presencia me rodea, su poder me guarda y nada ni nadie me puede separar de su perfecto amor. En medio de la oscuridad de su noche, de pronto el salmista levanta una alabanza. Las sombras huyeron y vino la paz de la presencia de Dios. Nosotros podemos hacer nuestras esas palabras: *"Mas yo en tu misericordia he confiado; mi corazón se alegrará en tu salvación. Cantaré al Señor, porque me ha hecho bien"*.

OREMOS

En esta hora difícil de nuestra vida, en que las sombras nos rodean, envuélvenos con Tú presencia oh, Dios, danos la paz, la confianza y la fortaleza que necesitamos. Ven en nuestra ayuda, acompáñanos en medio de la espera impaciente, disipa nuestros temores y concédenos fe para esperar en Ti y recibir de Ti toda gracia y bendición. Amén

 Salmo 14

DESDE EL CIELO, OBSERVA EL SEÑOR A LA HUMANIDAD

¿Cuál es la raíz de todo el mal que vemos en el mundo? El salmista responde a esta pegunta en el salmo 14. *"Dice el necio en su corazón: no hay Dios"*. Tal afirmación proviene del corazón, no de la mente. El incrédulo quiere evidencias y no se da cuenta de que decir "no hay Dios" es también una afirmación de fe, la confesión de un credo de no creencia, para el cual no puede presentar evidencias como las que demanda presenten aquellos que si creemos. En una palabra, decir que no hay Dios es una demostración de arrogancia y necedad.

El salmista hace una evaluación de la condición humana descubriendo esa raíz de incredulidad y pecado que subyace en el corazón de toda persona y describiendo a dónde conduce la incredulidad. Esta es su evaluación: no hay entendidos que busquen a Dios, todos se desviaron, no hay quien haga lo bueno, no hay ni siquiera uno, no tienen discernimiento, hacen el mal.

El pecado humano es un hecho universal y una realidad innegable que surge de ese quiebre fundamental en el corazón que nos ha alejado de Dios para elegir un camino de muerte. Veía un documental de la primera y segunda guerra mundial, qué terrible darse cuenta de como en tan poco tiempo el ser humano puso en práctica toda su inteligencia y habilidades para crear armas cada vez más letales y destructivas y las usó en contra de poblaciones civiles inermes. Hoy día existen armas nucleares suficientes para acabar con la vida en el planeta más de veinte veces. Todos esos recursos empleados para la guerra bien podrían ser encaminados para luchar contras las enfermedades, el hambre y la pobreza en el mundo. ¿No es esta realidad una evidencia del pecado y el egoísmo humano?

¿Cuál es la alternativa a esta realidad? ¿Hay alguna solución? El salmista nos da la respuesta: la solución no está en las manos de persona alguna, vine solamente de Dios y se llama salvación. Dios envió a su Hijo al mundo para derrotar al pecado y los poderes de la muerte mediante la muerte de su cruz y su victoria en la resurrección. Esta entrega fue un acto de amor, amor sublime e inmerecido por sus criaturas que somos cada uno de nosotros. Este acto de amor exige una vuelta a Dios en arrepentimiento y fe. Solo personas nuevas pueden hacer un mundo nuevo. Aquellos que hemos nacido de nuevo por el poder y la gracia de Dios estamos llamados a anunciar salvación y esperanza en el mundo. Esta pandemia a la que ahora estamos expuestos es un llamado de nuestro Dios a reflexionar hacia donde estamos llevando nuestra vida. No es un castigo, es una llamada misericordiosa a volvernos a Él, la única esperanza de nuestras vidas. Frente a la confesión del incrédulo nosotros afirmamos: creemos de todo corazón en Dios fuente de toda gracia, verdad y vida.

OREMOS

Te damos gracias porque nos has amado de tal manera que diste a Tú Hijo para nuestra salvación perdonando todos nuestros pecados. Nada merecemos, pero todo lo recibimos de Ti. Ayúdanos a no permanecer indiferentes ante el mal del mundo. Que por palabra y hecho podamos mostrar Tu amor a todos llamándolos a la fe. Concédenos ser una presencia que hace diferencia para bien dondequiera que vayamos. Amén.

Salmo 15

SEÑOR, ¿QUIÉN PUEDE VIVIR EN TU TEMPLO?

El salmista en su reflexión personal se pregunta: *"¿Quién habitará en tu tabernáculo? ¿Quién morará en tu monte santo?"* El santuario en Jerusalén era el lugar más sagrado para los judíos. Allí en el monte Sion se ubicaba el templo, el espacio que Dios había elegido para para ser adorado. Entrar al templo era entrar a la presencia misma de Dios. pero aquel santuario tenía un carácter provisorio y temporal. Nuestro Señor Jesucristo dijo a la Samaritana que ni en Jerusalén, ni en el Monte Gerizim, lugar que los samaritanos consideraban el verdadero santuario, serían más los lugares para buscar a Dios. Él estaría dondequiera que se le adorara en espíritu y en verdad. Entonces la pregunta con la cual el salmista abre este salmo adquiere un nuevo y más profundo sentido: ¿Quién de veras puede estar ante la presencia de Dios? ¿Quién puede tener una verdadera comunión con Él?

Este salmo va a la esencia de una cuestión fundamental: ¿En qué consiste la verdadera religiosidad? ¿Es solamente un conjunto de ritos, plegarias prefabricadas, y de poses piadosas en un espacio determinado? Ciertamente que el culto comunitario a Dios adopta formas tales como oraciones, cantos, sacramentos, ofrendas, pero estos actos no están desconectados de la vida. Dios es compasivo, justo y recto. Quienes le confiesan viven reflejando estas cualidades en su vivir cotidiano. No calumnian ni aceptan la calumnia, no hacen daño al prójimo, no mienten ni defraudan, son íntegros en sus palabras y acciones, no dan su dinero a usura. Esto quiere decir que no están dispuestos a participar en lo que implique robo, cohecho, corrupción, ganancias deshonestas o alguna forma de abuso al prójimo, especialmente al pobre.

Muchos se consideran muy listos y viven de la manera opuesta. En su confianza ilusoria se sienten seguros y caminando hacia la prosperidad. En realidad, están en un resbaladero del cual tarde o temprano van a caer. Solo aquel que anda en integridad no resbalará jamás.

Fue Nicolás de Cusa quien afirmó que no puedes pretender ir solo hacia Dios, porque entonces Dios te preguntará: ¿Dónde está tu prójimo? No podemos ofrecer una adoración limpia, sin manos limpias, no podemos cantar y orar a Dios si nuestros labios destruyen la honra del prójimo, no podemos ofrecer nuestras ofrendas a Dios si estas provienen del robo y la injusticia. La comunión con un Dios compasivo y justo reclama vivir en compasión y justicia. Es verdad que estamos muy lejos de agradar a Dios completamente. Es el Espíritu Santo quien nos ha dado un nuevo corazón y nos ha llamado a vivir bajo el poder de su gracia santificante. Confiando en esa gracia, actuemos con generosidad y justicia movidos por un amor auténtico. De esta manera nuestra comunión con Dios será verdadera y constante.

OREMOS

Dios, concédenos humildad y sabiduría para entender que el camino que la mayoría anda no es el mejor camino. Que no sea tan importante agradar a otros como agradarte a Ti con nuestras acciones. Danos fortaleza y valentía para no dejarnos arrastrar por quienes actúan con injusticia y carentes de toda compasión, atropellando al inocente. Que la mejor confesión de nuestra fe en Ti sean nuestras acciones que procuran justicia y compasión para tener una verdadera comunión contigo. Amén.

Salmo 16

TÚ, SEÑOR, ERES MI COPA Y MI HERENCIA

¿Quién es ese Dios en quien confiamos? Su majestad y su ser infinito están fuera de toda descripción posible, pero esto no significa que no lo podemos conocer. Pensemos por un momento en la relación vital entre una madre y su pequeño hijo que apenas está aprendiendo a hablar. Ese pequeño no puede comprender la complejidad del mundo de su madre adulta, solo ve en ella a una figura protectora, nutricia, que le da seguridad y lo ama. ¡Y eso le basta! ¿Quién podría afirmar que tal experiencia del cuidado y presencia maternas no son reales?

¿Quién era Dios para el salmista según nos describe en el salmo 16? Es el Dios en el que podemos confiar siempre, es nuestro Señor y el bien supremo de nuestra vida. Vemos el sentido de apropiación que el salmista expresa al referirse a Dios, le llama: mi Señor, mi herencia, mi copa. Esa apropiación de la presencia de Dios se torna una fuente de seguridad que le acompaña a lo largo de su caminar en esta vida y le acompañará aún más allá de su paso por este mundo: Tu sustentas mi suerte, tu me concedes una herencia escogida que me produce una alegría incomparable, tu eres mi consejero durante el día, y por las noche cuando duermo instruyes mi conciencia; no te apartas de mi, estás siempre a mi lado, aún hasta la muerte mantendré esta confianza porque no dejarás mi alma en la región de los muertos, me conducirás por la senda de la vida a la plenitud del gozo en tu presencia.

La vida en este mundo tiene carácter provisorio y relativo, vivir con una perspectiva de lo eterno nos dará la oportunidad de dar el justo valor a las cosas: la ropa que vestimos, la casa que habitamos, el dinero que ahorramos, lo que tenemos y no tenemos. Todas estas cosas tienen cierta importancia, pero su valor relativo. Lo mismo podemos decir de las alegrías y las penas por las que pasamos. Las cosas se disfrutan en su momento y luego las dejamos ir; vendrán nuevas alegrías. Las penas no son para siempre, habremos de sobrellevarlas con paciencia y fe.

Solo Dios es eterno, solo su bendición es perdurable, solo la casa que nos tiene prometida es para siempre. Por eso no puede haber mayor bien que nuestro Dios en nuestra vida, ni mayor riqueza que la herencia que Él ha dispuesto para nosotros. Así es que en nuestro transitar temporal por este mundo, miramos por la fe a nuestro Dios más allá de lo inmediato, a fin de ser guiados por su gracia hasta el día del gran encuentro. ¿No es esta la más maravillosa bendición y la mejor herencia que podemos tener en esta vida y para la eternidad misma? Esa bendición y herencia está garantizada por aquel que murió y resucitó por nosotros. Bendito sea su Nombre.

OREMOS

Tú sabes Señor que a veces desespero en medio de la necesidad y las pruebas. Sabes también, que me quedo estacionado en las alegrías y bendiciones del pasado como si no tuvieras algo nuevo para mi cada día. Que no olvide que mi mayor bien y herencia en este mundo y para la eternidad eres Tú. Tú sustentas mi suerte, me has reservado una herencia perdurable. Estas siempre a mi lado. ¡Qué más puedo pedir si todo lo tengo en Ti! Ayúdame para que esa confianza me acompañe siempre y nada apague el gozo que en Ti encuentro. Amén

Salmo 17

DIOS MÍO, YO TE INVOCO PORQUE TÚ ME RESPONDES

¿Ha pasado por la experiencia de que sus palabras y acciones sean malinterpretadas, y siendo inocente se le tenga por culpable? Este es el sentimiento que expresa el salmista en el salmo 17. Resulta que aquellos que procuran su mal pasan por buenos, y él, que ha actuado con rectitud se le ve como el malo. Uno no puede simplemente tratar de convencer a cada persona que tiene una idea equivocada de nosotros para que cambie de parecer, en algunas circunstancias eso nos expone más a la crítica injusta.

¿Qué hacer ante tales circunstancias? El salmista se vuelve a Dios en oración. Él no solo le escucha, conoce su corazón y entiende como nadie la situación. Esto nos enseña algo muy importante. No debiéramos preocuparnos tanto de lo que otros piensan de nosotros, sino más bien de lo que piensa Dios de nosotros, delante de quien están nuestras intenciones y acciones. Si hemos procedido justamente, Dios lo sabe y eso nos basta.

Y es que tenemos razones para confiar. Dios es nuestro refugio y defensor. El abogado de nuestra causa. Nos guarda como la niña de sus ojos, nos esconde bajo la sombra de sus alas y nos da una esperanza que no pude ser derrotada.

Cuando uno es criticado injustamente la tendencia humana es devolver mal con mal. Pero el salmista refrena sus intenciones. Pagar con la misma moneda le hace ser semejante a sus opositores, tal actitud es incompatible con el Dios que confiesa porque no podemos pedir justicia, si actuamos con injusticia, no podemos encomendar nuestra causa a Dios si nosotros hemos decido actuar por nuestra cuenta. De esta manera, el salmista convierte el ataque de quienes lo amenazan en una oportunidad para declarar su determinación de ser íntegro delante de Dios. *"He resuelto que mi boca no hable transgresión, yo me he guardado de la senda de los violentos".* Las acciones malintencionadas de otros son una invitación a no ser ni actuar de la misma manera. El apóstol Pablo lo expresó con estas palabras: "No seas vencido de lo malo, sino vence con el bien el mal (Romanos 12:21)

Con esta determinación el salmista encomienda su causa a Dios sabiendo que Él le escucha. Es así como puede mirar más allá del momento y de las circunstancias para sentirse rodeado por la presencia y del cuidado divino, llegando a la íntima convicción de que nada puede arrebatarle su esperanza: *"En cuanto a mí, veré tu rostro en justicia; estaré satisfecho cuando despierte a tu semejanza".* Esa esperanza es también nuestra por la fe que descansa en la fidelidad y las promesas de Dios.

OREMOS

Tú Señor, conoces todo mi sentir, lo que me aflige y me preocupa. No necesito explicarte lo que otros no quieren entender. Tú lo sabes todo. Gracias por guardar mi vida con bien, por ser mi segura defensa. Ayúdame a mantener mi integridad, a no ceder a la tentación de pagar mal con mal y actuar de manera semejante a quienes hacen daño sin escrúpulos. Que busque agradarte en todo y ser fuerte en Ti para no ser vencido de lo malo, sino más bien vencer el mal con el bien. Amén.

Salmo 18

¡EXALTADO SEA EL DIOS DE MI SALVACIÓN!

Cuando nada resulta, cuando nuestros recursos no bastan, cuando nuestras mejores soluciones no funcionan, ¿En quién podemos confiar? ¿De dónde vendrá la ayuda? Porque hay momentos en la vida que todo parece fallar. Luchamos con todas nuestras fuerzas para terminar desgastados y sin haber logrado resolver los problemas que nos agobian. Tal vez hoy, más que nunca, la humanidad ha llegado a darse cuenta de que todo aquello que consideramos nuestras fortalezas pueden venirse abajo en unos cuantos días. Un virus microscópico ha puesto en jaque a la economía mundial y a nuestra capacidad de respuesta a una emergencia sin precedente. Nos sentimos inermes. Nos hemos visto obligados a aislarnos y a mantenernos alertas y temeroso de lo que pueda pasar. Así se sentía el salmista mientras era perseguido por un enemigo formidable que amenazaba su vida. No tenía las armas, la capacidad y la fuerza para enfrentarlo. En su necesidad y desvalimiento se vuelve a Dios, y al aceptar su vulnerabilidad descubrió el incomparable poder de Dios y su protección que le guardó en la hora de la prueba dándole la victoria sobre sus perseguidores. El salmo 18 es un recuento de la manera como Dios le libró de manera maravillosa.

En tanto nos pretendemos autosuficientes no tomamos conciencia de los escasos y endebles que son nuestros recursos. Una vez que tomamos conciencia de nuestra necesidad y desvalimiento para volvernos a Dios nos damos cuenta de que apenas estamos comenzando a conocerle. ¿Cómo es ese Dios que se nos revela en la hora de la necesidad? Fortaleza, roca firme, castillo, libertador, escudo, refugio. El Dios que despliega su formidable poder en el rayo y el viento, que hace resplandecer la luz de su presencia en medio de la más densa oscuridad, el Dios que se pasea majestuoso en los cielos y en la tierra. Ese el Dios que escucha nuestras oraciones y desciende para librarnos. *"¿Qué otro Dios hay como nuestro Dios? ¿Y qué roca hay fuera de nuestro Dios?"* se pregunta el salmista. *"Dios es el que me ciñe de poder, y quien hace perfecto mi camino; quien hace mis pies como de ciervas, y me hace estar firme sobre mis alturas".*

Si hemos llegado a una situación límite en nuestra vida, si no tenemos más fuerzas, si nos sentimos derrotados y sin la capacidad de hacer frente a las dificultades manteniéndonos de pie y luchando, es hora de volverse a Dios que escucha nuestras oraciones, quien acude en nuestro auxilio, quien renueva nuestras fuerzas y nos ayuda a seguir adelante cambiando nuestro lamento en un canto de victoria: Viva el Señor, y bendita sea mi roca, y enaltecido sea el Dios de mi salvación.

OREMOS

Dios ven en mi ayuda en esta hora difícil. Tú sabes que me siento sin la fuerza y la capacidad para seguir adelante, el dolor y la necesidad me abruman, pero Tú permites todo eso para que vuelva mi mirada a Ti. Resplandece en medio de la oscuridad que me rodea, escucha mi ruego, dame la fortaleza y la protección que necesito y enséñame que solo confiando en Ti puedo tener victoria sobre toda prueba. Amén.

Salmo 19

LOS CIELOS PROCLAMAN LA GLORIA DE DIOS

Dios no permanece en silencio, Él siempre habla. Cuando levantamos nuestra vista para contemplar la majestad de las montañas, o ver el cielo tapizado de estrellas, Dios nos habla. En el ciclo de las estaciones, en el ritmo regular de los días y las noches, Dios nos habla. Tal como dice el salmista en el salmo 19, *"Por toda la tierra salió su voz y hasta el extremo del mundo sus palabras".*

Dios nos habla también en su palabra escrita. El salmista describe las cualidades de la ley y el efecto transformador que tiene en el alma: su ley es perfecta, fiel, verdadera y más valiosa que el oro más refinado. Cuando nuestra mente y corazón entran en contacto con esa palabra el alma se convierte, y recibimos sabiduría y luz para guiar nuestros pasos en el camino de la voluntad divina.

Me encanta pensar en la Palabra de Dios como una brújula y un mapa. La brújula nos orienta y el mapa nos describe el territorio por el que debemos avanzar. Sin estos recursos estaríamos perdidos en medio de un bosque espeso. ¿Cómo podemos guiar nuestra vida en el camino de la voluntad de Dios en este mundo confuso? Solamente a través de la Palabra que, a semejanza de la brújula y el mapa, conducen los pasos del caminante por la senda segura.

Pero hay una condición fundamental para escuchar la voz de Dios, hay que estar atentos, hay que buscar intencionalmente la dirección de Dios, hay que desear escuchar su voz. Si el explorador no consulta la brújula y el mapa hay una alta probabilidad de que se extravíe. Lo mismo podemos decir de quien no lee atentamente y considera la Palabra de Dios. El mundo resultará incierto y el camino a seguir se perderá delante de nosotros. La Palabra de Dios no es solamente letras, consejos e historias, es mucho más que eso. Su lectura y meditación tienen un efecto transformador en la personalidad y el temperamento. En Palabra de Dios encontramos amonestación y consejo que nos lleva a entender los errores que es necesario corregir. Su poderosa influencia moldeará de tal manera nuestro carácter que nos hará más humildes y obedientes, de tal manera que nos apartaremos de todo mal camino.

El que aprende a escuchar la voz de Dios, el que lee de manera reflexiva queriendo conocer mejor a su Dios, tendrá la recompensa del buscador diligente, será preservado de la soberbia y crecerá en integridad. Su mente y corazón serán transformados de tal manera que los dichos de su boca y la meditación de su corazón serán gratos delante de Dios.

OREMOS

Eterno Dios, concédeme mirar con asombro tus obras maravillosas que me hablan de Tú poder y así adorar tu majestad. Gracias por el don de Tú palabra escrita, en ella hay enseñanza, sabiduría y guía para mi vida. Que sea diligente en leerla y meditarla, que sea humilde para dejarme guiar por sus enseñanzas y así poder agradarte. Sobre todo, gracias, porque Tú Palabra me revela a Jesucristo la palabra eterna hecha carne para mi salvación. Bendito seas por tan inmerecido y maravilloso don. Amén.

 Salmo 20

El Señor te oiga en el día del conflicto

¿A quién acudimos primero por auxilio en la hora de la necesidad? ¿Dónde encontramos confianza y seguridad cuando la vida se complica? El salmista sabía muy bien donde encontraría la ayuda para librar sus batallas. Así lo expresa en el salmo 20: *"El Señor te oiga en el día del conflicto; el nombre del Dios de Jacob te defienda"*. Y es que, cuando nos vemos abrumados por la necesidad inmediatamente tratamos de encontrar un asidero, pero dejamos a Dios en última instancia. ¿Por qué será? ¿Nos falta fe? ¿Pensamos, tal vez, que no nos va a escuchar? Dios no es un recurso de último momento cuando todo lo demás ha fallado. Dios es Dios, majestuoso, soberano, todopoderoso y, además, amoroso. Tal como dice aquel cantito infantil que aprendí cuando era niño: "Él tiene el mundo en sus manos", y mi vida, por su puesto. Él merece toda nuestra alabanza. Si nosotros no confiamos en Él, nosotros somos los que sufrimos pérdida, Él no, por eso es quien es.

Pero no pensemos que nuestro Dios se olvida o está lejos, o deja de escucharnos porque vacilamos o lo buscamos hasta que el agua nos ha llegado al cuello. Él está cerca, nos cuida y nos bendice, lo hace porque Él es así, porque quiere, porque nos ama libremente, de gracia. Así es que, si fuiste librado, si sanaste de la enfermedad, si encontraste una salida de último momento a tu problema, aunque no buscaste a Dios, fue porque Él estuvo atento, te acompañó, abrió puertas cerradas y caminos inesperados para bendecirte. ¿Entonces hace diferencia buscarle primero a Él, si de todas maneras vendrá en mi ayuda? Por supuesto que sí. Porque creyéndote solo, y pensando que luchabas con tus fuerzas llevaste una carga de ansiedad, para luego venir a descubrir que Él siempre estuvo allí. ¡Bendito él que confía en todo momento en su Dios porque tendrá desde el principio paz, fortaleza y seguridad!

Él conoce tu necesidad, escucha tus oraciones, viene para salvarte en la hora difícil. Todo recurso humano es limitado, todas nuestras seguridades se pueden venir abajo. Nuestra inteligencia, nuestras armas, pero Él siempre está ahí, atento, cuidando de Tu vida, dándote fuerzas más allá de tus fuerzas. Esa es la razón por la cual el salmista en una declaración de confianza afirma: *"Estos confían en carros, y aquellos en caballos; mas nosotros del nombre del Señor tendremos memoria"*. ¡Que manera de decir no te olvides, no desesperes, que el Señor es tu fortaleza y tu victoria! Con Él a tu lado no temerás en medio de la batalla y levantarás en medio de la prueba tu canto de victoria: *"Ahora se que el Señor salva a su ungido; lo oirá desde los cielos con la potencia salvadora de su diestra"*

OREMOS

Gracias, mi Dios, porque siempre estás ahí, aún cuando piense que estás ausente y no escuchas, ese temor viene de mi falta de fe. Gracias por bendecirme y venir en mi auxilio a pesar de que en medio de mis dificultades no te busque. Perdona mi falta de fe. Ayúdame a recordar que mi fortaleza y mi victoria vienen de Ti. Que en cada circunstancia acuda a Ti porque eres mi único refugio, mi fortaleza y mi victoria en toda batalla. Bendito sea Tú Nombre por siempre. Amén.

Salmo 21

Señor, el rey se alegra por Tu poder

El salmo 21 es una composición del salmista en los años de madurez, después de que el Señor ha derrotado a todos sus enemigos y lo ha afirmado en el trono. Sin duda, por su lenguaje, podemos concluir que este es también un salmo mesiánico que nos anticipa la victoria definitiva del reino de Cristo.

El salmista expresa su adoración agradecida por todos los favores recibidos por parte de su Dios: *"Le has concedido los deseos de su corazón; le has concedido todas sus peticiones. Lo has recibido con grandes bendiciones"*. Así se expresa. Él sabe muy bien que todo lo que ha obtenido no es por su fuerza, merecimientos e inteligencia, sino solamente por la bendita bondad y misericordia divina: *"Le concediste además honra y grandeza; por eso él se gloría en tu salvación"*.

Hay una tendencia muy humana a considerar que todo lo bueno que hay en nuestra vida es gracias a nuestro esfuerzo, este sentimiento de vanidad y autosuficiencia es tan sutil a veces que no nos damos cuenta de que se va apoderando poco a poco de nuestro corazón. El día que llegamos a perderlo todo y nos vemos en una condición de necesidad nos disgustamos con Dios. Tenemos la idea de que todo nos pertenece y que tenemos derecho a ello. ¡Cuánta humildad necesitamos para darnos cuenta de que nada es nuestro y todo lo recibimos solamente por la bondad divina!

Si recibimos con gratitud cada bendición, experimentaremos ese maravilloso sentimiento de satisfacción y contentamiento que nos hará gozar de cuanto se nos concede sin apoderarnos de ello. Esto significa no dar las cosas por sentado. Todo lo recibimos de gracia.

En estos días de emergencia en los que nuestra vida ha sufrido un vuelco, nos damos cuenta de cuántas bendiciones gozamos cada día, pero no las apreciamos: el tomarnos un café con un buen amigo, la libertad de ir a donde deseamos, de visitar a nuestros seres queridos, de tener salud, de realizar nuestro trabajo cotidiano, en fin, el recuento es extenso. ¡Cuánto tenemos que agradecer!

Hoy agradezcamos que Dios está con nosotros, agradezcamos por cada logro alcanzado, por nuestra familia, agradezcamos que Dios es bueno y nos bendice cada día abundantemente y podemos vivir seguros cada día bajo su amparo y protección.

OREMOS

Gracias Dios porque nuestra vida es un recuento de tu bondad. Cuando miramos al pasado nos damos cuenta de lo bueno que has sido con nosotros. Has escuchado nuestras oraciones, nos has dado la victoria en cada prueba, nos has dado el trabajo, la familia, la salud y el sustento. Concédenos ser humildes y recibir con gratitud toda bendición de tu mano. Amén.

Salmo 22

FORTALEZA MÍA, APRESÚRATE A SOCORRERME

Las palabras de este salmo estuvieron en los labios de Jesús en los momentos de mayor soledad y sufrimiento en la cruz: *"Dios mío, Dios mío, ¿porqué me has desamparado?"* Si seguimos leyendo el salmo 22 encontraremos una descripción anticipada de esas horas oscuras y difíciles que Jesús atravesó como un camino de dolor por todos nosotros en el calvario. Las amenazas y acusaciones injustas, La burla y la tortura a la que fue expuesto, sus manos y pies horadados por los clavos, su extrema debilidad y profundo quebranto emocional. Todo está allí descrito y anticipado. No hay duda de que el salmista está escribiendo por inspiración profética.

¿Qué nos dicen los sufrimientos de Jesús? Cuando pasamos por situaciones difíciles de pérdida, duelo o quebranto físico y emocional llegamos a sentir que estamos solos en medio de la oscuridad y la tormenta, que nadie está a nuestro lado para ayudarnos. Pero los sufrimientos de Jesús no solo nos inspiran, Él realmente está a nuestro lado, nos entiende, camina con nosotros a través de la tormenta, Él conoce ese sendero. ¡Ya pasó por el! Pero eso es solamente una parte de la verdad. Él también nos ayuda y nos fortalece. Tal como dice la Carta a los Hebreos: *"No tenemos un Sumo Sacerdote que no pueda compadecerse de nosotros, sino uno que fue probado en todo según nuestra semejanza, pero sin pecado. Acerquémonos, pues, confiadamente al trono de la gracia, para alcanzar misericordia y hallar gracia para el oportuno socorro". (Hebreos 4:15-16)*

El Señor Jesús pasó por todo ese calvario, para que nunca más el dolor y el quebranto fueran la última palabra para quienes en él confiamos y esperamos. Los valles sombríos son una invitación a mirar más allá, a esperar un mañana mejor, a mantener nuestra esperanza.

Así lo expresa el salmista, desde antes de nacer me conoces, eres mi fortaleza, mi pronto socorro, por lo tanto, puede esperar siempre lo mejor hacia adelante. De ti será mi alabanza en medio de la gran congregación. Cada bendición recibida es una razón más para exaltar al Señor y llenarnos de esperanza.

Por estos días difíciles escuchamos muchas malas noticias y anuncios catastrofistas. Pero los que confiamos en Dios no vivimos esperando lo peor. Lo mejor está por venir y no solamente nosotros, sino nuestra descendencia servirá al Señor y anunciarán sus grandes obras.

OREMOS

Señor, al acercarse las sombras de la noche, concédeme la paz de Tú presencia. Que pueda descansar en Ti sin temor. Te agradezco porque en los días difíciles has caminado a mi lado, aun cuando no siempre estuve consciente de ello. Gracias porque puedo aguardar el mañana con esperanza, porque me conoces y me amas y prometes nunca apartarte de mi y de las personas que amo. Te alabo y te bendigo por tu cuidado y tus obras maravillosas. Amén.

Salmo 23

EL SEÑOR ES MI PASTOR

El salmo 23 es, sin duda, el más entrañable e inspirador salmo que el rey David escribió. Ha estado en el corazón y en las oraciones de los cristianos en todo tiempo, especialmente en medio de la necesidad y la prueba. Nació de la inspiración de la experiencia del rey David como pastor de ovejas en sus años juveniles, el cuidado especial que él tenía por su rebaño le llevaba a meditar en el cuidado y la provisión divinas. El Señor es mi pastor, nada me faltará. ¿Qué es aquello que no nos faltará? Cuántas cosas parecen hacernos falta en la vida, pero lo que nunca nos faltará es el amoroso cuidado del pastor divino, por lo tanto, no me faltará alimento para mi alma, no me faltará reposo en medio de las jornadas agobiantes de la vida, no me faltará dirección, pues mi pastor divino, haciendo honor a su nombre y fidelidad me guiará por el sendero recto de su voluntad. No me faltará compañía, especialmente en esos tiempos en los que atravieso por valles de sombras y de muerte. Aunque me rodee la oscuridad y mi camino parezca incierto y sin dirección, El camina siempre a mi lado, de manera paciente y amorosa me da aliento con su vara y su cayado. Y así, con una canción de alabanza y gratitud puedo atravesar los pasajes sombríos hacia un nuevo amanecer.

El Señor es mi pastor, por eso no me faltará alimento, ni protección, ni compañerismo, pues en la tienda de su presencia encontraré refugio y provisión.

Ciertamente nuestra vida es un caminar constante, lleno de toda clase de incidencias, días buenos, días difíciles, pérdidas y ganancias. A veces parece que perdemos el rumbo y no encontramos un horizonte de esperanza, un nuevo día luminoso pero, aunque el camino parezca incierto, nunca estamos solo, la amorosa presencia de nuestro pastor nos acompaña y dirige a cada paso. Mi camino tiene un destino seguro.

¡Qué maravilloso pensar que cada paso me acerca al gran encuentro! Por eso puedo decir con infinita confianza que el bien y la misericordia me seguirán todos los días de mi vida, y en la casa del Señor moraré por largos días. Quiero pensar en estas palabras: todos los días. No hay un solo día en mi vida en que la presencia y la provisión de mi pastor divino me hagan falta. Nunca me faltará él, nunca me faltará su pastoreo y así como las ovejas confían, siguen y conocen la voz de su pastor, hoy, cada día, y siempre me entrego a su cuidado amoroso y fiel.

OREMOS

Te bendigo mi pastor porque nunca me haces falta. Tu presencia fiel y constante me alimenta, me da reposo y me guía. Gracias por estar conmigo siempre, especialmente, por estar a mi lado cuando atravieso por senderos oscuros. Aunque yo no vea lo que viene delante puedo confiar en Tú cuidado y dirección. Gracias por que en Ti encuentro el refugio y comunión que renuevan mis fuerzas. Gracias por darme la seguridad de que paso a paso, sin importar las incidencias del camino me conduces a la plena alegría del gran encuentro en Tú casa. Te bendigo y me entrego a Tu cuidado. Amén.

Salmo 24

DEL SEÑOR ES LA TIERRA Y SU PLENITUD

¿Hasta dónde se extiende el dominio y los derechos de posesión de nuestro Dios? El salmista responde a esta pregunta en el salmo 24. Nos dice: *"Del Señor es la tierra y su plenitud, el mundo y los que en él habitan"*. Con su gran poder Dios creo todo de la nada y nos hizo a su imagen y semejanza. Ni siquiera somos dueños de nosotros mismos, pertenecemos al Creador que en su bondad nos formó y en su providencia nos sostiene. El universo, el mundo y quienes lo habitamos pertenecen al Señor. Pero la realidad, es que esta verdad no parece obvia por que, a causa del pecado y del egoísmo, hemos saqueado la creación, pretendiéndonos dueños de aquello que solamente ha sido puesto bajo nuestro cuidado. Hoy, de manera inesperada, la tierra parece descansar de tanto abuso. Los parajes y los ríos están limpios, el aire es claro, el ruido se ha alejado de nuestras calles atestadas, el frenético e interminable vaivén ha entrado en una pausa.

Dios nos habla, Dios nos recuerda que no somos dueños del lugar, que la entera creación sufre a causa de nuestro afán destructivo y egoísta. Él, ciertamente, gobernando desde su trono de gloria ha sacudido nuestra autosuficiencia y ha mostrado cuán débiles son los sistemas en los que hemos basado nuestra confianza.

La tierra descansa y nosotros debemos también descansar, dejar las prisas, la indiferencia, el afán de creer que podemos adueñarnos del mundo o cambiar a nuestro favor las circunstancias por decreto.

Aquí viene la gran pregunta, aquella que va directo al corazón y desafía nuestros conceptos y seguridades. ¿Quién subirá al monte del Señor? ¿Y quien estará en su lugar santo? Hay que limpiar nuestras manos de injusticias y purificar nuestro corazón de mentira y egoísmo. Es necesario renunciar a todo lo que le atribuimos mérito y grandeza pero que a los ojos de Dios es vanidad. Somos tan frágiles, pasajeros y pretenciosos.

Atravesamos por una pandemia y lo que hay en el interior de los corazones hoy se revela con una notoria y sorprendente claridad: la bondad de quienes honran a Dios, y el egoísmo de quienes se pretenden dioses. El santuario en el que Dios debe ser adorado, no es solamente el espacio religioso semanal de un templo. Dios no quiere una religión ocasional, un paliativo superficial para nuestra gran necesidad espiritual, Él demanda nuestra vida toda. Toda la creación es un santuario que revela la gloria del Creador, y cada espacio y oficio es un llamado sagrado a cultivar y cuidar de la tierra para la gloria de Dios y bendición de la familia humana. Atendamos el llamado con humildad y entremos a la presencia de Dios en íntima adoración, comunión y fe.

OREMOS

Limpia mis manos, Señor, y purifica mi corazón para adorarte en espíritu y verdad y así entrar a Tú presencia cada día. Todo te pertenece, esta tierra en la que nos has puesto, mi vida te pertenece, no quiero vivirla más a mi manera. Concédeme cultivar con dedicación y amor el maravilloso mundo que me has confiado. Que al honrarte en mi oficio cotidiano pueda bendecir también a mi prójimo. Amén.

Salmo 25

Bueno y recto es el Señor

Una tendencia muy humana es juzgar los pecados ajenos, pero no apreciar los propios. En realidad la valoración que tenemos de otras personas de alguna manera está siempre prejuiciada. Esa es una de las razones por las cuales debemos abstenernos de establecer juicios condenatorios. El único que conoce realmente nuestros corazones es Dios, nadie más que Él tiene el derecho de juzgar nuestras intenciones, pensamientos y acciones, no obstante, Él está dispuesto siempre a perdonar al que humildemente se acoge a su bondad. El salmista lo sabía por experiencia personal, por eso en el salmo 25 se dirige a Dios con estas palabras: *"Acuérdate, oh Señor, de tus piedades y de tus misericordias que son perpetuas. De los pecados de mi juventud, y de mis rebeliones no te acuerdes"* Habla de la piedad y misericordia divina en plural: "misericordias", "piedades", porque para nuestras muchas faltas necesitamos una compasión que las exceda por mucho, a fin de que podamos recibir por gracia su perdón.

Nos preguntamos porque el mundo parece no cambiar, contrariamente, la enemistad, el egoísmo y la indiferencia en todos los niveles de la vida humana se acrecientan cada vez más. Vivimos cuidándonos de los demás, llenos de desconfianza y siempre en pie de lucha. ¡No somos capaces de comprender que es inevitable vivir juntos! O encontramos la manera de convivir o terminaremos destruyéndonos.

¿Por donde comenzar a dar ese giro que nos lleve a la convivencia respetuosa, a la concordia y la fraternidad?

El salmista nos indica el camino: es necesario volverse a Dios no para referir los pecados ajenos, sino para confesar los propios, no para pedir que cambie la vida de los otros, sino la nuestra. Miren la petición sincera y encarecida del salmista: *"Muéstrame, oh Señor, tus caminos; enséñame tus sendas. Encamíname en tu verdad"*. Si somos honestos con nosotros mismos habremos de reconocer que pocas veces oramos de esta manera. Pocas veces le pedimos a Dios con un intenso y sincero deseo que dirija nuestros pasos, que nos ayude andar por el sendero recto de su voluntad, que nos conceda sabiduría y valentía para hacer lo que es justo ante sus ojos. Si cada uno se volviera a Dios en sincero arrepentimiento, si cada uno deseara lo que Dios desea para su vida, sin duda, comenzaríamos a experimentar un cambio real en nosotros y luego en nuestras familias y en nuestra comunidad. Ese cambio se iría esparciendo cada vez de manera más amplia a nuestro alrededor. Parece utópico, ¿verdad?, pero la alternativa nos lleva a la guerra constante.

Dios escucha siempre la oración del que le busca de corazón. Esa oración será respondida. El salmista lo sabía muy bien: *"Bueno y recto es el Señor; por tanto, él enseñará a los pecadores el camino. Encaminará a los humilde por el juicio"*.

OREMOS

Me acerco a Ti, Dios mío en esta hora, me refugio confiadamente en tu misericordia perdonadora y humildemente te suplico que me guíes en el camino de Tú voluntad. Renuncio a todo intento inútil de querer cambiar a los demás. Ayúdame, más bien, a ser el cambio que espero de otros. Gracias por escuchar mi oración. Amén.

Salmo 26

¡PONME A PRUEBA, SEÑOR! ¡EXAMÍNAME!

Una de las tareas que no me agrada realizar es ordenar los cajones de mi escritorio, así es que no lo hago con mucha frecuencia. Quizá la razón es que algunas de las cosas que voy a encontrar allí dentro no me van a agradar: lecturas pendientes, oficios no respondidos, tareas inconclusas. Lo que no quiero ver lo echo al cajón y, simplemente, me olvido de ello, pero solo por un tiempo, hasta el momento en que ya no hay espacio y la limpieza no puede esperar más.

Hay un "cajón" más importante que requiere nuestra atención y es nuestro corazón. Con el paso de los días vamos "coleccionando" sentimientos, pensamientos, actitudes que no queremos reconocer, sencillamente, los echamos en el fondo del cajón. Nuestra conciencia se las arregla de alguna manera para hacernos creer que todo ello, al estar olvidado no existe o carece de importancia. Alguna vez escuché la frase de que el peor de todos los engaños es el propio. La realidad es que nos da temor confrontarnos con nuestra propia realidad y reconocer en que nos hemos equivocado o que hemos dejado de hacer lo que debiéramos estar haciendo.

El salmista en el salmo 26 nos enseña cómo debemos hacer un correcto examen de conciencia, como abrir el cajón del corazón para descubrir lo que hay allí oculto. En esta auto-evaluación el salmista sale aprobado, no porque confíe demasiado en su bondad, sino porque continuamente le pide a Dios que examine sus más íntimos pensamientos. Es decir, él aprendio el arte de la auto-examinación a los ojos de Dios. No, no se trata de vivir agobiados pensando si vamos a desagradar a Dios. Se trata de un aprendizaje, de una disciplina personal en la cual nos vamos ejercitando de tal manera que, al obtener provecho espiritual de ello, se vuelve un hábito constructivo.

¿Quién puede decir que es cansado observar por el espejo retrovisor mientras conducimos? Se vuelve un hábito que nos permite una conducción atenta y segura. De la misma manera pedir a Dios cada día que nos ayude a escudriñar en el interior de nuestra alma para ver aquel aspecto de nuestro temperamento que debemos cambiar es un sano y necesario ejercicio. Los psicólogos llaman a esto auto-observación, y si esta auto-observación está iluminada por la Palabra de Dios y su Espíritu divino, nos llevará a descubrir esas partes de nuestra personalidad que están en el fondo del cajón y que deben ser removidas para dejar espacio para los virtuoso, bueno y agradable a Dios. El salmista hace su propio recuento: he caminado en integridad, he confiado en Dios, no he hecho ronda con los que fraguan la mentira y la corrupción, he amado la comunión con Dios. Él esta determinado a mantenerse en ese camino de justicia. Ando en tu verdad, andaré en integridad. ¿Si echáramos hoy una miradita al "cajón" de nuestro corazón que descubririamos allí?

OREMOS

Con toda humildad mi Dios me acerco a Ti en esta hora.Te ruego me ayudes a escudriñar mi corazón para ver lo que Tú ves en él, y tal vez yo trato de ignorar. Que no tema hacerlo pues Tú en tu bondad no solo estás dispuesto a ayudarme a tener conciencia de aquello que no es agradable a tus ojos, Tu estás dispuesto, también, a perdonar y a darme por gracia el poder de cambiar para andar así en el camino de Tú voluntad. Amén.

Salmo 27

EL SEÑOR ES MI LUZ Y MI SALVACIÓN

¿Cómo vencer el temor que nos domina y dar un paso adelante hacia la confianza y la seguridad? En el salmo 27 el salmista nos hace saber el secreto de la fortaleza espiritual. *"El Señor es mi luz y mi salvación; ¿de quién temeré? El Señor es la fortaleza de mi vida; ¿de quién he de atemorizarme?"*

La amenaza lo ha rodeado, los malignos, los que le causan angustia, como fieras hambrientas en acecho se han juntado para devorarlo. No son temores inventados o imaginaciones suyas. El peligro es real, pero también, y sobre todas las cosas, la presencia y la protección de Dios es también real. Ni siquiera tiene que luchar, el Señor libra la batalla por él, de tal manera que los planes de los malignos se desbaratan y terminan tropezando y cayendo en sus propias trampas. Es así que se apropia de una seguridad que le da fortaleza y valor: *"Aunque un ejercito acampa contra mí, no temerá mi corazón; aunque contra mi se levante guerra, y estaré confiado".*

Esta actitud de confianza no es una negación de la realidad. Las dificultades y batallas habrán de ocurrir en tanto caminemos en este mundo. Ciertamente frente a las adversidades nos sentimos vulnerables, inermes y desprotegidos, sin la capacidad de hacer frente a la amenazas que se nos vienen encima como un aluvión. La cuestión no es, qué tan fuerte es el enemigo que me amenaza, sino, quién está a mi lado para librar mis batallas. Y el salmista sabía muy bien quien guardaba su vida. *"El Señor me esconderá en su tabernáculo en el día del mal; me ocultará en lo reservado de su morada"*. ¿Ha visto usted a un pequeño en brazos de su madre? Esta rodeado y protegido, por unos brazos amorosos que lo sostienen. Tiene todo lo que necesita: alimento y cuidado. El mundo puede estar cayendo alrededor, ese pequeño se siente seguro. Mucho más que el cuidado materno es el cuidado de Dios, por eso el salmista afirma: *"Aunque mi padre y mi madre dejaran, con todo, el Señor me recogerá"*.

¿Cómo podemos apropiarnos de esta bendita seguridad que tanto necesitamos? Es necesario interpretar bien los deseos de nuestro corazón que nos dicen que busquemos a Dios. Nuestros temores y ansiedades son un anhelo no interpretado de la presencia de Dios, es el lenguaje del alma que nos dice: busca el rostro de Dios, entregate confiadamente a su amparo, ruega que en medio de la confusión y el riesgo te guíe por caminos de justicia, pídele que sea tu protección, no dejes de buscarlo, hasta que hayas recuperado el aliento, hasta que estés en pie después de haberte sacudido el miedo para seguir adelante con la convicción que verás las bondad de Dios en la tierra de los vivientes. Ciertamente te esperan otras batallas hacia adelante, pero también muchas victorias más. *"Aguarda al Señor; esfuerzate y aliéntese tu corazón; si, espera al Señor"*.

OREMOS

Concédeme, Señor, que el poder de las amenazas que enfrento no se apodere de mi corazón. Que en la hora de la necesidad y de la prueba vuelva mi mirada a Ti que me guardas de la angustia y la ansiedad. Porque más grande y real que todo peligro eres Tú que nunca te apartas de mi y me rodeas con Tú maravillosa presencia que es luz y salvación. Amén.

Salmo 28

BENDITO SEA EL SEÑOR QUE OYÓ LA VOZ DE MIS RUEGOS

En el salmo 28 apreciamos ese movimiento que va de la súplica desesperada a la alabanza agradecida. Ese camino no es fácil de andar, como todo camino no llegamos al final hasta que lo hemos recorrido paso a paso. Esto tiene mucho sentido, porque no sabríamos lo que es el gozo si no hemos pasado por la tristeza, no sabríamos que Dios libra, sino hemos estado expuestos a peligros, y no sabríamos lo que es la gratitud, sino experimentáramos la manera como Dios escucha y responde a nuestras oraciones más allá de lo que podemos entender o pedir.

El salmista reitera una verdad que ha aprendido por experiencia propia. Cuando estamos en medio de dificultades y amenazas a quien debemos acudir primero por ayuda es a Dios. Estas son sus palabras: *"A ti clamaré, oh Señor. Roca mía, no te desentiendas de mi"*. Es tan seria la amenaza que lo rodea que se siente al borde de la tumba. No quiere correr la suerte de los que descienden al sepulcro. Suplica a Dios venga en su ayuda: *"Oye la voz de mis ruegos cuando clamo a ti, cuando alzo mis manos hacia tu santo templo"*. Notemos la manera como se refiere a Dios, llamándole "roca mía". Cuando todo se derrumba a nuestro alrededor, cuando nuestros recursos para salir al paso de las dificultades son insuficientes, y el piso parece hundirse bajo nuestros pies, encontraremos estabilidad y firmeza en Dios que es más grande que todos nuestros problemas y es el poder que está más allá de nuestras fuerzas, nos podemos asir con toda seguridad a Él, la roca inconmovible de los siglos. Cuando le preguntaron a un sobreviviente de un naufragio como había podido soportar el embate de las olas y el viento mientras esperaba el rescate, él respondió: "En medio de la catastrofe me tomé desesperadamente de una saliente. Todo mi cuerpo estaba estremecido y temblaba, pero la roca a la que estaba aferrado con todas mis fuerzas, esa no temblaba".

El salmista renuncia a librar las batallas con sus recursos. Lo que está en juego es la justicia y la integridad, y él ha decidido no andar en el camino de los malos sin importar ser objeto de su odio. Encomienda a Dios su causa y pide al Señor se haga cargo de aquellos que hacen el mal. Dios escucha su oración y lo libra. *"Bendito sea el Señor que oyó la voz de mis ruegos".* Ahora conoce mejor a su Dios. Sabe por experiencia personal que Él es su fortaleza y escudo, está feliz. Lo que una vez fue un grito desesperado ahora es un canto de alabanza y gratitud a Dios.

¿Cómo podemos experimentar la misma alegría y seguridad? La clave es la confianza: *"En el confió mi corazón y fui ayudado",* afirma el salmista. Tal como el naufrago sobreviviente, debemos asirnos con toda nuestra fe a Dios que es la roca que nos sostiene y nos salva.

OREMOS

Tú sabes, Señor, que me siento asediado por el temor y la tristeza, apenas si tengo fuerzas para sostenerme en pie. Ven en mi ayuda. Sé Tú esa roca firme a la que me pueda asir en estos días difíciles. Sé que me escuchas y responderás a mi oración de tal manera que mi queja y necesidad se volverán cantos de alabanza y gratitud por que eres mi fortaleza y escudo. Amén.

Salmo 29

LA VOZ DEL SEÑOR ES MAJESTUOSA

¿Dónde está Dios? ¿Cómo podemos escuchar su voz? Y si nos habla, ¿Podemos entender su lenguaje? El salmista responde a estas preguntas en el salmo 29. De hecho, Dios siempre nos está hablando, solo que no sabemos percibir su voz aunque es fuerte y clara. En la tormenta y el trueno que estremece los cielos, en el rayo que desgaja las encinas, Dios nos habla; en el fuego devorador, en la erupción del volcán que sacude la tierra, en la fuerza incontenible del oleaje que golpea los acantilados Dios nos habla. Para muchos estos son fenómenos naturales que producen curiosidad y temor, para quienes somos creyentes, todo este despliegue de poder incontenible es la voz misma de Dios que, desde su trono de gloria, gobierna sobre el universo y nuestras vidas.

Fue el célebre reformador francés Juan Calvino quien escribió que el mundo es el escenario de la gloria de Dios. ¡Qué gran verdad! Tenemos la idea de que a Dios se le encuentra solamente en un templo, o en santuarios que se han señalado como lugares de culto. La realidad es que Dios está presente por todas partes, y en todas partes de su magnifica creación hace escuchar constantemente su voz. Esto significa que toda la creación y el mundo entero son los espacios sagrados en los cuales Dios es adorado.

Cada criatura que Él ha formado por su poder le alaba: le alaban el fuego, la lluvia, y el viento; le alaban las estrellas y planetas al describir sus órbitas celestes, le alaba el ave en su canto y la flor en su belleza. Las montañas, el río y el bosque le glorifican, porque todas estas criaturas obedecen a la ley que Dios les impuso. Nosotros, los seres humanos somos también sus criaturas, y muy especiales, pues nos formó a su propia imagen y semejanza para la gloria de su Nombre. Encontramos nuestra más alta vocación y significado al honrarle con nuestro oficio y nuestra vida toda que le pertenece. Estamos llamados a vivir agradecidamente en el maravilloso mundo que Él creó y que nos ha dado como bendición y herencia. Ciertamente que, en un momento puntual de la historia dimos la espalda a Dios. Esa es la razón por la cual este mundo está expuesto al abuso, al saqueo nacido de la ambición humana. ¡No somos capaces ya de escuchar la voz de Dios! Pero nuestra vocación y tarea no ha prescrito. Por medio de Jesucristo Dios nos restaura, perdona y santifica para que vivamos para el propósito original para el cual fuimos creados.

Ahora renovados por el Espíritu Santo e iluminados por su Palabra, escuchamos la voz de Dios por todas partes. En el asombro que este maravilloso mundo nos produce reconocemos la voz de Creador y le adoramos encontrando alegría y bendición, porque nuestra vida no es tan plena como cuando se vive en Dios y para Dios. Qué maravilloso y reconfortante resulta saber que ese Dios que adoramos no solo gobierna el universo, también reina para bendecir nuestras vidas y nos ama de una manera personal y real.

OREMOS

Gracias Dios porque siempre haces escuchar tu voz, siempre estás dispuesto a hablarme. Enséñame a escuchar humildemente todo cuanto me dices. Que así como el viento, la lluvia, la flor y el ave te glorifican, pueda honrarte con mi vida toda. Gracias porque a pesar de que hay tantas cosas en este mundo que me resultan incomprensibles e injustas, Tú reinas en el universo. Mi vida está guardada constantemente por Tú poder y Tú fidelidad. Amén.

Salmo 30

A TI CLAMÉ Y ME SANASTE

El salmo 30 es un canto de acción de gracias por haber sido librado de una enfermedad grave. Mientras estaba sano el salmista se sentía fuerte y seguro: *"En mi prosperidad dije yo: no seré jamás conmovido"*. Ciertamente nadie valora lo que tiene hasta que lo ve perdido. Este falso sentido de seguridad proviene de la idea equivocada de que la vida y la salud nos pertenecen. La enfermedad nos hace tomar conciencia de que no es así. Después de atravesar por una enfermedad que le llevo al borde de la muerte, el salmista reconoce que Dios en su bondad escuchó sus oraciones y lo rescató prácticamente de la tumba: *"A Ti clamé y me sanaste. Hiciste subir mi alma de la región de los muertos; me diste vida para que no descendiese a la sepultura"*. De esta manera su debilidad y su queja terminaron en un canto de alabanza a su Dios: *"Has cambiado mi lamento en baile; desataste mi cilicio, y me ceñiste de alegría. Por tanto a Ti cantaré, gloria mía, y no estaré callado"*.

Toda experiencia en la vida nos enseña si tenemos la humildad para aprender. ¿Qué nos enseña la enfermedad? Por una parte nos enseña que hemos sido bendecidos. Cada día que se nos ha concedido de vida y salud es un regalo que debemos agradecer y valorar; por otra parte, de la enfermedad aprendemos que somos vulnerables, que necesitamos de Dios, de su sanidad y fortaleza, porque solo con su gracia podemos hacer frente a la prueba, sea que nos recuperemos o perdamos la batalla.

En la enfermedad llegamos a conocer a Dios, a darnos cuenta de que su enojo es momentaneo, pero su favor y misericordias son eternas para aquellos que se refugian en Él.

Todo es pasajero en esta vida. Ni las alegrías ni las penas son para siempre, y esto es una buena noticia. Porque si la alegría que hoy experimento fuera la última, entonces ya no habría nuevas alegrías que esperar, eso es precisamente lo que le da sabor a la vida. Por otra parte, las penas y enfermedades tampoco son para siempre. Asi como hacia adelante me aguarda el gozo eterno, también la vida plena que ya no estará más expuesta al quebranto, la enfermedad y la muerte. Dios nos dice: "ya pasará, ya pasará". *"Por la noche durará el lloro, pero al amanecer vendrá la alegria".* Por cierto, el sanar de una enfermedad severa, significa una prorróga que Dios nos extiende para que podamos estar más vivos y agradecidos que nunca.

Como me hace recordar este salmo precioso una de mis canciones favoritas: "Tu nunca caminarás solo". Cuando camines a través de la tormenta, mantén tu cabeza bien alta, y no te preocupes de la oscuridad. Al final de la tormenta hay un cielo dorado y la dulce canción de una alondra. Camina a través del viento, camina a través de la lluvia, aunque tus sueños sean sacudidos y golpeados por el viento, sigue caminando, sigue caminando con esperanza en tu corazón y nunca caminarás solo.

OREMOS

En esta hora de necesidad me acerco a Tí. Mi cuerpo y mi alma se duelen por la enfermedad. Te necesito, Dios mío, escucha mi ruego y concédeme sanidad, paz y confianza. Que en medio de la debilidad Tú seas mi fortaleza, y aún en mi quebranto seas glorificado. Te doy gracias por las muchas bendiciones y alegrías que me has concedido a lo largo de mi vida. Gracias por cada día de salud y bienestar. Lleno de confianza me pongo en Tus benditas manos en el Nombre de Jesús. Amén

Salmo 31

EN TUS MANO ESTÁN MIS TIEMPOS

En el salmo 31 el salmista da constancia de que la enfermedad también se puede llevar por dentro, en el alma. Así nos describe su profunda aflicción: *"Estoy en angustia; se han consumido de tristeza mis ojos, mi alma y también mi cuerpo. Porque mi vida se va gastando de dolor. Se agotan mis fuerzas a causa de mi iniquidad, y mis huesos se han consumido".* ¿De dónde proviene todo este quebranto? Cuando uno está desalentado luchando con la culpa y la tristeza todo a nuestro alrededor adquiere una tonalidad sombría y amenazante. Tal vez algunos de estos enemigos que refiere aquí el salmista no son tan poderosos, tal vez ni siquiera existen. La depresión afecta nuestros pensamientos distorsionando la realidad, de tal manera que somos presas del temor a riesgos fabricados o magnificados en nuestra imaginación, adelantando la catástrofe que todavía no sucede.

Cuando atravesamos por el valle sombrío de la depresión tendemos a aislarnos, nos sentimos rechazados e incomprendidos por las personas que nos rodean. Así lo expresa el salmista: *"Los que me ven huyen de mí. He sido olvidado de su corazón como un muerto".*

¿Cómo podemos encontrar el alivio a esta condición tan penosa? Si este estado surge de una culpa agobiante no debemos olvidar que Dios es misericordioso y perdonador. Confía en su bondad, cree con todo tu corazón que Él te ha perdonado y perdonate también tu mismo. Ya no estés más atado a lo que sucedió, hay vida aquí y ahora. Pero no siempre nuestra depresión se origina en nuestras faltas, el creer que Dios nos castiga por algún pecado no reconocido es también un sentimiento que suele acompañar a la depresión. "Ya Dios no me escucha, está disgustado conmigo, me ha abandonado". Nada de eso es verdad, Dios te abraza aquí y ahora con su inmenso amor y nada hay que pueda cambiar este hecho, aún los pensamientos que nos dicen lo contrario.

La respuesta es: refugiate en Dios. Dios libera. Él es tu roca, tu fortaleza y tu castillo, Él te guía y te libera de las trampas del dolor, de la tristeza y la culpa. Él no te ha olvidado, es bondadoso y guarda a los que confían en él. En este salmo encuentro uno de los textos que más me han inspirado: *"En tus mano están mis tiempos"*. Que profundo sentido tienen estas palabras que nos reconfortan. Mi vida toda, mi pasado, presente y futuro no estan en manos de un destino ciego e incierto, mis tiempos están en la mano de Dios quien con infinita sabiduría dirige mi vida y me guarda día por día. El alma del salmista encuentra alivio y paz: *"Bendito sea el Señor por que ha hecho maravillosa su misericordia para conmigo. Esfuércense todos ustedes los que esperan en el Señor y tome aliento su corazón"*. Como me recuerda este salmo al himno de Katharina Von Schlege: Alma, confía en Dios. "Alma confía en Dios quien te sostiene, y te conduce ahora como ayer. En cualquier trance fe en Él mantiene, todo misterio te hará entender, alma confía en Dios y en dulce calma su voz escucha para obedecer".

OREMOS

Hoy la tristeza me agobia, el recuerdo del pasado doloroso aflige mi alma. Me siento solo y sin aliento para seguir adelante. Ven en mi ayuda, sana mi alma, libérame de pensamientos de dolor y de culpa. Dame la confianza y la fe que necesito. Gracias por escucharme, por ser mi sanador, por fortalecer mi alma. Confío nuevamente mi vida a Ti y renuevo mi confianza y mi alegría. Por amor de Tu Hijo. Amén.

Salmo 32

Con cánticos de liberación me rodearás

En el salmo 32 el salmista nos transmite esta bendita y consoladora verdad: Dios no solo perdona el pecado, también libera de la culpa. Inicia el salmo con una expresión de gozo por haber experimentado el perdón divino: *"¡Oh, que alegría para aquellos a quienes se les perdona la desobediencia, a quienes se les cubre su pecado! Si, ¡qué alegría para aquellos a quienes el Señor les borró la culpa de su cuenta!"* Y es que el perdón de Dios es absoluto. Él borra la cuenta, envía a fondo perdido el adeudo causado por nuestros errores y pecados cometidos ante Él. Ahora bien, no es que Dios disimule nuestra falta. ¡De ninguna manera! Él es justo y santo. Es necesaria la confesión; esto significa reconocer nuestro pecado, sentir el peso de nuestra falta, el dolor de haber fallado, el deseo sincero de agradar a Dios. Retener la confesión va en contra de nuestra misma alma y de nuestra salud física y espiritual. Así describe el salmista su experiencia: *"Mientras me negué a confesar mi pecado, mi cuerpo se consumió, y gemía todo el día. Día y noche tu mano de disciplina pesaba sobre mí; mi fuerza se evaporó como agua al calor del verano"*. Es sorprendente ver como el peso de nuestros pecados no solo aflige el alma, enferma también el cuerpo. ¿No será que algunas de nuestras enfermedades no se curan porque no atendemos su raíz espiritual? La culpa se interpreta como un sentimiento indeseable que debemos desechar, pero no siempre es así. Con la culpa sucede algo semejante al dolor. El dolor no es grato en sí mismo, pero es un indicador de que algo no anda bien en nuestra salud que debemos atender por nuestro bien. Ciertamente hay culpas que surgen de una falsa percepción de la realidad, pero aquella que es auténtica nos advierte que algo anda mal en nuestro corazón, que nos hemos apartado del camino de la voluntad de Dios.

Pero hay un remedio, y es un remedio completo. Ese Dios santo y justo es, también, un Dios perdonador que escucha la confesión de quienes se acercan a Él con un sincero arrepentimiento. Y no solo perdona el pecado, quita de tu alma el peso de la culpa liberandote de la tristeza y el dolor, sanando el cuerpo y el alma. Y miren que para eso ha hecho una provisión infinita, inagotable: la sangre de Cristo su Hijo que nos limpia de todo pecado. La gracia de Dios no se detiene allí. Perdona, libera, pero también promete guiar tus pasos: Él dice: *"Te guiaré por el mejor sendero para tu vida; te aconsejaré y velaré por ti"*. Dios es tan bueno, nos saca del pozo de nuestros fracasos, nos restaura, nos toma de la mano y nos guía. Podemos decir con renovada alegría: *"Tu eres mi refugio; me guardarás de la angustia; con cánticos de liberación me rodearás"*. Si estas agobiado por el pecado y la culpa, no necesitas sufrir más, cierra tus ojos, une tus manos y habla con Dios, ¡verás qué fiesta se hace en el alma!

OREMOS

Hoy me acerco a Ti, Dios mío, hay pena en mi alma porque he fallado, el peso de la culpa me agobia. Me acerco a Ti con mi corazón abierto, con sincero arrepentimiento. Deseo hacer Tú voluntad pero a veces siento que no tengo fuerza para obedecerla. Gracias por la sangre de Tú Hijo Jesús derramada en la cruz, por ella cubres y borras todos mis pecados. Gracias porque me levantas y liberas, y prometes sostenerme de Tú mano para no caer. Amén.

 Salmo 33

El Señor habló, y todo fue creado

El incrédulo no ve a Dios en ninguna parte, el creyente lo ve por todas partes, y al verlo es movido a la gratitud y a la adoración. Adoración es asombro ante las obras de Dios y exaltación gozosa de su grandeza. Esta es la verdad que el salmista nos transmite en el salmo 33. *"Alégrense, oh justos, en el Señor[...]Aclamen al Señor"*.

Solo basta levantar la vista para contemplar las obras maravillosas de Dios. Todas ellas como un espejo reflejan su gloria y poder. Usted puede creer como algunos que todo cuanto vemos surgió de una extraña combinación de tiempo más azar. Tal argumento cae por su propio peso, pues no nos preguntariamos por el significado de lo que nos rodea y de nuestra propia existencia si en lo profundo de nuestro corazón no hubiera un anhelo de eternidad y trascendencia. Bien dijo Agustín de Hipona que nuestro corazón está inquieto y no encuentra reposo hasta que descansa en Dios.

Piense en alguno de sus cuadros favoritos, mire detenidamente los colores, los matices, las imágenes que alli están plasmadas. Al percibir su armonia y belleza su espíritu se solaza en la contemplación de tal obra. Algo que no se cuestiona es si ese cuadro en algún momento llegó a existir por sí solo, tal pregunta sería absurda. Usted sabe que detrás de esa obra está la genialidad creativa del artista que la pintó. ¿Qué le dice la grandeza del universo y la belleza del mundo que de manera constante nos da un testimonio poderoso y elocuente del Creador? *"Él dijo, y fue hecho; Él mandó y existió".* Y esto, por supuesto, nos incluye a nosotros de manera muy especial, pues Dios nos formó a su imagen y semejanza y puso en nuestro corazón la necesidad de adorarle y reconocerle, por eso dice también el salmista: *"El formó el corazón de todos ellos".* Él no creó para luego retirarse. Él está activamente presente sosteniendo con sus manos toda la creación, gobernando sobre todo y sobre todos desde su trono de gloria. Por eso puedo tener la convicción de que Dios en su providencia y misericordia me cuida y me sustenta.

Que verdad más consoladora el saber que el mundo y mi vida no están en manos de un destino ciego, sino bajo el gobierno de un Dios misericordioso. Sé que vienen preguntas a nuestra mente. Si Dios gobierna, ¿porque la tragedia, la muerte, el sufrimiento y el mal del mundo? Dios nos responde con otra pregunta: ¿Qué han hecho de este mundo que yo les di como bendición? Por esa razón necesitamos volvernos de corazón a Él, adorarlo por todo lo que Él ha hecho, agradecer sus bendiciones y trabajar con Él en la esperanza de que un día todo lo malo será transformado en bien. Así es que, no nos preguntemos por el mal del mundo, más bien, preguntémonos cuál es la tarea que Dios nos ha dado para restaurar y embellecer su creación y bendecir al prójimo. Y mientras esperamos y trabajamos por un mundo nuevo, vivamos en la confianza que el salmista aquí expresa: *"Nuestra alma espera al Señor; nuestra ayuda y escudo es Él, por tanto, en Él se alegra nuestro corazón".*

OREMOS

Tú gloria, oh Dios, está por todas partes y en lo profundo de mi corazón que me dice en cada latido que te busque. Te alabo con todo mi ser por la grandeza y la belleza que has puesto en el mundo. Concédeme gracia y fortaleza para cuidar de Tú creación, ilumíname con Tú Palabra para comprender Tú voluntad, y dame valentía para creer en el bien y hacer el bien, sin perder jamás la esperanza y la fe en Ti. Amén.

Salmo 34

CLAMAN LOS JUSTOS Y EL SEÑOR OYE

Una de las razones por la cuales creo que Dios nos dio dos oídos y una sola boca es para que escuchemos más de lo que hablamos. Escuchar, de veras, con el corazón no es una virtud muy común. Todos hemos vivido experiencias en las que necesitamos con desesperación ser escuchados. El salmista pasó por momentos así, tiempos de desesperación, de soledad, de dificultades. Pero lo que él nos dice aqui es que hay alguien con quien siempre podemos contar, alguien siempre está dispuesto a escuchar, y esa persona es nuestro Dios. *"Busqué al Señor, y el me oyó, y me libró de todos mis temores"*. *"Los ojos del Señor están sobre los justos, y atentos sus oídos al clamor de ellos"* ¡Que verdad tan maravillosa y que grande la confortación que trae a nuestra alma! Nuestro Dios no solo escucha, también libra. *"Claman los justos y el Señor oye, y los libra de todas sus angustias"*. Él escucha a todos, pero especialmente, a los que están tristes, a los que tienen el corazón roto, a los que están angustiados, a los que padecen necesidad. Él escucha a los que sufren por ser justos y honorables en medio de un mundo lleno de mentiras e injusticias.

¿Esto que significa en nuestra vida de fe? Pasamos por tantas cosas: pérdidas, fracasos, enfermedades. Qué Dios nos escuche no significa que vamos a ser librados de cada aflicción, la gran pregunta que está detrás de las experiencias difíciles es: ¿En quién está tu fortaleza y tu confianza? La angustia por la que atravesamos no es el problema, es el efecto del problema en nuestra alma. Seguro que ha escuchado la frase: el dolor es inevitable pero el sufrimiento es opcional. Para ser honesto eso es algo que no puedo comprender. Somos humanos, nos quebrantamos, nos dolemos. No es un asunto de elegir entre sufrir o no sufrir, somos seres dolientes, es, entonces, que podemos comprender las palabras del salmista. Solo una fuerza más allá de nuestras fuerzas, solo la certeza de un designio perfecto y sabio que dirije las circunstancias aparentemente azarosas de nuestra vida puede librarnos de la angustia. Esa es la seguridad que encontramos en nuestro Dios. Puedo confiar mi vida a Él no solamente porque me escucha, sino porque ese maravilloso Dios me ama y tiene mi vida en sus manos. Este es el sentido de las palabras del salmista aquí: *"Muchas son las aflicciones del justo, pero de todas ellas le librará el Señor"*. Dios nunca ha prometido que no pasaremos por tiempos difíciles, pero si ha prometido que, a cada paso del camino, Él caminaría con nosotros. El asunto decisivo, entonces, no es cuantas aflicciones habremos de enfrentar, sino quien va con nosotros y hacia dónde nos dirigimos. No son las incidencias del camino, sino la dirección de nuestra existencia lo que realmente importa. Y en el trayecto, de algo podemos estar siempre seguros, vamos en buena compañía, en la compañía de Aquel que nos escucha, ama y dirige nuestros pasos hacia la eternidad.

OREMOS

Gracias Dios mío por ser ese interlocutor siempre amable y dispuesto a escuchar. Tú sabes de mis alegrías y anhelos, de mis quejas y sufrimientos, dame la gracia de confiar en Ti, de saber que estas allí siempre a cada paso del camino y que habré de llegar bien a mi destino porque Tú acompañas y guías mis pasos. Concédeme dar a otros el don de la amistad, de mis oídos y corazón dispuestos a escuchar, al hacerlo así, otros sabrán que hay un Dios amoroso como Tú, dispuesto a escucharles también. Amén.

Salmo 35

¡Tú libras de los fuertes a los débiles!

El salmista sabe muy bien que Dios lo escucha, que pelea sus batallas, que lo protege cuando su vida se ve amenazada por quienes quieren hacerle daño sin razón. El describe muy bien a estos adversarios: son enemigos gratuitos, utilizan sin escrúpulo la mentira, tienen espíritu traicionero porque pagan el bien que se les ha hecho con mal, sus palabras, actitudes y acciones incitan al enfrentamiento, no conocen el lenguaje de la paz. ¿Le ha sucedido verse enfrentado a una crítica injusta, a una acusación sin fundamento, a una persecución sin motivo? En tales circunstancias nos preguntamos, ¿qué hice para ganarme el odio de esta persona? Solo hago mi trabajo, trato respetuosamente a quienes me rodean, no he hecho nada absolutamente para ser tratado de esa manera. Ciertamente, a veces no hay razón, excepto, que algunos no nos toleran porque, sencillamente, no les agradamos. En el salmo 35 el salmista nos describe las batallas que libra con personas que se comportan de la manera que hemos descrito. ¿Qué hacer cuando nos vemos envueltos en el remolino de ataques injustos? Una tendencia es luchar con las mismas armas, como suele decirse, pagar con la misma moneda. Pero eso significa renunciar a nuestros principios y, finalmente, actuar de manera semejante a la de aquellos que la Biblia describe como los malos. No, no se trata de renunciar a la dignidad personal y al derecho que tenemos para hacer valer nuestra persona, pero si somos temerosos de Dios, no debemos comprometer nuestros principios porque, entonces, ¿quien establecería la diferencia?

Atravesando la marea de la crítica injusta alguna vez una persona muy querida para mi me dijo estas palabras que están escritas en alguna parte: "no acostumbro dar explicaciones de mi conducta, mis amigos no las necesitan, y mis enemigos no las creerían". Esto dicho de otra manera quiere decir: no te preocupes de nada si sabes quien eres realmente ante Dios. Ese es el único juicio que interesa. El salmista se refugia en Dios, Él conoce sus razones, lo escucha y lo defiende. Pero hay aquí una lección muy importante también. Es fácil indignarnos cuando nuestros derechos son pisoteados, pero indignarse frente a la injusticias que se cometen contra las personas indefensas, eso si es una virtud. Si, ya sé la respuesta; no vamos a componer el mundo, pero con esa idea que adormece la conciencia dejamos de hacer lo que está en nuestras manos. A Dios no le agradan las injusticias, tampoco deberían agradarnos a nosotros, entonces, no solo se trata de no hacer mal, sino de hacer todo el bien posible. Esto me hace recordar unas palabras de Martin Luther King escritas desde la prisión donde estaba confinado por causa de su lucha por los derechos de la gente de color en los Estados Unidos: "El odio engendra odio, la violencia produce más violencia, ganaremos nuestra causa, pero ganaremos también a nuestros enemigos, porque el amor es la única fuerza capaz de volver al enemigo en amigo" ¡Qué desafío! ¿No es verdad?

OREMOS

Me refugio en Ti, Señor, hoy y siempre. Tú me guardas y defiendes de todo mal. No permitas que mis enemigos me arrebaten la paz y la confianza en Ti. Ayúdame para creer en todo lo que es verdadero, justo y bueno haciendo la diferencia en un mundo donde el bien y la bondad parecen una ilusión. Esta es la fe que Tú me das: el mal no triunfará definitivamente porque Tu, que eres un Dios bueno, harás prevalecer el bien por el poder de Cristo Jesús. Amén

Salmo 36

EN TU LUZ VEREMOS LA LUZ

¿Cuál es la medida de la misericordia y la fidelidad de Dios. El salmista responde a esta pregunta en el salmo 36: *"Señor, hasta los cielos llega tu misericordia, y tu fidelidad alcanza hasta las nubes"*. Desde luego que nos habla aquí en sentido figurado porque en realidad el ser divino y sus cualidades no tienen medida, exceden todo nuestro sentido de grandeza. No hay medida para el ser divino, no puede ser definido, ni representado. Cualquier intento de dar una definición de quién es Dios, o de representarlo de alguna forma, no solo se quedará en un burdo intento, sino que será una insultante negación de su gloria. Es por esa razón que creo que uno de los oficios más arriesgados es el de teólogo, es decir, la profesión de aquellos que pretendemos explicar a Dios. Siempre estamos al borde de la negación y la herejía. Bien afirma George MacDonald que "algún día las almas bondadosas se horrorizarán frente a la cosas que ahora creen de Dios".

Así es que el salmista, al igual que los diversos autores bíblicos, acude al lenguaje metafórico para hablarnos acerca del carácter divino. *"Tú justicia es como los montes, tus juicios, abismo grande, tu compasión es como el refugio que los polluelos encuentran bajo las alas protectoras de su madre"*. Es algo parecido al intento que un padre hace por explicarle a su pequeño hijo lo que está fuera de su comprensión.

Cuando nos referimos a un atributo divino de alguna manera conectamos desde nuestra experiencia humana con su significado, pero inmediatamente debemos confesar que tal concepto es necesariamente insuficiente. Por ejemplo, decimos: Dios es bueno, sabemos lo que significa la bondad, pero solo desde nuestro horizonte humano de conocimiento. A esta afirmación, Dios es bueno, habremos de agregar inmediatamente esta otra: Dios es bueno en un sentido muy especial que va más allá de todo entendimiento humano, es bueno como solo Él puede serlo, es decir, es divinamente bueno. Tales reflexiones producen un doble efecto en nuestra alma: por una parte, un sentido de asombro que nos mueve a la adoración. Dios es incomparable y único en su ser, santidad y bondad, abrumados por su grandeza nos postramos delante de su gloriosa presencia pero, por otra parte, y he aquí lo paradójico, Dios nos ama de una manera personal, y aunque no podemos explicarnos la grandeza de su ser, nuestra comunión con Él por medio de la fe es una comunión real, de tal manera que puedo acercarme a Él confiadamente, tal como Jesús nos enseñó, puedo llamarle Padre con toda libertad y hablar con Él como lo hace un hijo que se sabe amado de manera perfecta.

Dios está más allá de nuestro entendimiento. Tal verdad nos lleva a reverenciarlo como el Dios incomparable y único que es, pero también es un Dios que ha querido hacerse cercano y revelarse a mi vida de manera bondadosa. Él es quien sacia mi alma, el manantial constante e inagotable de mi vida, la luz que ilumina y conduce mis pasos por camino seguro, es mi protector y defensor, por esa razón, humildemente, con gratitud lo bendecimos.

OREMOS

Señor, no puedo explicar la grandeza de tu ser único e incomparable, pero lo que sí sé es que me amas con el amor perfecto de Tu divinidad y me tratas con bondad y misericordia, y asi será mañana y siempre. Deseo adorarte humildemente, y vivir de manera agradecida por toda Tú bondad infinita. Amén.

Salmo 37

CONFÍA EN EL SEÑOR,
Y PRACTICA EL BIEN

Las almas buenas y piadosas se afligen constantemente al ver el mal del mundo. Nada parece tener sentido en esta vida, a los abusivos y aprovechados les va bien, no tienen escrúpulos para sacar ventaja y de todos maneras prosperan; en tanto que a las almas buenas, piadosas y generosas les va mal, su buena fe e ingenuidad es hábilmente aprovechada por los abusivos, ¿Qué no hay conciencia ni justicia en este mundo? Miren al malo, frondoso como árbol, extendiéndose como enredadera por todas partes; miren al bueno, afanado, tratando de sobrevivir en medio de una sociedad corrompida. Estas son las inquietudes que rondan en la mente del salmista y que expresa aquí en el salmo 37. Experimenta sentimientos encontrados; por una parte, desea prosperar como los injustos, por otra parte, el coraje y la indignación frente a tanto abuso se apoderan de su corazón. En medio de esa tormenta emocional Dios le habla: *"No te impacientes a causa de los malignos, ni tengas envidia de los que hacen iniquidad. Porque como la hierba serán pronto cortados, y como la hierba verde se secarán"*. Los que prosperan a expensas de los demás y no tienen preocupaciones excepto, cuidar y aumentar sus ganancias, viven una ilusión que se desvanecerá como la niebla matinal. Toda esa prosperidad material, todo ese bienestar y seguridad no serán para siempre, las riquezas y la gloria de este mundo son pasajeras. Si miramos las cosas desde una perspectiva eterna nos daremos cuenta de que el presente no define el futuro. Nada es para siempre en este mundo, solo Dios, porque Él es eterno, nos basta.

¿Cuál debe ser nuestra actitud ante las desigualdades de la vida? El salmista nos da la respuesta: confía en el Señor, y haz el bien, alegrate en tu Dios que nunca te abandona, guarda silencio ante el Señor, no te dejes llevar por los impulsos de la ira e indignación, de ninguna manera te sientas empujado a hacer lo malo. En otras palabras: sé quien debes ser, actúa con integridad, no trates de arreglar las cosas a tu manera. Tu parte es hacer todo el bien posible y esperar y confiar en Dios que, al final, arreglará las cosas de tal manera que los justos serán dueños de la tierra. El Señor nos llama al contentamiento y la confianza: *"Mejor es lo poco del justo, que las riquezas de muchos pecadores"*. Entretanto caminamos en este mundo hay una palabra de aliento y promesa para todos nosotros: *"Día a día el Señor cuida de los inocentes y ellos recibirán una herencia que permanece para siempre. No serán avergonzados en tiempos difíciles; tendrán más que suficiente en tiempos de hambre"*. ¿Cómo podemos ver realizada esa promesa? Cuando cada uno de nosotros aprendemos a partir y compartir nuestro pan, tal como lo hizo Jesús al entregarse por nosotros en la cruz. El poder de la generosidad y la comunión es el más grande desafío a las desigualdades de este mundo.

OREMOS

Señor, ayúdame a no desesperar ante las desigualdades e injusticias de este mundo que parecen no tener fin. Te ruego me ayudes a mirar más allá de las circunstancias presentes. El futuro solo Tú lo definirás y será para bien de los que esperamos en Ti. Entretanto, enséñame a ser generoso, a dar con gracia lo que de gracia recibo de Tú generosidad. Confiadamente encomiendo mi camino a Ti y espero en Ti cada día. Amén.

Salmo 38

SEÑOR, ¡NO ME ABANDONES!

Parece que el salmo 38 lo hubiera escrito el salmista en estos días de pandemia. Se encuentra en una condición de extrema calamidad y quebranto físico y emocional. *"Hieden y supuran mis llagas, estoy encorvado, ando enlutado todo el día. Estoy debilitado y molido en gran manera"*. ¿Podemos imaginar el cuadro de un ser humano hundido en el abismo del sufrimiento? Como pastor he estado al lado de personas pasando por esta condición de debilidad extrema, ¡De qué manera la enfermedad nos humilla! Me he preguntado entonces ¿cuándo la vida deja de ser vida? En el recuento de su experiencia límite el salmista nos refiere también la postración social que acompaña a su enfermedad. *"Mis amigos y mis compañeros se mantienen lejos de mi plaga, y mis cercanos se han alejado"*. Así lo ven, como alguien a quien le ha caído la maldición y es necesario alejarse por el horror que produce y el miedo a adquirir también la plaga. Mucho escuchamos en estos días de sana distancia, pero sana distancia no significa indiferencia, porque el mal que a otros aqueja puede sucedernos también a nosotros. ¿Quién nos ha hecho creer que no pertenecemos a la especie humana? Ah, el corazón humano capaz de albergar el menosprecio y el prejuicio.

En medio de este cuadro de extrema debilidad, encontramos una luz de esperanza. Hay alguien, alguien que escucha, que acompaña en el dolor, que se compadece. El salmista sabe que siempre puede contar con Él. Desde su postración levanta la mirada para hablar con su Dios: *"Porque en ti, oh Señor, he esperado; tu responderás, Señor Dios mío".*

Una vez se convocó a un concurso para buscar la mejor definición de lo que es un amigo. Esta es la definición que obtuvo el primer premio: "Amigo es aquel que se queda cuando todos se han ido". Cuando Dios quiso mostrar su amor envió a su Hijo para que fuera nuestro salvador, pero también nuestro amigo, por esa razón puedo contar con algo: Jesús es la presencia divina y personal del Padre que nos ama. Él me escucha y me bendice con su comunión, Él se queda conmigo para siempre; me conforta y me levanta de mi postración, da paz y sanidad a mi alma.

¿Qué nos dice esta actitud divina, esta disposición de gracia de nuestro Dios de quedarse a nuestro lado? Nos recuerda que seguimos siendo humanos aunque la enfermedad nos humille, pero también nos enseña que debemos tratar a los demás, especialmente a los débiles y quebrantados, humanamente. Porque al rescatar al otro de la indiferencia nos rescatamos a nosotros mismos como seres humanos dignos y decentes. No hay duda, conviene la sana distancia, pero esa sana distancia no es indiferencia y menosprecio, porque en el amor que Dios inspira, los corazones pueden experimentar la cercanía y la calidez de la verdadera amistad que es un refrigerio para las almas y un bálsamo que trae esperanza y sanidad a los solitarios. ¿Recuerdas a alguien a quién deberías llamar en este momento?

OREMOS

Señor, dejo delante de Ti mis enfermedades del cuerpo y del alma. Levántame, dame fuerza y esperanza, si es Tú voluntad sáname. También te pido que me enseñes a ser compasivo, a acompañar el dolor de mis hermanos y hermanas para que sepan que hay un Dios que ciertamente no los olvida y que los acompaña siempre. Amén.

Salmo 39

¡QUIERO SABER CUÁN FRÁGIL SOY!

En el salmo 39 el salmista discurre sobre la brevedad de la vida: *"Hazme saber, Señor, mi fin, y cuánta sea la medida de mis días. He aquí diste a mis días término corto[...]ciertamente como una sombra es el hombre".* Los días transcurridos de nuestra vida son motivo de reflexión. ¿Cuántos años tiene usted? En realidad, esos son justamente los que ya no tiene. Ya los vivió, de la manera que haya sido, esos días ya se fueron. La Escritura dice que setenta años son los del valiente, es decir, ese es el límite de edad que acompañan nuestras fuerzas. Llega el momento en el que comenzamos a hacer el descuento, ¿cuántos años me quedan aún de acuerdo al promedio? Recientemente leí el testamento del gran Leonrado Da Vinci quien se presenta ante el notario para dejar inscrita sus últimas voluntades y éste anota en el diario: *"Considerando la certeza de la muerte y la incertidumbre de su hora manda de su última voluntad como sigue".*

Pensar en la brevedad de la vida no es una mala noticia, de hecho, creo que es algo que le da impulso y perspectiva al presente. En otras palabras, debemos estar más ocupados por vivir, que preocupados por nuestra muerte. Esta, cuando llegue, será una graduación y el anticipo de algo glorioso si realmente hemos sabido vivir. El salmista por inspiración divina nos dice como vivir, no te envanezcas, el mundo no gira a tu alrededor, disfruta de las cosas en su momento porque todo es pasajero, no te afanes demasiado por las riquezas, no sabes quien recogerá lo que atesores y, ciertamente, nada de eso te llevarás contigo, no te apresures a establecer juicios sobre nadie en este mundo, aprende a callar y deja aquello que no puedes arreglar en las manos de Dios. Esta no es una liberación de nuestras responsabilidades, sino la sabia comprensión de nuestras capacidades y límites. Sobre todas las cosas, espera siempre en Dios que nos guarda y conforta.

El salmista dice aquí por inspiración divina una gran verdad, en esta verdad se encuentra el secreto profundo de la felicidad que anhelamos, el secreto mismo de la madurez y la paz espiritual. Cuando te salgan mal las cosas, cuando te enfrentes con las consecuencias de tus equivocaciones (y que ser humano no se equivoca) no te enojes con Dios, piensa que, a través de todo esto que pasas, Él quiere forjar tu carácter para que seas más sabio, más fuerte y más humilde. La corrección de Dios es para vida y bendición y significa que Él, en su bondad, tiene sus ojos puestos sobre ti para guiarte.

Ciertamente que el paso del tiempo no cambia a nadie, mañana o el año siguiente puede ser igual a hoy. No te estanques, fluye como el río siempre hacia adelante. Esperar en Dios, tener contentamiento, ser pacientes ante las dificultades y humildes para aprender nos hará caminar en la vida de tal modo que al final podamos decir: "Ha sido una buena vida".

OREMOS

Gracias Dios mío por la vida que me concedes. Cada día, cada respiración y latido de mi corazón son una bendición que viene de Ti que me sostienes. Te pido mucha sabiduría para aprender a vivir mi vida con gratitud, contentamiento y fe en Ti. Que no me preocupe por el día de mañana, Tú me das el hoy como como un regalo y una oportunidad. Concédeme vivirlo de manera plena como si no hubiera un mañana. Amén.

Salmo 40

Pacientemente esperé al Señor

A veces las dificultades vienen acompañadas de más dificultades y entonces lo malo que nos sucede se vuelve tragedia. El salmista nos dice en el salmo 40: *"[...]me han rodeado males sin número; me han alcanzado mis maldades, y no puedo levantar la vista. Se ha aumentado más que los cabellos de mi cabeza, y mi corazón me falla"*. Una de las preguntas existenciales que nos agobian es: ¿Por qué si yo hago lo bueno me pasan cosas malas? No le hago mal a nadie, trato de conducirme con integridad en mis palabras y acciones, vivo mi fe con sinceridad ante Dios y ante los demás. Otras preguntas surgen, entonces, ¿En qué me equivoqué? ¿Qué mal hice o que pecado cometí que ahora estoy pagando? ¿Esta enojado Dios conmigo?

Particularmente no creo en un Dios que anda viendo como nos castiga y deja caer su ira sobre nosotros. Yo creo en un Dios que anda buscando, más bien, como salvarnos y bendecirnos. La prueba de ellos es una cruz grabada en la historia de la humanidad. Nuestra contrariedad frente a las dificultades surge del hecho de creer que la vida es justa, que al bueno siempre le va bien y al malo le sobrevendrán todas las maldiciones y, entonces, vivimos con expectativas irreales que tarde o temprano se vendrán abajo.

No se trata de vivir con un sentido de tragedia y resignación fatalista. La vida tiene muchas bendiciones y momentos gratificantes y la capacidad de disfrutarlos y agradecerlos es lo que establece la diferencia entre quienes viven con fe y quiénes pasan por la vida con una venda en los ojos.

El que cree, sabe que puede contar siempre con Dios, que en su propósito amoroso para nosotros hace que todas las cosas ayuden a bien y que El siempre está allí para escucharnos y venir en nuestro auxilio en los momentos difíciles. Así lo expresa el salmista: *"Pacientemente esperé al Señor y se inclinó a mí, y oyó mi clamor y me hizo sacar del pozo de la desesperación, del lodo cenagozo; puso mis pies sobre peña y enderezó mis pasos"*. ¡Qué complicadas son las esperas que se prolongan indefinidamente! Él no saber que va a suceder mañana, si nuestro problema se va a resolver, si nuestra enfermedad se curará, si la persona que tanto amamos saldrá adelante de su situación. ¿Es la paciencia la que nos ayuda a esperar sin desesperar? ¿O es la espera obligada la que nos enseña a ser pacientes? Difícil pregunta, lo que si sé es que la paciencia es una virtud divina, por lo tanto, mientras pedimos auxilio y clamamos a Dios para que venga en nuestra ayuda, le pedimos también paciencia. ¿Es que Dios nos hace esperar deliberadamente? No, es más bien que Dios tiene un propósito aún en los tiempos de espera, y en el proceso mucho podemos aprender. Así es que no padezcamos sin provecho. Cuando Dios nos prueba es que desea usar nuestra vida de formas maravillosas e inesperadas y transformar en gozo lo que alguna vez fueron lágrimas.

OREMOS

Desde este pozo de desesperación en el que me encuentro ahora clamo a Ti, mi Señor, ven en mi ayuda. No te pido que me libres de todos los males, sino que en cada uno de ellos pueda ver tu gracia y ser revestido de la paciencia y la fe necesaria. En mis aflicciones y necesidades nunca dejas de pensar en mi. Gracias por ser mi libertador. Que tu misericordia y tu verdad me guarden siempre. Amén.

Salmo 41

BIENAVENTURADO EL QUE PIENSA EN EL POBRE

El salmista en el salmo 41 da cuenta de lo que significó para él estar postrado en cama a causa de la enfermedad. Sus enemigos se alegraron esperando que no se levantara, por otra parte, quien consideraba su mejor amigo, la persona de su confianza con quien se sentaba a la mesa se volvió en su contra deseándole mal. Muy probablemente el salmista se refiere aquí a la misma experiencia que ya nos había contado en el salmo 38. Ahora lo hace desde otra perspectiva. La cama de la enfermedad fue para él una escuela que le enseñó mucho, sin duda, después de atravesar por un prolongado padecimiento podemos reaccionar de dos maneras: estar resentidos con aquellos que nos abandonaron, o aprender a ser compasivos para acompañar el dolor de otros. Como vamos a reaccionar será solo nuestra elección.

El salmista decidió aprender humildemente la lección para bien de su alma. Ciertamente muchos le desearon mal, y otros lo abandonaron, pero hubo alguien que siempre permaneció a su lado, aquel que nos acompaña en todas nuestras luchas y quebrantos: nuestro Dios. En vez de añadir aflicción a su padecimiento rumiando sus resentimientos, su postración lo llevó a pensar en el pobre, en aquel que está totalmente abandonado, que no tiene quien le acerque un plato de comida o sus medicamentos, quien se pasa las noches solo porque no hay quien lo acompañe y le de los cuidados que todo enfermo delicado necesita.

No hay enfermedad más devastadora que aquella que está acompañada por la pobreza y la soledad. Ciertamente que nos quejamos con frecuencia por nuestros achaques y carencias, pero cuánta gente hay que no tiene el mínimo necesario para irla pasando en medio de sus penurias. En su prolongada cama el salmista llego a tener una profunda experiencia de Dios. Descubrió que Él nos acompaña y bendice, no se aparta de nosotros y nos concede sanidad para el alma y el cuerpo. *"Bienaventurado el que piensa en el pobre; en el día malo lo librará el Señor. El Señor lo sustentará sobre el lecho del dolor y mullirá su cama en la enfermedad".*

¿Cómo es que Dios hace real esta promesa de darnos sustento, sanidad y una cama llevadera? Cuando aquellos a quienes se les ha concedido la salud después de una enfermedad grave, conocieron la misericordia divina y se volvieron al prójimo enfermo y necesitado para confortarle y hacerle saber que hay un Dios que no nos olvida ¿Puedes pensar en alguien enfermo que se alegraría de recibir tu llamada y tu ayuda desinteresada y generosa?

OREMOS

Te doy gracias mi Dios porque me acompañaste a lo largo de mi enfermedad y por tu misericordia me levantaste. Gracias porque a través de esta experiencia llegué a conocerte de manera más profunda y real y experimenté tu presencia y tu cuidado divino. Ahora que me has sanado, te ruego me des un corazón compasivo para hacer saber a otros que Tú eres un Dios que no te olvidas de nadie. Amén.

Salmo 42

¿Dónde está tu Dios?

¿Ha escuchado la expresión "pan de lágrimas"? Esta ha sido inspirada en el salmo 42. El orante de este salmo es un sacerdote que ha sido separado de su ministerio y está viviendo en el exilio. No nos dice la razón por la cual ha recibido semejante condena pero uno puede intuirlo, tiene enemigos que por envidia lo han acusado falsamente y se han asegurado de que sea separado de su ministerio con deshonor y enviado lejos a la tierra del olvido. En su mente revive la burla de sus acusadores que al emprender su peregrinaje forzado le dicen a coro: "¿Dónde está tu Dios?"

Lejos, solo, clavado en aquella montaña y pasando estrecheces, su espíritu se hunde en el abatimiento: *"Fueron mis lágrimas mi pan de día y de noche"*. Una y otra vez su mente es asediada por ese estribillo sarcástico y cruel: ¿Dónde esta tu Dios? Siente que el mundo se le ha venido encima y no supo ni a qué hora la tragedia llamó a su puerta. ¿Lo habrá olvidado Dios? Se refugia en el recuerdo de los días idos, cuando todo era bueno y luminoso. Esos días no volverían más. *"Me acuerdo de estas cosas y derramo mi alma dentro de mí; de cómo yo fui con la multitud y la conduje hasta la casa de Dios, entre voces de alegría y de alabanza del pueblo en fiesta"*.

¿Le ha sucedido? De pronto le cambia la vida y todo aquello que tenía por seguro lo pierde repentinamente. Siente que el mundo se hunde a sus pies y que nadie puede comprender su sufrimiento. La palabra depresión se ha vuelto muy común en nuestro vocabulario, es una enfermedad devastadora, nos hunde en la tristeza y la desesperanza, nos lleva a experimentar un sentimiento de soledad y de alejamiento de la vida. La persona deprimida es como un paria abandonado viviendo entre las sombras. ¿Cómo enfrentar una situación así?

Es necesario aceptar el hecho de que la vida cambia, que hay tiempos buenos y malos, de que hay pérdidas y ganancias, pero cada experiencia vivida tiene su valor. En medio de las relatividades de la vida debemos aspirar a lo eterno, a lo inconmovible, a lo que permanece, y lo que permanece es la fidelidad, el amor y la presencia constante de Dios en nuestra vida. En nuestras alegrías, en nuestros exilios, en nuestros triunfos y derrotas, El siempre esta allí y nuestra alma en un soliloquio inspirador nos dice a cada momento: *"Espera en Dios; porque aún he de alabarle; salvación mía y Dios mío"*. Él entiende, me conoce, me acompaña. Él tiene para nosotros bendiciones y alegrías aún no experimentadas, ¿Cómo podemos ver lo que tiene Dios en el camino adelante, si estamos estacionados en un presente desesperanzador? Así en medio de su soledad el sacerdote descubre en lo profundo de su ser esta verdad: Dios está conmigo, cada día, Él enviará su misericordia para sustentarme y en las noches cuando el sueño huya de mi, su cántico estará conmigo y mi oración al Dios de mi vida. Así su canción de queja y tristeza se vuelve un canto de confianza: *"Espera en Dios; porque aún he de alabarle, salvación mía y Dios mío"*.

OREMOS

Hoy, mañana y siempre espero en Tí. Tú estás en mis alegrías, Tú estas en mis tiempos sombríos. Aún cuando todo cambie, Tú no cambias, Tú fidelidad y amor permanecen. Levántame, Señor, sana mi alma, cambia mi tristeza en confianza y gozo, porque mi vida está y estará siempre en tus manos, y en ellas esta segura para siempre. Manda Tú misericordia para mí y escucha mi oración. Por el amor de Tú Hijo. Amén.

Salmo 43

ESPERA EN DIOS

El salmo 43 es una continuación del 42, originalmente ambos salmos formaban una unidad. El sacerdote en el exilio busca refugio en Dios en medio de su soledad, le pide al Señor que sea el defensor de su causa. ¿Qué significa estar en las manos de Dios y confiar en Él? Nuestra mente llena de pensamientos inquietantes y nuestra alma agitada por la ansiedad parece no tener reposo a veces. El orante de este salmo se hace una pregunta que contiene el secreto de la paz espiritual: *"¿Por qué andaré enlutado por la opresión del enemigo?"* Lo que sucedió no puede ser cambiado. Lo acusaron falsamente, lo echaron de su ministerio y lo condenaron a un exilio forzado. ¿Acaso hay algo más que puedan arrebatarle? Si lo hay, y tal cosa es su paz interior. No podemos evitar que la gente se comporte de manera injusta, pero otra cosa es dejarla entrar en nuestros corazones y permitir que sus acciones nos arrebaten el bienestar y el contentamiento. Es frecuente escuchar la expresión: "Tú me provocas, me haces enojar". ¿Quién no ha dicho palabras semejantes alguna vez? Pero si reflexionamos detenidamente, en ellas hay un engaño sutil, porque estas palabras equivalen a entregar nuestra libertad interior. En este sentido las personas tendrán sobre nosotros tanto poder como les otorguemos.

La paz espiritual es un don maravilloso que Dios nos ha concedido. El Señor Jesús dijo a los suyos: *"Les dejo un regalo: paz en la mente y en el corazón. Y la paz que yo doy es un regalo que el mundo no puede dar. Así que no se angustien ni tengan miedo".* *(Juan 14:27)* Alguna vez escuché de labios de una mujer llena de una ferviente fe estas palabras: "Esta paz que tengo en mi corazón el mundo no me la puede quitar, porque no me la dio el mundo, sino mi Señor Jesucristo".

¿Por qué andaremos enlutados por las actitudes y acciones de otras personas que injustamente nos han querido dañar? No les concedamos tal poder, más bien abramos el corazón a Dios, hablemos con Él en oración, en la grata y milagrosa presencia de Dios obtendremos el descanso, la plenitud y el gozo que sólo Él sabe dar a los suyos.

Así el orante de este salmo, después de haber estado en la presencia de Dios pide que le envíe su luz y su verdad para que lo guíen nuevamente a su santuario para servirle. Nuestra vida no la determinan las circunstancias, ni los que desean nuestro mal, nuestra vida está en las manos de Dios y Él es quien guía nuestros pasos.

El salmista se llena de fortaleza y nuevas esperanzas, Dios no ha terminado con Él, nuevas bendiciones vendrán. Con una renovada alegría volverá a la casa de Dios para alabarle con un canto nuevo. La oración que ha iniciado con una búsqueda insatisfecha termina ahora con una expresión de confianza: *"Por qué te abates oh alma mía, y por qué te turbas dentro de mi? Espera en Dios; porque aún he de alabarle, salvación mía y Dios mío".* ¿No es emocionante descubrir lo nuevo que Dios traerá para usted?

OREMOS

Te doy gracias mi Dios por el don de la paz espiritual que me has concedido. Nadie me puede arrebatar lo que Tú me has dado, fortaléceme para que la ansiedad y la preocupación no se apoderen de mi corazón. Que cierre mis oídos y mi alma a todo aquello que me pueda perturbar y traer inquietud, que en la comunión contigo pueda obtener el descanso y la satisfacción plena de mi alma. Gracias por escucharme y gracias por las bendiciones que me tienes reservadas. Amén.

Salmo 44

LEVÁNTATE PARA AYUDARNOS

Con frecuencia suspiramos por el pasado al recordar todo lo bueno que vivimos. Toda esa alegría y bienestar los apreciamos mejor ahora que el tiempo ha pasado. Nos preguntamos si la vida volverá a ser tan buena y grata como lo fue alguna vez. Este sentimiento nos ha acompañado especialmente en estos últimos tiempos en los que estamos padeciendo la pandemia.

En el salmo 44, el salmista hace memoria del pasado de su pueblo, de la manera como Dios trató bondadosamente a sus abuelos y sus padres, de las obras que hizo en sus días, en los tiempos antiguos. Todo eso ha quedado en el pasado, en el recuerdo de lo que fue. Ahora todo parece haber cambiado; el presente está lleno de dificutades: ejercitos que los asedian, merodeadores que están al acecho como chacales para saquearlos. Pasan vegüenza frente al escarnio y la amenaza de sus acosadores. Expuestos y sin defensa están a merced de sus enemigos. Y lo más terrible y desalentador: Dios los ha abandonado, o al menos, eso parece indicar la realidad que están viviendo. Sobreviene la queja: *"Pero nos has abandonado, nos has puesto en vergüenza [...] los que nos aborrecen nos despojan de todo. Has dejado que nos maten como a ovejas, y nos has esparcido entre las naciones. ¡Has vendido a tu pueblo de balde! ¡Nada has ganado con venderlo!"*.

El salmista se pregunta frente a tanta calamidad si Dios está dormido. Claro que podemos entender este sentimiento, esta mezcla de indignación y reclamo frente a una realidad que nos resulta inaudita ahora que estamos pasando por la necesidad, el temor y la ansiedad. Pero la percepción de la realidad no es la realidad, al menos no en la dimensión de la fe. Los tiempos pueden cambiar, la alegrías huir de nuestras vidas; podemos sentirnos inermes y atemorizados frente a las adversidades que nos han sobrevenido, pero Dios no ha cambiado, sigue siendo el mismo Dios fiel, compasivo y perdonador. Él no ha escondido su rostro de nosotros, ni se ha olvidado de la nuestra aflicción. Él no ha dejado de escuchar el grito desesperado del que clama diciendo: *"¡Levántate, ven a ayudarnos y, por tu gran misericordia, sálvanos!"*.

¿Cómo podemos saber que Él está presente, qué no nos ha abandonado? Una razón es que Dios es fiel a sí mismo, aunque el salmista afirma que ellos él y su pueblo no se han olvidado de su Dios, la realidad es que sí lo han hecho; lo hicieron una y otra vez a lo lago de la historia, pero a diferencia de nosotros. Dios no se olvida nunca, no se vuelve atrás de su pacto, porque Él es fiel y compasivo. Pero nosotros todavía no hemos aprendido todaía a ser suficientemente agradecidos. Y no es que Dios quiera darnos una lección. Somos humanos, por lo tanto, somos vulnerables y expuestos al quebranto y la debilidad. En medio de este tiempo aciago Dios vuelve su mirada a nosotros. Él ha estado allí, en cada aflicción, en cada necesidad, en medio de la soledad y le temor. Él nos que se ha metido en nuestra historia y en nuestra carne, por lo tanto, nos entiende y se compadece. Desde su presencia histórica en Jesús de Nazaret y el testimonio del sepulcro vacío del cual levantó a su Hijo, nos dice: "Jamás el dolor, el sufrimiento y la muerte serán la última palabra para aquellos que yo amo".

OREMOS

Perdóname Dios mío si solo me acuerdo de Tu en tiempos de necesidad, perdóname por levanta mi queja al cielo olvidando todo lo bondadoso que has sido y eres. Paso por quebranto te pido que me fortalezcas, que me acopañes mientras atravieso este tiempo difícil. No quiero que mis pensamientos estén en la adversidades, sino no en Tú bendiga fidelidad y misericordia que permanece siempre parat todos los que amas. Amén

Salmo 45

REBOSA MI CORAZÓN CON UN BELLO POEMA

El salmo 45 es la descripción de una ceremonia nupcial. Fue compuesta por los hijos de Coré, cantores del templo, para la ocasión de las bodas del rey. Con inspiración poética la belleza del novio y de la novia se expresan en términos superlativos, el rey es presentado como un fuerte y valiente guerrero en el que abunda la fuerza y la hermosura, la belleza de la novia resplandece vestida en un primoroso atuendo en brocado de oro. Acompañada de su séquito, se dispone a entrar con alegría y gozo al palacio del rey para efectuar las bodas reales. Este salmo parece salido de un cuento o de la descripción de alguna boda real.

Ciertamente que este es un buen salmo para leer en la celebración de un matrimonio. Habla de la belleza, el amor, la riqueza y la alegría del encuentro entre un hombre y una mujer enamorados. Pero, ¿qué tiene que decir para la fe de los creyentes? A lo largo de toda la Biblia la relación de Dios con su pueblo es descrita en términos de una alianza matrimonial. Dios se presenta como el marido de su pueblo, es una relación sagrada que conlleva una promesa de fidelidad y amor permanente. En el Nuevo Testamento esta alianza matrimonial se reitera, Cristo es el esposo, y la esposa es su iglesia. Él la ha amado a tal grado que estuvo dispuesto a dar su vida por ella en la cruz y continuamente la sustenta y la guarda. En respuesta a la dedicación y entrega sin reservas de su esposo, la iglesia está llamada a amarlo y entregarse a él en una obediencia amorosa y agradecida.

El amor de Cristo por su iglesia es un amor perfecto, sacrificial, paciente y fiel. Él nunca se volverá atrás de su promesa de sustentarla y cuidarla. No se podría decir lo mismo de nosotros que somos la iglesia. Sin duda, debiéramos amar más a nuestro Señor y servirle con mayor entrega y alegría de lo que lo hacemos. Pensemos por un momento en el matrimonio, ¿para una esposa que es amada con tal grado de entrega y fidelidad sería difícil amar y honrar a su esposo? Desde luego que no. Nada menos que una entrega constante de nuestras vidas es lo que exige la gracia sin medida de Cristo por cada uno de nosotros. Para quienes están casados encontrarán en este salmo la belleza, el gozo y el enamoramiento que es el don divino concedido a los esposos, para todos los que somos creyentes, este salmo es un recuerdo constante del amor de Cristo por nosotros, pero también el anticipo de la gloria que un día encontraremos al final de los tiempos cuando Cristo venga por su iglesia, y ésta, como una esposa ataviada para su marido se encuentre con él para celebrar la gran fiesta de bodas entrando así en un gozo y comunión sin término. Mientras tanto, día por día consagremos nuestra vida al servicio constante y agradecido a nuestro Señor, convocando a otros por la palabra del evangelio a venir a formar parte del pueblo amado de Dios. La boda está abierta y todos los que deseen venir están invitados.

OREMOS

Gracias Cristo Jesús porque me amaste cuando yo no te amaba, y por ese amor de gracia me buscaste. Nunca podré agradecerte suficiente por tu entrega sacrificial y sin medida. Diste todo por mí sin merecerlo. Concédeme amarte y servirte de tal manera que pueda ser fiel y agradecido por todo cuanto he recibido. Estoy dispuesto a ser tu mensajero para que otros conozcan que Tú los amas también. Amén.

 Salmo 46

Estén quietos y conozcan que Yo Soy Dios

Si nuestros recursos se han agotado, si nuestras fuerzas no son suficientes, si el ánimo se nos ha venido al suelo, si se han multiplicado nuestras dificultades y las cosas van de mal en peor, ¿qué hacer?, ¿adónde ir? Hay circunstancias que desafían no solo nuestra capacidad para resolver los problemas que nos salen al paso sino nuestra supervivencia. ¿No es verdad que a veces quisiéramos irnos lejos, a donde las dificultades no nos alcancen, a donde nada inquiete nuestra paz y bienestar?

¿Qué esperar cuando parece que nada queda por esperar? El salmo 46 es un salmo que nos transmite palabras de fortaleza, seguridad y confianza. Cuando nada quede por esperar, esperemos en Dios. Dios es nuestro amparo y fortaleza, nuestro pronto auxilio en las tribulaciones.

Muy probablemente este salmo fue escrito en tiempos de grandes dificultades para la nación hebrea y, particularmente, de asolamiento para la ciudad sagrada de Jerusalén. La calamidad no llegó sola, la ciudadela era asediada por el ejército enemigo, el hambre y la falta de agua comenzaban a hacer estragos en la población. La gente escuchaba el estruendo de los arietes penetrando la muralla, los proyectiles incendiarios cayendo como lluvia de fuego sobre ellos Las defensas de la ciudad eran insuficientes, sus armas eran ridiculamente inofensivas frente a la amenaza arrolladora de un imponente ejército. ¿Qué sería de las mujeres, los niños y los ancianos? ¿Qué sería de su futuro y de sus esperanzas?

En medio de esa situación levantaron su vista al cielo para buscar fortaleza en Dios, recordaron que más allá del caos reinante Dios estaba en medio de la ciudad, Él sería su segura defensa en la hora más oscura y traería un nuevo amanecer de bendición para su pueblo.

Recordaron que frente al poder de Dios no hay arma ni ejército que se pueda oponer. Él como conquistador victorioso hace cesar las guerras, destruye las armas que siembran muerte y gobierna sobre las naciones, el mundo y la historia. Ese Dios justamente estaba de su lado y peleaba por ellos.

Hoy atravesamos por un tiempo de dificultades inesperadas, la enfermedad ha traído quebranto y muerte y nos ha hecho darnos cuenta de lo vulnerables que somos. Podemos mirar la desgracia que cae sobre nosotros y dejar que el miedo se apodere de nuestro corazón, o podemos volver nuestra mirada al Dios del cielo y de la tierra, y fortalecidos con su presencia, aprender a esperar en Él. Estén quietos, nos dice el Señor, y conozcan que yo soy Dios. Estemos quietos y esperemos en Dios. No vivamos más en el miedo y la desesperanza. No temeremos, aunque la tierra tiemble, aunque se traspasen los montes al corazón del mar; aunque brame y se turben sus aguas, a causa de su braveza. No temeremos porque Dios reina, porque Él tiene el mundo y nuestra vida en sus manos. Hoy y siempre, nuestro refugio es el Dios de Jacob.

OREMOS

Señor y Dios mío, hoy decido confiar en Ti, hoy decido esperar en Ti. Dejo de temblar de miedo permitiendo que mi espíritu agitado se llene de Ti. Tú estas a mi lado y al lado de todos los que en Ti confían. Quiero estar quieto y esperar solo en Ti, con infinita confianza me entrego a Tú cuidado en esta hora de necesidad. Gracias por escuchar y responder a mi oración. Amén.

Salmo 47

¡DIOS REINA SOBRE LAS NACIONES!

La ocasión de la subida de un nuevo rey al trono era para el pueblo hebreo un motivo de gran celebración. Se realizaban preparativos, se invitaba a la coronación a personajes de la realeza de pueblos amigos y se componían cantos para la ocasión conocidos por su género como salmos de entronización. El salmo 47 es uno de estos salmos, aunque no se refiere a la exaltación de un rey humano, sino a Dios mismo, que se sienta en su trono de gloria para reinar sobre los cielos y la tierra. Un rey humano es digno de una justa honra y obediencia, pero Dios es digno de adoración y reverencia. Los términos para describir su realeza en este salmo son por demás descriptivos y elocuentes: Él es el Dios Altísimo, está por encima de todo poder y autoridad, su majestad y grandeza no tienen comparación. Es el Dios temible, infunde respeto a todas sus criaturas, no hay poder en el universo que no le esté sujeto y nadie puede desafiar su autoridad divina e incuestionable. Reina sobre las naciones y está rodeado de poder, gloria y majestad.

Cuando tomamos conciencia de esta descripción superlativa nos damos cuenta de lo relativo que son los poderes humanos. Desde luego que hay poderes que se ejercen en este mundo legítimamente y que merecen respeto y sujeción. La autoridad de los gobernantes sobre sus súbditos, de los padres sobre los hijos bajo su tutela, la de los educadores sobre sus alumnos. Toda autoridad legítima viene de Dios y tiene, a la vez, un ámbito propio de ejercicio. Cuando esta autoridad se excede y se vuelve despótica, cae bajo el justo juicio de Dios a quien todos debemos estar sometidos.

La historia de la humanidad es testigo de los excesos, arbitrariedades y crímenes cometidos por los dictadores. Este abuso no solo ocurre a nivel de los gobernantes de las naciones. En los distintos ámbitos de la vida social e institucional cuando una persona en el ejercicio de una función de mando abusa de sus subordinados, transgrede un principio fundamental: se manda obedeciendo, se ejerce el poder estando sometidos unos a otros en respeto, y todos sujetos a Dios autoridad suprema y final del universo. Jesús dijo a los suyos que a diferencia de quienes pelean por el poder en este mundo y mandan con prepotencia, ellos estaban llamados a servir. *"El que quiera ser líder entre ustedes deberá ser sirviente, y el que quiera ser el primero entre ustedes deberá ser esclavo de los demás. Pues ni aún el Hijo del Hombre vino para que le sirvan, sino para servir a otros y para dar su vida en rescate por muchos"*. *(Mc. 10:43a-45)* El Rey del cielo y de la tierra siendo digno de toda adoración y obediencia vino a este mundo para servir, ¿qué podría esperarse de cada uno de nosotros?

Dios reina, con alegria y humildad exaltemos su Nombre. Vivamos confiados bajo la bandera de su reino. Los poderes del mal serán derrotados y quienes en el confiamos seremos bendecidos. Dios reina, pero ha venido a este mundo tomando forma de siervo para enseñarnos que el camino que conduce a la grandeza es el servicio humilde. ¿No es acaso nuestro Dios digno de todo honor y gloria?

OREMOS

Te exalto en mi corazón rey de gloria y te bendigo. Humildemente me pongo en tus manos bajo Tú bandera y dirección. Te suplico me ayudes a realizar mi oficio con disposición servicial siguiendo el ejemplo de Cristo, procurando siempre dar a todos el respeto y la honra debida. Gracias por que en Tú majestad me bendices, provees y defiendes. Amén.

Salmo 48

DIOS NUESTRO, TU NOMBRE
ES DIGNO DE LOOR

El salmo 48 tiene como tema central la adoración comunitaria a Dios. Para el pueblo Hebreo el templo construido en la época del rey Salomón sobre el Monte Sión en la ciudad sagrada de Jerusalén era el lugar propio en el que Dios debía ser adorado. Aún hoy los judíos suelen orar frente al llamado Muro de los Lamentos, que constituía la pared oriental del antiguo templo. ¡Qué maravillosa experiencia la que vivía el pueblo de Dios cada vez que se congregaba para adorar a Dios en el templo de Jerusalén! La experiencia que vivían ante la presencia divina producía en ellos gran gozo y gratitud en sus corazones. Allí en la Casa del Señor encontraban refugio, hacían memoria de las bendiciones que la misericordia divina les había concedido en el pasado, eran confirmados como pueblo amado y recordaban la promesa que Dios les había hecho de acompañarles para siempre, aún más allá de la muerte. Esta experiencia de adoración producía en ellos un gozo incomparable, una confianza renovada y una experiencia de ser una comunidad unida fuertemente por los lazos de la fe y la fraternidad.

Sin duda este salmo es un modelo de adoración para nosotros hoy. Nos invita a volver nuestra mirada a Dios, fuente de toda gracia y bendición, a buscar con un intenso deseo la comunión con Él, a reafirmar nuestra confianza en su presencia y cuidado permanente en nuestras vidas y a experimentar la alegría de ser un solo pueblo ante su presencia.

Este salmo nos da también una perspectiva universal de la adoración. Dios no solamente puede ser encontrado en un santuario. ¡Toda la creación manifiesta su majestad! ¡El mundo mismo, escenario de su gloria, es el santuario universal donde Él puede ser hallado también! ¡Su loor es hasta los fines de la tierra! Esto tiene implicaciones extraordinarias en nuestra vida de fe. Adoramos a Dios en un templo, pero también en una montaña, en el bosque, en los inmensos espacios abiertos, en los cielos estrellados, en la mano amistosa que estrechamos, en la sonrisa de un pequeño, en la alegría de los enamorados, en una canción que nos inspira, en el aire que respiramos, en los latidos de nuestro corazón, en los tibios rayos del sol que nos iluminan y en la lluvia que humedece y fertiliza los campos. Él está por todas partes y en comunión con otras almas que adoran y la belleza de su creación levantamos una canción de alabanza a nuestro Dios.

El culto a Dios, entonces, no tiene que ver con un sitio especial. Toda la creación es un santuario y la verdadera adoración es algo espiritual, del corazón. Tal como dijo Jesús a la mujer Samaritana: —*Créeme, querida mujer, que se acerca el tiempo en que no tendrá importancia si se adora al Padre en este monte o en Jerusalén[...]los verdaderos adoradores adorarán al Padre en espíritu y en verdad... Pues Dios es Espíritu, por eso todos los que lo adoran deben hacerlo en espíritu y en verdad. (Juan 4:21, 24)*

Si estas abrumado por la preocupación y la ansiedad, este es el remedio: alaba a Dios y agradece sus bendiciones. No imaginas la paz, la confianza y la alegría que esto traerá a tú corazón.

OREMOS

Hoy me acerco a Tí en comunión con las miles de almas y de criaturas que en toda Tú inmensa creación cantan tus alabanzas para agradecer Tus bendiciones. No quiero mirar sino Tú gloria en mi vida, e inundarme de la dulce y segura confianza que me da saber que nunca te apartas de mi lado. ¡Bendito sea Tú Nombre por siempre en Jesucristo Tú Hijo! Amén.

Salmo 49

Tú, NO TE PREOCUPES CUANDO VEAS QUE OTROS SE HACEN RICOS

El salmo 49 es un típico ejemplo de la literatura sapiencial del pueblo hebreo. Como tal discurre sobre los asuntos profundos y esenciales de la vida humana. Particularmente este salmo se refiere a la insensatez de confiar en las riquezas. Inicia convocando a toda la humanidad para que escuchen el dicho expresado en forma de canto, esto significa que en este salmo hay una sabiduría que toda persona debe considerar. Conviene escuchar, aguzar el oído, abrir el entendimiento. Aclaremos, el dinero y los bienes materiales no son malos en sí mismos, el problema surge cuando los convertimos en ídolos y creemos que pueden darnos una seguridad permanente. Los autores del salmo dejan en claro un hecho innegable frecuentemente ignorado: Nadie puede comprar un solo minuto de vida. Usted no va a una farmacia o supermercado a comprar más tiempo como lo hace con su teléfono móvil. Los días de nuestra vida están contados y no es posible adquirir una prórroga o comprar un minuto más de existencia. Así lo expresan los salmistas Hijos de Coré: *El rescate de una vida tiene un alto precio, y ningún dinero será jamás suficiente".* Tal realidad nos hace poner las cosas en su debida perspectiva para asignar al dinero su verdadero valor que siempre es relativo.

La realidad de la muerte está siempre allí como un recordatorio permanente de los días que transcurren en la cuenta regresiva de nuestra existencia. Esto no necesariamente es una mala noticia, más bien es una buena noticia, porque de esta perspectiva podemos valorar y agradecer cada día vivido y saber que cuanto tenemos se nos ha concedido como una bendición de Dios para gozar de ello. Bien dicen los salmistas: *"Tú, no te preocupes cuando veas que otros se hacen ricos y agrandan sus casas, pues nada se llevarán cuando mueran; sus riquezas no se las llevarán al sepulcro".*

Jesús nos previene de confiar en las riquezas y nos invita a hacer tesoros en el cielo donde no hay ladrones que roben o polilla que destruya. Sin duda, la voracidad de quienes viven para juntar riquezas es lo que ha producido tanta desigualdad y pobreza en el mundo. Ante esta realidad conviene reflexionar y dar un giro a nuestra existencia. Por una parte, aprendamos a disfrutar lo que se nos concede, luego, dejemoslo pasar. Hay que vaciar los bolsillos para dejar espacio a lo que viene. Dios tiene para sus hijos e hijas nuevas bendiciones reservadas y ese Dios generoso nos invita a ser generosos también. Compartir es hacer tesoros en el cielo y ganar una conciencia tranquila.

Sobre todas las cosas, confiemos en Dios. No necesitamos comprar nuestra salvación eterna, tampoco habría oro o plata suficiente para ello. El precio está pagado, ya Jesús lo pagó, y uno muy elevado, por eso con los salmistas podemos decir: *Pero a mí, Dios me rescatará; ¡Dios me librará del poder del sepulcro!* ¡Esa es nuestra seguridad!

OREMOS

Gracias mi Dios porque cada día me bendices con un nuevo amanecer y el descanso de la noche. Gracias por el alimento y el vestido, por el amor familiar y tu cuidado divino. Ayúdame a poner mi confianza y seguridad solo en Ti, a disfrutar de todo cuanto me concedes. Dame un corazón como el tuyo para compartir con alegría y humildad tus bendiciones. Amén.

Salmo 50

LOS CIELOS DECLARARÁN SU JUSTICIA

El salmo 50 recrea la imagen de un tribunal presidido por el juez supremo de todo el universo, el Dios eterno, santo y justo. Frente a Él son presentados dos grupos de personas. Por una parte, el pueblo que afirma confesarlo y obedecerlo viviendo dentro de los términos de su alianza; y, por otra parte, aquellos que ejercen injusticia en el mundo despreciando las palabras de Dios y haciendo el mal contra su prójimo. En principio uno esperaría que los primeros salieran bien librados del juicio, y los otros condenados. Sorprendentemente Dios no está feliz con ninguno de los dos. ¿Qué tiene que decir en contra de los primeros que se consideran su pueblo? Han caído en la superficialidad religiosa. La abundancia de ofrendas y sacrificios no significan verdadera piedad. Para empezar, dice Dios, nada de lo que me ofreces necesito, porque el mundo me pertenece, y para concluir, el creer que me pueden comprar o sobornar con sus ofrendas es tener en poco la gloria de mi Nombre.

Respecto al otro grupo, los que hacen deliberadamente el mal haciendo ronda con los malvados, tramando la injusticia, engañando al prójimo y acusando falsamente aún a sus propios hermanos de sangre la sentencia es definitiva, a ellos el Señor les dice: *"¿Qué tienes tú que ver con mis leyes? ¿Por qué te atreves a hablar de mi pacto? ¡Si tú aborreces la corrección, y echas en saco roto mis palabras!"[...]Estas cosas hiciste y yo he callado", pero te reprenderé , y las pondré delante de tus ojos".*

Resulta sorprendente que tanto el religioso superficial como el hacedor de mal quedan bajo el justo juicio divino. Ambos necesitan considerar sus caminos.

Este juez que conoce nuestros actos y nuestras intenciones y que tiene sobrados motivos para condenarnos, es también un padre compasivo que anda viendo como nos salva llamándonos a volvernos a Él de corazón. Su silencio es un silencio paciente dando tiempo al arrepentimiento. Desde su corazón amoroso nos dice: *"El que me ofrece alabanzas, me honra; al que enmiende su camino, yo lo salvaré.* ¿Cuánto tiempo ha esperado Él por ti?

Este salmo trae a la memoria otra escena de juicio; en el día final de la historia, donde todas las naciones será presentadas ante el juez del cielo y de la tierra, Cristo el Señor. Entonces él separara a las ovejas de los cabritos, y dirá el Rey a los de su derecha: *"Vengan, benditos de mi Padre, y hereden el reino preparado para ustedes desde la fundación del mundo. Porque tuve hambre, y ustedes me dieron de comer; tuve sed, y me dieron de beber; fui forastero, y me recibieron; estuve desnudo, y me cubrieron; estuve enfermo, y me visitaron; estuve en la cárcel, y vinieron a visitarme."* (Mateo 25:34-36) Los justos responderán sorprendidos: ¿Cuándo hicimos todo esto por tí? y Jesús les dirá: *"De cierto les digo que todo lo que hicieron por uno de mis hermanos más pequeños, por mí lo hicieron."* (Mateo 25:41) Pero a los de su izquierda les dirá: *"Apártense de mi, malditos".* El asunto decisivo en aquel día será, entonces, de qué lado estaremos.

OREMOS

Me acerco a Tú presencia en esta hora con humildad, reconozco que eres dueño de todas las cosas y digno de toda honra y honor. Nada puedo ofrecerte que necesites, pero te alegras cuando me presento ante Ti con una adoración sincera y de corazón. Que al volverme a Ti buscando gracia, pueda volverme al prójimo, especialmente a los más débiles y pequeños para bendecirlos en Tú Nombre. Esta es la religión que a Ti te agrada. Amén.

Salmo 51

POR TU GRAN MISERICORDIA, ¡TEN PIEDAD DE MÍ!

El salmo 51 es la expresión más profunda y sentida de lo que es un actitud de verdadero arrepentimiento delante de Dios. Es un salmo intensamente personal que surge de una triste y vergonzosa experiencia del rey David. Tal vez conocen la historia. Usando su influencia como rey toma para si, a una mujer casada, de esa relación ilícita resulta un embarazo y luego, para cubrir su falta, se asegura que el esposo de esta mujer muera en batalla. De la codicia nació el adulterio y del adulterio el asesinato. Después de estos hechos todo pareció seguir su curso normal. El rey ignoró la voz de su propia conciencia, envanecido en su autojustificación. No fue hasta que Natán, el profeta del Señor, lo confrontó que él se dio cuenta de la gravedad de su pecado. Había causado un daño irreparable, pero sobre todo, había ofendido a Dios con su conducta. La culpa se considera un sentimiento indeseable del cual hay que deshacerse lo más rápidamente posible. Ciertamente que hay culpas falsas, pero no siempre es así. Tal como el dolor físico es un indicador de que algo no está funcionando apropiadamente en nuestro organismo, la culpa es ese sentimiento de profundo pesar que nos advierte que hemos pecado y que es necesario resolver ese sentimiento yendo a la raíz que lo produce: el haberle fallado a Dios y el haber dañado a otras personas con nuestras acciones.

El rey David nos eseña que el camino hacia el perdón divino y la restauración es la confesión sincera de nuestras faltas. En este proceso hay dos partes involucradas: Por una parte, el Dios a quien nos acercamos. ¿Puede Él perdonarnos después de que nos hemos apartado de una manera tan escandalosa de su voluntad? Dios ama la verdad, conoce nuestras intenciones y acciones. Él mira profundo en nuestro corazón y nada podemos ocultarle, pero Él, es también, compasivo. David se refiere a la multitud de sus piedades. Así es su corazón: bondadoso y perdonador. También tiene el poder de crear en nosotros un nuevo corazón, uno limpio y puro, humilde y deseoso de hacer su voluntad. Por otra parte, está la actitud de aquel que se acerca a Dios. Arrepentimiento no solo es pesar o vergüenza. El reconocimiento de nuestras malas acciones nos debe llevar a un verdadero deseo de abandonar los caminos equivocados por los que hemos andado, acompañado del anhelo intenso de una renovada comunión y amistad con Dios. La confesión incluye, también, nuevos propósitos de vida y la disposición para enseñar a otros humildemente a andar en los caminos de Dios.

A veces creemos que con nuestras ofrendas y sacrificios nos vamos a ganar la buena voluntad divina y cubrir nuestro pecado. Tal pensamiento es ofensivo delante de Dios, lo que Él quiere es nuestro corazón, ¡esa es la mejor ofrenda que podemos ofrecerle! *"Aún si yo te ofreciera sacrificios, no es eso lo que quieres; ¡no te agradan los holocaustos! Los sacrificios que tú quieres son el espíritu quebrantado; tú, Dios mío, no desprecias al corazón contrito y humillado"*. Tal vez aquello que te está inquietando es ese pecado no confesado, ¿Por qué esperar más tiempo para acercarte a Dios? Él siempre te está esperando con sus brazos abiertos de Padre, dispuesto a decirte: Tus pecados son perdonados.

OREMOS

Señor Tú vez en mí lo que no soy capaz de ver. Nada te puedo ocultar. Con todo mi corazón te pido perdones mis faltas y crees en mi un corazón limpio. Gracias Dios mío, porque si grande es mi pecado más grandes son tus muchas misericordias. Por Jesucristo Tú Hijo. Amén.

Salmo 52

POR SIEMPRE CONFIARÉ EN TU NOMBRE

El salmo 52 surge de una experiencia deseseperada en la vida de David el salmista. Está huyendo del Rey Saúl. El que otrora fuera como su padre confortándolo con sus cantos en medio de la ansiedad y el quebranto emocional, ahora le persigue con furia asesina movido por la envidia y el temor infundado de que le arreabate el trono. El poder puede llegar a enfermar al punto de ver enemigos donde no existen mientras se cuida la silla. David amaba a Saúl y, mientras huía de él, sufría profundamente por el odio sin causa del que era objeto. Vieja historia que se repite una y otra vez. Todo con tal de no perder los privilegios del poder. En tales circunstancias las lealtades entran en juego, y no falta quien esté dispuesto a traicionar la verdad y comprometer al inocente con tal de ganar ventajas personales.

Muy bien describe David en este salmo a esta clase de personas que mienten sin escrúpulos y venden sus conciencias. En realidad acusar a un inocente es desafiar al mismo Dios que se coloca definitivamente del lado de los que tienen hambre y sed de justicia.

¿Le ha sucedido alguna vez que después de haber procedido con integridad lo han acusado falsamente? Usted ha hablado con la verdad, ha mostrado respeto, ha cumplido puntualmente con sus responsabilidades y, de pronto, se le acusa falsamente, se le atribuyen malas intenciones y se arma el rumor que destruye su buen nombre. Hay mucho de esto en este mundo. Cuando eso ocurre, ¿a quién debemos acudir?, ¿cuál debe ser nuestra respuesta frente al mal?

Lo que nosotros somos, lo que hay en nuestro interior, los principios que nos guían, el valor que tenemos como personas, no depende de lo que los demás piensen o digan de nosotros, depende de quiénes somos ante Dios que conoce nuestros corazones. Quiénes somos realmente delante de Dios esa es la cuestión decisiva.

David encuentra paz en su alma porque no está dispuesto a utilizar las armas del malo. El malo ha desafiado a Dios, pero puede confiar en Él que conoce su corazón y le mira con agrado. *"Yo estoy como el olivo verde en la casa de Dios; en la misericordia de Dios confío eternamente y para siempre"*. Dios es su refugio, su segura defensa, quien permanece a su lado. El mundo entero puede estar en su contra, pero si su confianza está en Dios está seguro. A Dios no necesita explicarle nada, ni justificar sus acciones porque lo entiende y lo ama Cuando pasamos por tiempos como los que hemos descrito, indignados pensamos en las muchas cosas que debiéramos hacer para restaurar la justicia y nuestro buen nombre. No se trata de renunciar a nuestra dignidad, sino de colocar las cosas en su perspectiva apropiada buscando a Dios primero. Él nos abrirá los caminos, nos bendecirá y nos hará apreciar cuanto vale una conciencia limpia, y así, junto con el salmista diremos: *"Te alabaré para siempre; porque lo has hecho así; y esperaré en Tu Nombre, porque es bueno delante de sus santos.*

OREMOS

Dios mío concédeme la fe para esperar en Ti en todo tiempo, sabiendo que Tú conoces mi corazón y eres mi segura defensa en todo tiempo. Dame el valor para no renunciar a la verdad y a lo que es justo ante Tus ojos, aunque esté rodeado de mentira en injusticia. Ayúdame a tratar a los demás con respeto y generosidad, no porque espere de los demás, sino porque es lo que Tú deseas de mí. Amén.

Salmo 53

¿QUÉ SOMOS SIN DIOS?

Hay dos maneras de evaluar a la humanidad, desde el punto de vista puramente humano, o desde el punto de vista de Dios. Una pregunta de capital importancia que debemos hacernos es: ¿Qué piensa Dios de nosotros? Juan Calvino en el capítulo introductorio de su obra magna, Institución de la Religión Cristiana, nos dice que los dos grandes conocimientos a los que debemos aspirar son: el conocimiento de Dios, el ser supremo, y el conocimiento de nosotros mismos; pero de los dos, sin duda, el más importante es el conocimiento de Dios, pues el ser humano no podrá saber jamás quién es realmente, hasta que se contempla en el rostro de Dios. El salmo 53 es una evaluación que Dios hace de la humanidad que Él creó. Este es su diagnóstico: el ser humano está extraviado, no es lo que fue en el principio cuando fue formado del polvo de la tierra a su imagen y semejanza: *"Desde el cielo, Dios observa a la humanidad para ver si hay alguien con sabiduría que busque a Dios. Pero todos se han desviado; todos a una se han corrompido. No hay nadie que haga el bien; ¡ni siquiera hay uno solo!"*

Todo comenzó cuando decidimos darle la espalda a Dios. Así hemos construido lo que llamamos nuestra civilización. Ciertamente que en el ser humano hay grandeza y miseria a la vez. Grandeza por las extraordinarios capacidades y dones de inteligencia con la que fuimos dotados; miseria, porque llegamos a la conclusión de que no necesitamos a Dios para ser quienes somos. Es así que hemos pretendido construir un mundo sin Dios y esta es la expresión más grande de necedad y miseria. Así comienza este salmo: *"Dice el necio en su corazón no hay Dios".*

¿Qué somos sin Dios? Barcos a la deriva, sin rumbo en el mar de la existencia, viajeros sin destino que un día se encontrarán con la muerte, constructores que no saben para quien edifican. Vivimos, nos movemos y respiramos, sentimos los latidos de nuestra corazón y nos hacemos preguntas para las que inventamos respuestas. Luego, la tragedia, el sufrimiento y el duelo nos dejan mudos, sin palabras, sin explicaciones, porque no hay una luz que señale el camino, no hay sabiduría que responda a las preguntas que nos agobian, porque no alcanzamos a vislumbrar un destino que le de sentido a la sucesión de momentos que llamamos: vida. Esto es lo que somos sin Dios. Por eso lo necesitamos y nuestra alma clama desde lo profundo por esa necesidad de completamiento y de plenitud que solo puede ser satisfecha por Aquel que es la fuente de vida y de paz. Y Él, Él es tan bueno, que ha descendido a nuestra miseria. No está dispuesto a renunciar a su criatura. Ha venido para levantarnos de nuestra postración espiritual, para mostrarnos el camino de regreso a casa. Ese camino está señalado por una cruz que atravieza el abismo que nos separa del cielo. Desde esa cruz, Él, la palabra eterna hecha carne, el amor divino nacido en un pesebre, desde su muerte y su vida resucitada nos dice: he venido por ti.

OREMOS

Gracias Dios mío porque me amaste cuando no te amaba, me buscaste cuando no te buscaba. Has vestido Tú majestad incomparable de sencillez y miseria, y solo por amor. Te necesito, dame la paz, la gracia y el perdón que traerán a mi vida esa plenitud y seguridad que en nadie más podré encontrar jamás. Por Jesucristo Tu Hijo. Amén.

Salmo 54

TÚ, SEÑOR, ERES QUIEN SUSTENTA MI VIDA.

El salmo 54 es un capítulo más que da cuenta de la huida desesperada de David delante del rey Saúl que lo persigue con ánimo violento y asesino. Este episodio está narrado en el prime libro de Samuel. David incursiona por la noche en el campamento del rey burlando la guardia. El rey y su guardia fueron sorprendidos durmiendo, David tuvo en sus manos la vida de su perseguidor pero no osó levantar su mano contra quien consideraba el ungido de Dios. Desde la cumbre del monte David gritó el nombre del rey, mostrándole en sus manos la lanza y la vasija de agua que estaba a sus pies. Saúl supo, entonces, que quien consideraba gratutitamente su enemigo le había perdonado la vida. En su justa indignación David pregunta a Saúl: *"Porque ha salido el rey de Isarel a buscar una pulga, así como quien persigue una perdiz por los montes".* *(1 Samuel 26:20)* El rey Saúl reflexionó ante tal muestra de respeto y magnanimidad y cesó de perseguir a David.

¿Se ha sentido usted alguna vez así frente a las circunstancias? Como una insignifcante pulga o un ave perseguida por un fuerte y feroz depredador, apremiado por adversarios gratuitos?

Hace algunos años visité en prisión a un joven amigo. Tenía la convicción de que era inocente. Estaba allí por causa de una falsa acusacion y de quienes se encargaron de esparcir el rumor y hacer creíble la mentira. ¿Podemos imaginar los sentimientos en el corazón de este joven? Vergüenza, justa indignación y coraje. Recuerdo haberle comentado: "No puedes hacer que lo que ocurrió desaparezca como la neblina, al respecto no tienes elección, pero sí puedes elegir que vas a hacer con esta experiencia. No eres responsable por la mentira que otros urdieron, ni de lo que ellos quieran creer, pero si eres libre y responsable para decidir si esta situación te hará un mejor ser humano o alguien parecido a quienes te acusaron". David eligió perdonar la vida de su enemigo. Al mirar al interior de su alma estableció una diferencia entre honrar a Dios, preservando la vida de quien seguía siendo su rey o volverse como Saúl, un hombre egoísta y vengativo que se inventaba enemigos que no existían. La hora cuando nos vemos frente a la mentira y la verdad, frente a quiénes somos y quienes son los demás, frente a las circunstancias que ponen en evidencia las intenciones y lealtades puede ser un instante revelador. Tales situaciones pueden sacar lo mejor o lo peor de nosotros. Como David, no elegimos ser perseguidos, ni acusados falsamente, pero al llegar el momento justo cuando la verdad es expuesta, los corazones son revelados. Solo aquel que espera y confía en Dios, que está dispuesto a honrarle en cualquier situación actuando con valentía, integridad y decencia, será también honrado por Dios y enaltecido frente a sus enemigos y así su justa queja se tornará un canto de alabanza: *"Voluntariamente sacrificaré a Ti; alabaré Tu Nombre oh Señor porque es bueno. Porque Él ha librado mi alma de toda angustia".*

OREMOS

Gracias Dios mío porque conoces mi corazón. Ayúdame a proceder siempre con limpieza e integridad, a no hacer el mal a nadie, y aún estar dispuesto a perdonar y hacer el bien a quien me ha hecho daño. Que mi corazón no anide los resentimientos, al contrario, lleno de la paz de Tú presencia pueda dejar atrás los malos recuerdos y experiencias para ir decididamente hacia adelante experimentando las bendiciones que tienes para mi. Amén.

Salmo 55

Echa sobre el Señor tu carga, y Él te sustentará

La oración es diálogo, conversación profunda de corazón a corazón, intimidad con Dios. El que ora se acerca confiado a Aquel que siempre está dispuesto a escuchar. Oramos para alabar, agradecer, confesar y pedir, pedir por nosotros, pero también por otros que están necesitados de Dios y ¿quién no necesita a Dios? El tiempo propicio para orar es cualquier momento. El salmista nos dice en el salmo 55: *"Tarde y mañana y a mediodía oraré y clamaré, y Él oirá mi voz"*.

La oración que más conviene sin duda, la más humilde, valiente y confiada es aquella que dice: que se haga tu voluntad y no la mía. Así nos enseñó Jesús.

En realidad muchas de las cosas que pudiéramos pedir a Dios ya se nos han concedido. Nuestro Señor Jesucristo nos dice que Dios en su bondad providente hace salir su sol sobre buenos y malos y llover sobre justos e injustos. ¡Él no hace distinciones para bendecir a su criatura humana! No olvidemos orar para agradecer a fin de tener siempre presente que todo lo recibimos de su mano generosa.

Por otra parte, están las tareas que Dios nos da para realizar, precisamos orar para ser equipados con gracia y fortaleza a fin de responder fielmente a nuestros llamados.

Oramos para buscar sabiduría y dirección de Dios para nuestras vidas. Cuántas veces hemos tomado decisiones precipitadas presionados por las circunstancias y las cosas han resultado mal. La impaciencia y la impulsividad nos dominan y terminamos pagando un precio muy alto por ello. Al orar hacemos un alto, serenamos nuestro espíritu, pedimos dirección de parte de nuestro Dios para actuar con sensatez y prudencia. Dios nunca negara sabiduría de lo alto para quien se la pide con humildad y fe.

Oramos para ser librados de mal y del dolor, pero no siempre será así. El salmista hace aquí una vez más un recuento de los quebrantos que le producen sus adversarios. Su arma es la oracion constante, tal vez esa lucha la ganará y vendrán otras, tal vez deberá aprender a vivir con la contrariedad. Entonces no ora para pedir a Dios que le evite de manera definitiva las adversidades, sino para que en medio de ellas su débil espiritu sea fortalecido a fin de no hundirse en el pantano de la desesperanza. La fe en Dios a quien oramos no es, entonces, la búsqueda de inmunidad frente al sufrimiento, sino la íntima convicción de que con la gracia de Dios seremos capaces de atravezar el valle sombrío con la seguridad de que Él nunca se aparta de nosotros. Es así que el salmista puede afirmar con gran convicción: *"Echa sobre el Señor tu carga, y él te sustentará; no dejará para siempre caído al justo"*. El asunto crucial entonces es: ¿Llevas las cargas solo, o has aprendido a descansar en la fortaleza y la fidelidad de Dios?

OREMOS

Tú sabes Señor que soy débil, no tengo en mi las fuerzas y la sabiduría para enfrentar mis temores y conducir mi vida. Te necesito, no quiero llevar más solo estas cargas que me agobian. Muchas de ellas son cosas del pasado que no tienen sentido, otras son tareas que no me corresponden, pero pretendo resolverlas librando a otros de sus responsabilidades. Hoy hecho estas cargas sobre Ti y las abandono definitivamente para entregarme confiado a Tú cuidado divino. Gracias por escucharme. Que se haga Tú voluntad y no la mía. Amén.

Salmo 56

Cuando tengo miedo, confío en ti

¿Ha derramado usted alguna vez lágrimas en la soledad, preguntandose si alguien sabe de su tristeza, si a alguien realmente le importa?

El sufrimiento acompañado de la soledad es doble porción de sufrimiento. Cuántas veces esperó a que alguien llamara a su puerta, a que su teléfono sonara para preguntar por usted, a que llegara la ayuda prometida y no sucedió. En medio de las dificultades que enfrentaba David en el salmo 56 hace un recuento de sus pesares y dificultades: *"Todo el día mis enemigos me pisotean; porque muchos son los que pelean contra mi"*. Tal vez nosotros no tenemos esta clase de enemigos personales, pero las adversidades que enfrentamos lo parecen. Deudas, enfermedades, pérdidas, preocupaciones por nuestros seres queridos, en fin, la lista puede ser extensa. Todas estas situaciones presionan sobre nosotros produciéndonos un sentimiento de inquietud e inseguridad respecto a lo que pueda ocurrir el día de mañana, nos sentimos inermes y a merced de las circunstancias.

En medio de las intensas batallas de su existencia, andando a salto de mata David había perdido la cuenta de sus huidas. Su camino parecía incierto y sin rumbo. Cuántas veces se doblegó vencido por el cansancio y sus ojos se abrieron como fuentes para llorar desconsoladamente . ¿Le importó a alguien? A Dios sí. Él contaba sus huidas y recogía en su copa cada cada una de sus lágrimas registrándolas con exactitud en su libro.

El salmista sabía, como debemos saberlo nosotros que nuestro único refugio frente a las adversidades que rebasan nuestras fuerzas y capacidades es nuestro Dios, que nos podemos amparar en su infinita misericordia y que Él nunca se aparta de nosotros. Por tal razón podemos tener la seguridad de que, cualquiera que sea la situación adversa que enfrentamos, Él lo sabe y nos acompaña. Cada lágrima derramada Él la enjuga.

En medio de lo incierto de nuestra existencia Dios es una presencia cierta, amorosa y consoladora, de tal manera que podemos apropiarnos de las palabras del salmista y tornarlas en la canción que nos acompañe en nuestro andar: *"Esto sé, que Dios está por mí. En Dios alabaré su palabra; en el Señor alabaré su palabra. En Dios he confiado; no temeré; ¿qué puede hacerme el hombre?"*

Cuántas veces nos ha parecido que Dios permanece distante y en silencio. Este es el gran misterio de la fe. Dios está justamente cuando parece que no está. Lo vemos en la cruz. La extrema debilidad y el sufrimiento ocultaron la fuerza de la salvación de Dios. La cruz nos sabe a derrota, pero, paradójicamente es por la debilidad y el quebranto de la cruz que se expresa la fuerza de su salvación. Desde su cruz, nuestro Señor Jesús nos dice: "Entiendo tu dolor, también he transitado ese camino. En tu debilidad está mi fuerza, nunca estás solo y puedo decirte que, sin importar lo que ahora te suceda, en el poder de mi gracia y de mi amor, el sufrimiento nunca será la última palabra."

OREMOS

Dios de misericordia, ayúdame a tener siempre presente que nunca lloro a solas. Mi camino, desconocido para mi, está guiado y acompañado por tu presencia. Gracias por enjugar mis lagrimas y dirigir mis pasos inciertos. Que pueda acompañar el dolor y a tristeza de otros para recordarles que Tú nunca abandonas a tus hijos. Amén.

Salmo 57

EN LA SOMBRA DE TUS ALAS ME AMPARARÉ

La experiencia más auténtica e íntima de la presencia de Dios el salmista la había experimentado no en un santuario, sino en una cueva. El título del salmo 57 nos indica que fue compuesto como un recuerdo de la estadía de David en la cueva de Adulam. ¿Cómo llegó allí? ¿Qué hacía en esa cueva? Este salmo da cuenta de la situación que ya nos ha descrito en otros salmos: estaba huyendo de su perseguidor y terminó refugiándose en aquel sitio oscuro y apartado. ¿Podemos imaginar el sentimiento de soledad y desvalimiento que le acompañaba? Los ruidos repentinos que salían de la espesura de la maleza aceleraban el ritmo de su corazón y lo mantenían alerta y despierto ¿alguna fiera, o sus perseguidores que habían dado con él? Las horas en aquella cueva con hambre y frío pasaban tan lentamente.

En medio de esa circunstancia de estrechez y temor una oración se levanta desde su corazón atribulado: *"Ten misericordia de mí, oh Dios, ten misericordia de mí; porque en ti ha confiado mi alma, y en la sombra de tus alas me ampararé hasta que pasen los quebrantos".*

Hay situaciones y lugares en los que no imaginamos que pudiéramos estar: en una cama de hospital enfermos y dependientes de otras personas, pasando por la tristeza de ver a un hijo irse de casa de mala manera para tomar un sendero incierto y equivocado, atravesando por el duelo de perder a un ser amado, un divorcio o una dolorosa ruptura familiar. Todas estas situaciones tienen algo en común: producen una intensa ansiedad y sensación de desvalimiento. Justamente como estar encerrados en una cueva.

Pero también algo es verdad. En esos momentos oscuros cuando nuestra vida parece tan insignificante y nuestro destino absolutamente incierto, nunca estamos solos. Hay una presencia que no se aparta de nosotros, que nos sostiene más allá de nuestras fuerzas. La queja se vuelve oración anhelante: *"Clamaré al Dios Altísimo, al Dios que me favorece, y me salvará... Dios enviará su misericordia y su verdad"*. Poco a a poco en el diálogo y la íntima comunión con Dios la oración deseperada da lugar a la plegaria confiada para terminar en canto: *"Pronto está mi corazón, oh Dios, mi corazón está dispuesto; cantaré y trovaré salmos[...]grande es hasta los cielos tu misericordia y hasta las nubes tu verdad"*. Si, la prueba está allí, pero la cueva se convierte en santuario y comunión con el Dios que nos ama y nos acompaña y es, entonces, que llegamos a tener la íntima experiencia de lo que significa saber que estamos completamente en las manos de Dios.

Recuerdo el consejo que hace muchos años me dio una querida maestra: "Cuando sientas miedo, canta, el canto disipa los temores". No se si estas ahora encerrado en tu propia cueva de Adulam. Te recuerdo que no estás ahí solo. Canta a tu Dios, agradece y alaba su nombre. Verás como la oscuridad de la cueva se ilumina con la presencia del Dios eterno y amoroso.

OREMOS

Desde la cueva de mi ansiedad, te busco, se que estás aquí ahora conmigo. Dame la confianza y la fe que necesito en esta hora de prueba. Abandono mi vida completamente en tus manos. Ilumina la oscuridad de mi alma, ayúdame a esperar en Ti, porque está circunstancia por lo que paso ahora no es definitiva ni determina mi destino. Me entrego a Tú cuidado y alabo Tú Nombre. Amén.

Salmo 58

CIERTAMENTE, LOS JUSTOS SERÁN RECOMPENSADOS

El salmo 58 es uno de esos salmos "complicados" denominados imprecatorios. La característica principal de estos salmos es que piden a Dios que ejecute venganza sobre los malos. El escritor bíblico arde en indignación y clama a Dios que haga caer de manera pronta y sin medida todo el ardor de su justa ira contra quienes llenan la tierra de violencia e injusticia. ¿Cómo cristianos podemos orar de esa manera? Antes de responder, hay algunas consideraciones importantes respecto a esta clase de salmos. En primer lugar, estos malos a los que se refiere el salmista no son los enemigos personales que odia él caprichosamente y sin razón, sino aquellos que no tienen temor de Dios ni compasión por el prójimo. En segundo lugar, el salmista renuncia a hacer justicia por propia mano, deja a Dios el juicio y la sentencia correspondiente. Finalmente, lo que vemos en estos salmos es el sentimiento humano de indignación ante quienes ejercen injusticia en el mundo, especialmente desde una posición de poder. ¿Cuántas veces muy dentro de nuestro corazón hemos albergado al igual que el salmista un coraje semejante, deseando que el peso de la justicia divina caiga sobre los que hacen daño sin cuidarse ni de Dios ni del prójimo? ¡Qué bueno que Dios no responde a nuestra oraciones según nuestros deseos o estados de ánimo! Todo a su tiempo.

¿Ha escuchado ese pensamiento que dice que la justicia a veces tarda pero llega? La verdad es que no es así. Cuántos crímenes y atropellos terribles de lesa humanidad han quedado impunes. Cuántas personas murieron esperando una justicia que nunca llegó.

Pensemos en los millones de personas muertas en el holocausto nazi, en las madres de la Plaza de Mayo, en los muertos y desparecidos de la guerra sucia en nuestro país, en la madres que buscan a sus hijos desaparecidos, en la muertas de Juárez, en los cuarenta y tres desaparecidos en Guerrero. ¿Podemos pensar en los sentimientos de dolor e indignación de sus familias? ¿Habrá una justicia en este mundo que sea suficiente?

A partir de Jesús y su enseñanza, especialmente en el Sermón de la Montaña, ya no podemos orar así. Jesús nos llama amar incluso al enemigo y hacerle bien, a ser mansos, humildes y perdonadores. Esta es la radicalidad del llamado cristiano, porque el mal absoluto solo puede ser enfrentado con el bien absoluto, pero hay algo importante que aprendemos de salmos como este: no podemos permanecer indiferentes frente al mal del mundo, no podemos ignorar el llanto del que sufre. Aquí el salmista no se indigna por el mal que le han hecho, sino por el mal ejercido al prójimo inocente. Bendita indignación de aquellos que tienen hambre y sed de justicia porque serán saciados. Benditos aquello que buscan el bien y la verdad en el mundo y están dispuestos a pagar el precio, porque ellos hacen la diferencia y pueden esperar recompensa de Dios. Así lo dice el samista: Ciertamente hay galardón para el justo.

OREMOS

Yo se Señor que no tengo la capacidad de cambiar todo el mal del mundo, pero quiero ser una luz en la oscuridad dando testimonio de la verdad. Concédeme actuar con integridad y compasión, y luchar para hacer todo el bien posible, durante todo el tiempo posible a todas las personas posibles, especialmente a aquellas que padecen injusticia, de tal manera que pueda llevarles tu presencia y tu paz. Amén.

Salmo 59

A TI CANTARÉ; PORQUE ERES, OH DIOS MÍO, MI REFUGIO

Cuando la vida nos golpea con fuerza y se nos vienen encima las dificultades nos hacemos toda clase de preguntas: ¿Por qué a mí? ¿Qué pecado habré cometido para que Dios me castigue de esta manera? Ciertamente que nos complicamos a veces la vida a causa de nuestro descuido o por las malas decisiones que tomamos. Somos seres humanos y, por lo tanto, proclives a errar, pero no siempre las situaciones que nos complican la vida son el resultado de nuestras equvocaciones. También a la gente buena pueden sucederles cosas malas. Usted se preguntará, ¿Cuál es la diferencia entre quien confía en Dios y el incrédulo que considera que esta solo en este mundo? Ciertamente la diferencia no radica en que unos sufren y los otros no. Ambos están expuestos a las dificutades y al quebranto, finalmente estamos hechos de mismo material, somos carne y hueso. Y no se trata de aceptar con resignación fatalista el destino, aunque, ciertamente, quien se resigna al dolor tiene una ventaja sobre aquel que padece y se niega a aceptar la realidad, pero ¿de qué sirve la resignación sin esperanza? Es justamente la esperanza lo que establece la diferencia.

El dolor es una sensación común a toda especie, pero el sufrimiento es una experiencia exclusivamente humana. El ser humano es el único ser vivo sobre el planeta que padece y se pregunta por el sentido del dolor, y esto nos refiere a lo que muchos filósofos llaman lo numinoso, es decir, aquello que está por encima de la experiencia humana. Las preguntas que hacemos se nos devuelven como eco. La vida misma nos cuestiona a cada paso: ¿Quién eres? ¿De dónde vienes? ¿Cuál es tu destino? Así como no podemos comprender las hojas sin las ramas, y las ramas sin el árbol y las raíces que le dan vida y significado, tampoco el ser humano se puede entender a sí mismo sin aquello que lo trasciende, y lo que lo trasciende es Dios, origen y sustento de la vida, quien nos ha hecho a su imagen y semejanza para vivir en grata comunión con Él.

Nuestra vida no está en manos de un destino ciego, sino de Dios que nos creó, y si ese Dios ha venido a buscarme amándome hasta la muerte de cruz, atravesando el valle del quebranto para traer victoriosamente luz e inmortalidad, entonces, hay esperanza. Esto es lo que hace la diferencia, saber que el sufrimiento jamás será la última palabra, es solo una pasaje en nuestra travesía hacia la eternidad. Por lo tanto, aquí y ahora, sin importar las circunstancias puedo apropiarme de las palabras del salmista que, rodeado de enemigos que amenazaban su vida de día y de noche, levantaba su alabanza al Dios de toda esperanza: *"Pero yo cantaré de tu poder, y alabaré de mañana tu misericordia; porque has sido mi amparo y refugio en el día de la angustia. Fortaleza mia, a ti cantaré; porque eres, oh Dios mío, mi refugio, el Dios de mi misericordia".*

OREMOS

Dios mío, que entre las sombras que rodean mi vida en este momento pueda tener presente que Tú estás a mi lado. Me escuchas, me entiendes y me acompañas. Eres mi fortaleza, mi paz y mi esperanza. No caeré derrotado porque Tú me sostienes, no me perderé en este valle de oscuridad porque Tú diriges e iluminas mi camino en medio de las sombras. No me voy a perder. Y mientras camino llevo un canto de gratitud en mi corazón y una oración en mis labios. Me entrego confiadamente a Ti porque en Tus manos estoy seguro. Amén.

Salmo 60

POR TI, DIOS NUESTRO, HAREMOS PROEZAS

Cuando las cosas salen mal y sobreviene el fracaso una tendencia muy humana es eludir nuestra responsabilidad y culpar a alguien más. La empresa se fue a la quiebra, hicimos una mala inversión, se rompió una buena amistad, el matrimonio entró en crisis, en fin, las situaciones pueden ser diversas y significar un menor o mayor grado de pérdida según lo que esté en juego. A cualquiera le sucede. No siempre tenemos toda la responsabilidad de lo que resultó mal. El asunto decisivo aquí es tener la capacidad y la humildad de aceptar lo que sí es nuestra responsabilidad. Es justamente en este punto donde la mayoría tropezamos. No estamos dispuestos a asumir el costo de nuestras decisiones. El lado opuesto de la moneda es creer que las cosas funcionan porque nosotros estamos allí, nos sentimos indispensables. Es bueno tener una valoración positiva de nuestras capacidades, pero otra cosa es pecar de vanidad y autosuficiencia.

El salmo 60 nos indica la manera como podemos librarnos de estas dos actitudes negativas.

Las campañas militares de David habían resultado un rotundo fracaso, la derrota había sido muy humillante y dolorosa y justo encuentra un responsable: Dios. Así leemos en el salmo: *"Dios nuestro, Tu nos has desechado, nos has dejado sin defensas...has hecho que Tú pueblo presencie desastre; nos has hecho beber un vino que aturde"*. Si a alguien hay que reclamar por el desastre es a Dios que lo permitió. Qué actitud más irreverente, pero así es el espíritu humano. Vemos en David estas dos actitudes manifestándose juntas: "yo puedo ganar esta guerra con mis propias fuerzas", y después cuando todo termina en desastre, elude su responsablidad, la derrota vino porque Dios ya no sale con nuestros ejercitos. Ciertamente el peor de todos los engaños es el engaño propio, el pretender convencernos de nuestros propios argumentos. Esto es algo que la Biblia llama "ceguera espiritual".

Si las cosas no han ido muy bien en su vida últimamente le puedo asegurar que es inútil buscar un culpable. Asuma su responsabilidad y aprenda que luchar solos nos expone al fracaso; necesitamos de Dios. Es necesario ponernos humildemente en sus manos, pedir sabiduría y dirección para nuestra vida, cordura e inteligencia para no proceder precipitadamente, pidámosle valor para actuar con integridad conforme a su voluntad y no bajo los impulsos de nuestras emociones que suelen ser cambiantes y engañosas.

David entendió la lección. Confiar solamente en sus fuerzas y eludir su responsabilidad le había llevado a la derrota. Humildemente se pone en la manos de Dios: *"Bríndanos apoyo contra el enemigo, porque vana resulta la ayuda de los hombres. Por tí, Dios nuestro haremos proezas".* ¿La vida se le ha complicado? ¿Está en un momento de crisis que no sabe cómo resolver? Esta vez hágalo bien, primero lo primero: humildemente ponga su vida y sus decisiones en las manos de Dios. En el tendrás dirección, fortaleza y victoria.

OREMOS

Señor, por mucho tiempo he pretendido luchar confiado solo en mis fuerzas y capacidades. Reconozco que cuando las cosas han salido mal he culpado a otros y he eludido mi responsabilidad. Te necesito hoy, quiero buscar Tú reino y Tú justicia sobre todas las cosas. Si he estado actuando de manera irreflexiva llevado solo por mis sentimientos, calma mi ansiedad, ilumina mi mente, dirige mis pasos y enséñame a esperar en Ti luchando con tus fuerzas. Amén.

Salmo 61

"Oye, oh Dios, mi clamor; a mi oracion atiende

La oración puede ser el diálogo grato o el clamor desesperado. El salmista en el salmo 60 busca a Dios desesperadamente. *"Oye, oh Dios, mi clamor; a mi oracion atiende. Desde el cabo de la tierra clamaré a ti, cuando mi corazón desmayare".* No sabemos a ciencia cierta lo que le ha llevado a este estado de necesidad, pero se siente como un habitante solitario en el extremos más alejado del mundo. Su corazón está abrumado por la debilidad y el quebranto.

Cuando una pena agobia nuestro espíritu nos sentimos lejos de todo, ajenos al mundo, olvidados, sin fuerzas. Ah, esa sensación de desvalimiento y abandono. Las palabras del salmista pueden interpretarse como la experiencia de quien, accidentalmente, ha caído en el fondo de una hondonada, y grita con todas sus fuerzas pidiendo auxilio, y solo recibe el eco de su voz como respuesta y luego… el silencio.

Ahí, desde la hondura del alma, en el abandono absoluto, en la desesperanza total, levanta su grito de angustia a Dios para suplicarle que venga en su ayuda, que lo saque de una vez del abismo de dolor en el que se encuentra y lo coloque sobre una roca alta y firme.

Ciertamente, ser adulto, entre otras cosas, es salir al paso de los problemas y las necesidades. Tener capacidad de resolución. Cada día resolvemos pequeñas dificultades y aprendemos también, a no doblegarnos frente a situaciones que exigen poner en juego todas nuestras habilidades y recursos, y así vamos viviendo. Pero, de pronto, nos vienen dificultades en cascada que nos dejan perplejos, desgastados y hundidos tal como lo expresa el salmista. En estos día difíciles que vivimos hay razón para sentirse de esa manera. La pandemia, la crisis economica, el temblor, la violencia, los temores que nos asaltan, la ansiedad acerca de lo que viene en el futuro próximo. No parece que tengamos los recursos para hacer frente a tanta necesidad que presiona sobre nosotros. Nos llueve sobre mojado. Es entonces que nuestra oración se torna un clamor desesperado desde el fondo del abismo, pero esa oración no se pierde en la inmensidad. Dios escucha, nos sostiene y fortalece. ¿Quién es Dios para tí? El salmista describe al Dios en el que él cree. Es refugio, torre fuerte, el que nos protege en su santuario, que nos cubre con la sombra de sus alas de amor, que preserva nuestra vida. ¿Cómo conoció el salmista a ese Dios? No en los buenos tiempos de dias soleados, de cosecha abundante, de salud. Lo conoció en la soledad, en el abandono, en el fondo de la hondonada, es decir, en los tiempos de deseperación e incertidumbre. Así lo expresa ese bello e inspirador canto escrito por André Crouch, Vencedor: "Gracias doy por las victorias; gracias doy por las derrotas. A Dios gracias por el duelo abrumador. A través de los problemas veo sus misericordias, y en todo yo soy más que vencedor". En las hondonadas de nuestra existencia, tal como el salmista, necesitamos solo una certeza: saber que Dios está con nosotros, hoy, mañana y siempre.

OREMOS

Desespero Señor. En esta hora difícil acudo a Ti, mi alma necesitada te busca con angustia. Tú eres paz, luz y esperanza para todas las almas necesitadas. Aunque no se el camino que hay para mi, Tú si lo sabes. Me entrego a Tú cuidado y espero en Ti ahora y siempre porque se que no me abandonas. Amén.

Salmo 62

ALMA MÍA, EN DIOS SOLAMENTE REPOSA

Conversamos con muchas personas cotidianamente. Tal vez en estos días más que nunca antes en nuestra vida hemos cruzado muchas palabras con personas cercanas y lejanas a nosotros. Hemos tenido más tiempo para estar conectados en las redes sociales. Pero hay un hecho que me sorprendió cuando leí acerca de el: la persona con quien más conversamos es nuestra persona. Constantemente estamos hablándonos mentalmente, codificando información, haciéndonos preguntas, reaccionando a las situaciones que se nos presentan. Si lo pensamos bien tiene sentido, porque la persona con la que pasamos la mayor parte del tiempo es nuestra propia persona. No siempre tenemos conciencia de este hecho porque sucede de manera automatica. ¿Qué suele decirse a usted mismo? Toda actitud, idea, creencia, estado anímico y acción en nuestra vida nace del pensamiento. Nuestros pensamientos nos definen en gran medida. Podemos estar bombardeados de malas noticias, asediados por ideas de derrota y desesperanza, pero en nuestro pensamiento se define si lo que escuchamos y vemos se tornará en ansiedad. ¿Es posible blindar nuestra mente de tal manera que mantengamos el buen ánimo? En el salmo 62 el salmista nos revela el secreto de lo que los psicólogos llaman resiliencia, es decir, la capacidad de mantener un espíritu fuerte frente a las situaciones adversas. El salmista nos dice: *"En Dios solamente está acallada mi alma; de él viene mi salvación. Alma mía, en Dios solamente reposa, porque de él es mi esperanza".* Uno pudiera concluir que todas las cosas le iban bien y fáciles. Nada de eso, sus adversarios lo rodeaban con la intención de aplastarle como una pared desplomada y una cerca derribada. Para ellos era una presa fácil, no tenía defensa, ni recursos para protegerse del fiero ataque, pero el salmista confiaba, sus pensamientos estaban llenos de la presencia de Dios y lo que esa presencia significaba en su vida. Él sabía que su verdadera lucha no estaba fuera de él ¡Cuántas situaciones están fuera de nuestro control! Su verdadera lucha estaba en el interior de su mente. Generalmente los problemas ya nos encuentran derrotados, la decepción, la falta de fe, la ansiedad y el pensamiento fatalista ya nos han capturado en su red, así es que cuando se presenta la dificultad esta nos encuentra débiles, confundidos y desesperados. Mire lo que se repite una y otra vez el salmista: *"Dios es mi refugio, mi roca, mi esperanza, mi salvación, no resbalaré, esperemos en el".* No solamente se lo dice reiteradamente. Lo cree con todo su corazón. Sabe que Dios es misericordioso y nunca nos dejará abandonados en medio de la batalla. El salmo 62 nos receta el mejor remedio para un espíritu atribulado y el apostol Pablo nos repite la prescripción con esta palabras: *"No se preocupen por nada. Más bien, oren y pídanle a Dios todo lo que necesiten, y sean agradecidos. Así Dios les dará su paz, esa paz que la gente de este mundo no alcanza a comprender, pero que protege el corazón y el entendimiento de los que ya son de Cristo". (Filipenses 4:6-7)*

OREMOS

Señor, mi mente está constantemente asediada por pensamientos de ansiedad, temor, y derrota. Me olvido que Tú estás conmigo y eres mi segura defensa frente a toda adversidad. Ilumina mi mente para que pueda meditar y comprender tus palabras y llenarme de ellas de tal manera que no quede espacio para el desánimo. Y así en el gozo y la gratitud mi alma tener quietud al descansar confiadamente en Ti. Amén.

Salmo 63

MI ALMA TIENE SED DE TI

Satisfacer la sed es una necesidad vital. Todos sabemos que no podemos sobrevivir mucho tiempo sin agua. No necesitamos saber fisiología para darnos cuenta de ese hecho. Cuando hemos pasado un tiempo prolongado sin tomar agua nuestro organismo reclama y nos hace sentir la urgencia de aliviar inmediatamente la sed. Pero hay otra sed más profunda y no tan evidente que presiona sobre el alma y no siempre sabemos interpretar esa necesidad. Así como la sed física debe ser satisfecha, debe serlo nuestra sed interior de Dios. Agustín de Hipona supo expresar bien lo que esa necesidad significa cuando escribe en el primer libro de sus Confesiones: "Nos hiciste, Señor, para Ti; y nuestro corazón está inquieto hasta que descanse en Ti".

Cierta ocasión al ir a dormir el ruido de un golpeteo constante me inquietó. Era una noche particularmente silenciosa, así es que era muy fácil escuchar cualquier ruido. Me asomé a la sala y a las recámaras, todo estaba en orden. Regresé a dormir, y ahí estaba otra vez el golpeteo. Por fin me di cuenta de lo que sucedía, ¡era el sonido de mi propio corazón! Vivimos tan aturdidos, tan llenos de ruido y de distracción que ya no escuchamos a nuestro propio corazón que con cada latido nos dice: "Necesitas a Dios" Si estás atento, si haces silencio en el alma, si miras profundo dentro de ti descubriras un hueco en tu corazón que solo Dios puede llenar.

El samista había comprendido muy bien su necesidad de Dios, de tal manera que en medio de la inquietud que le robaba la calma y el sueño escribe en el samo 63: *"Dios, Dios mio eres tu; de madrugada te buscaré; mi alma tiene sed de ti, mi carne te anhela, en tierra seca y árida donde no hay aguas".* Si, a veces nuestra vida es semejante a una travesía por un prolongado desierto, nuestra alma se siente seca y desolada, nuestro espíritu cansado se resigna a la derrota, el sueño y la calma huyen de nosotros. Hay momentos muy desesperanzadores en los que nos preguntamos ¿cómo voy a seguir adelante si mi ánimo está derrotado? Haz un alto, vuelve tu mirada a Dios, levanta tu corazón hacia Él que Él sabrá satisfacerlo, reparará tus fuerzas y saciará tú más profunda sed. Te dará la seguridad de que sin importar lo que venga hacia adelante Él caminará contigo.

Una vez que el salmista encontró descanso en Dios su alma fue renovada con una nueva fortaleza. No significa que encontró a Dios, mas bien se dio cuenta que en medio de ese desierto nunca anduvo solo porque Dios siempre estuvo a su lado. Todo adquirió una nueva perspectiva, una nueva luz: *"Con labios de jubilo te alabará mi boca, cuando me acuerde de ti en las vigilias de la noche porque has sido mi socorro, y así en las sombras de tus alas me regocijaré".* La próxima vez que bebas un vaso de agua, recuerda y agradece a Dios que sacia la sed de tu alma y no se aparta de ti.

OREMOS

Señor, en esta noche en que el sueño ha huído de mi y mi mente vaga inquieta por el desierto de la ansiedad, te ruego que vengas a mi. Mi corazón me dice que te busque, y ciertamente no debo ir muy lejos porque Tú estássiempre a mi lado . Te entrego mi sueño, mis preocupaciones, mi alma sedienta y necesitada. Sacia mi corazón con Tú presencia y dame la paz y la confianza que necesito. Amén.

Salmo 64

SE ALEGRARÁ EL JUSTO EN EL SEÑOR

¿Ha escuchado alguna vez palabras como estas?: ¿Para qué te preocupas por la gente? Tú no vas a cambiar el mal del mundo, ni a resolver tanta necesidad que hay. No hagas mal a nadie y ocupate de lo tuyo. He de admitir que esa lógica tiene sentido. ¿Quién puede acabar con el hambre, la pobreza y las injusticias de nuestro mundo? Apenas si podemos cuidar de los nuestros. Por mi parte, me niego a conformarme con esta idea porque creo que también sirve como una justificación para no hacer nada. Siempre es posible hacer algo, y ese algo cuando se hace con amor, Dios lo bendice, además de inspirar a otros ha actuar de la misma manera. Honestamente lo que creo que es imperdonable es no hacer absolutamente nada para que el mundo sea un lugar mejor. En el salmo 64, el salmista pide a Dios que lo guarde del temor del enemigo. No solo está pensando en sus enemigos personales, sino en todos aquellos que hacen mal al prójimo. Traman cuidadosamente la maldad contra el inocente y la llevan a cabo. Pero Dios mira las acciones de las personas y conoce lo más profundo de sus intenciones. El salmista sabe, por cierto, que un día llegará la justicia que no puede ser burlada. No se trata de desear la perdición del malo, se trata de distinguir claramente el bien del mal y sus consecuencias. Ciertamente que quien mal va, mal acaba, pero con Dios siempre hay una alternativa que consiste en arrepentirse, volverse a Él y aprender a hacer el bien.

El concepto de lo que es la justicia divina es mucho más que el castigo de los malos. Sorprendentemente la manifestación máxima de su justicia Dios la realizó no desde un tribunal, donde todos ciertamente hubiésemos sido condenados, sino desde una cruz donde el justo murió por los injustos.

Ciertamente en este mundo hay una justicia que se debe ejercer legítimamente, pero hablamos de justicia eterna, final, definitiva. En este sentido hacer justicia no se trata de buscar el castigo eterno de los culpables, sino la redención de los pecadores y del mal del mundo. Hacer justicia significa ser guiados por el signo de la cruz de Cristo que es entrega generosa, de gracia, inmerecida, por amor a los demás, por amor a quienes no lo aman.

Por eso el salmista en este salmo no pide la destrucción de los malos, sino que todos los hombres teman a Dios, anuncien sus obras y entiendan sus hechos.

Nuestro Señor Jesús quiere seguidores comprometidos con la justicia, es decir con el amor, Quien ama actúa con justicia y gracia hacia el prójimo. Dios no te pide que resuelvas todas los males y desigualdades del mundo, sino que seas fiel y estés dispuesto a hacer todo lo que está en tus manos. Él hará el milago y tu serás su instrumento. ¿Cuál será el resultado? Un gozo perdurable y verdadero. *"Se alegrará el justo en el Señor, y confiará en Él; y se gloriarán todos los rectos de corazón".*

OREMOS

Gracias Dios porque no solo eres justo juez, sino también un Dios de misericordia y perdón que anda viendo como nos salva y no como nos condena. Concédeme tener un corazón como el tuyo que se indigne ante el mal y tenga compasión de quien lo ejerce y lo padece. Dame valentía para comprometerme con lo bueno de tal manera que, guiado por el signo de la cruz, haga todo el bien posible, con la fe de que mis modestos esfuerzos serán bendecidos milagrosamente por tu poder. Amén.

Salmo 65

TÚ CORONAS EL AÑO CON TUS BIENES

Ciertamente hay personas que merecen honor, pero la gloria pertenece sólo a Dios. Él es un ser único e incomparable, creador y sustentador de todo lo que existe. El ser humano encuentra su más alta vocación al vivir para adorar su santísimo nombre. Así lo expresa el samista enel salmo 65: *"A ti, Dios mío, debemos alabarte en Sión; a ti debemos cumplir nuestros votos, pues tú escuchas nuestras oraciones. A ti acude todo el género humano"*.

¿Cómo es este Dios en el que creemos y al que adoramos? Es un Dios que escucha nuestras oraciones, que nos invita a la comunión con Él, que nos da refugio en su casa para llenarnos de todo bien, que perdona nuestros pecados. Él es el Dios de nuestra salvación y la esperanza de todos los términos de la tierra. La bondad divina no solo se manifiesta en el templo, ¡toda la creación es un santuario que canta las alabanzas de Dios!

El salmista en su reflexión reconoce la providencia divina que se despliega por todas partes: Él alegra las salidas de la mañana, llena los ríos con las lluvias y empapa la tierra para que produzca el grano que nos alimenta y bendice. Su cuidado y poder se manifiesta en el ciclo regular de los años, los cambios estacionales, en el campesino que siembra y cosecha. Toda la creación es un libro abierto que da testimonio de su providencia y cada criatura en su propio lenguaje lo exalta y lo glorifica.

Dios en su bondad no hace distinciones, tal como lo enseña el Señor Jesucristo en el Sermón de la Montaña, Él hace salir el sol sobre buenos y malos, y hace llover sobre justos en injustos. Hay aquí una lección de importancia fundamental que debemos aprender al ver la grandeza, el cuidado y la providencia divina en toda su creación. Estamos llamado a vivir agradecidamente, porque nada tenemos que no hayamos recibido de su bondad paternal. Hemos llegado a creer que todo nos pertenece: el sol, el aire, la lluvia, el pan y la vida misma y nos conducimos como si tuviésemos derecho a todo ello. En realidad nada es nuestro y debemos gratitud a Dios por todo el bien que Él nos concede de manera generosa. Todo es de Él, pero lo ha puesto en nuestras manos para que lo cuidemos y nos aseguremos que sea de bendición para toda la familia humana.

De la providencia divina aprendemos que cada criatura tiene un llamado dentro de la creación: el sol alumbra, la lluvia y el viento fertilizan, la semilla produce, el fuego da calor. Resulta todo ello tan obvio, entonces, ¿por qué no resulta también obvio el hecho de que Dios nos ha creado para vivir para la gloria de su Nombre. Esto nos indica claramente que debemos volver nuestro corazón al Creador a fin de que nuestra vida encuentre su más alto significado al vivir en comunión con Él.

Finalmente, hay una lección más que aprendemos del cuidado de Dios en la creación, así como Él da bendición a toda persona sin distinción, nosotros estamos llamados a la generosidad, a hacer bien a todos sin distinción, pues así nuestro corazón será como el corazón del Padre.

OREMOS

Al contemplar Tú majestad y poder en la creación, al mirar Tú bondad para todas tus criaturas y para mi vida, mi corazón se llena de inmensa gratitud por tu generosidad que me bendice cada día. Que nunca olvide que me has creado para Ti y que estoy llamado a participar de tu bondad bendiciendo la vida de todos sin distinción. Amén.

Salmo 66

PORQUE TÚ NOS PROBASTE, OH DIOS

Hacer memoria de lo que Dios ha hecho en el pasado nos lleva a la gratitud y la adoración a su Nombre. En el salmo 66 el salmista hace un recuento de la manera como Dios se ha manifestado en la vida de su pueblo y en su historia personal. Dios mostró su poder al librarlos de la esclavitud en Egipto, hizo que el mar se abriera frente a ellos para pasar en seco, en tanto que Faraón y su ejercito perecieron en el fondo del mar. Al recordar esa historia la conclusión es evidente: *"Las obras de Dios son asombrosas, su nombre es temible, el señoréa con su poder para siempre; sus ojos están vigilantes sobre las naciones.*

El salmista hace, también, un recuento de la manera como Dios ha estado con él. Preservó su vida, lo sostuvo en pie para que sus pies no resbalaran, lo liberó de pesadas cargas y lo libró de enemigos poderosos. Es interesante notar que estas adversidades personales fueron circunstancias que Dios uso para su bien. No quiero decir con esto que haya algo de bueno o grato en sí en las dificultades, pero sí que Dios las usa de manera sabia y amorosa para nuestro bien. Así lo expresa el salmista: *"Porque tú nos probaste, oh Dios; nos ensayaste como se afina la plata. Nos metiste en la red[…]Pasamos por el fuego y por el agua, y nos sacaste a abundancia".* Tal como se afina un metal en el crisol para separarlo de las impurezas y hacerlo más puro y valioso, así nuestro Dios nos purifica a través de las dificultades. Las pruebas son el crisol que

Dios usa para perfeccionar nuestro carácter, para enseñarnos a confiar en su gracia y así apreciar como Él nos libra y bendice, de tal manera que, al final, su gloria, su poder y su misericordia brillen con mayor intensidad en nuestras vidas. ¿Quiere decir que Dios deliberadamente nos mete en dificultades a fin de darnos una lección? Ciertamente que así lo hace a veces. Él quiere forjarnos en el crisol para que podamos ser instrumentos apropiados para sus propósitos gloriosos. Esta una enseñanza que podemos apreciar en cualquier proceso de elaboración de todo aquello que es útil y apreciado, por ejemplo: el artista que moldea pacientemente la piedra informe a golpes de cincel, el herrero que forja el metal haciéndolo pasar por el fuego para luego someterlo a los duros golpes del martillo sobre el yunque. Lo mismo sucede con el carpintero que corta, lija las imperfecciones, aserra y ensambla. Todo aquello que ha de ser util, bello y duradero debe pasar por un duro proceso de elaboración. Así es que, si Dios te ha puesto en el crisol de la prueba, significa que Él te está preparando, te está forjando como los metales preciosos para hacer surgir de ti una mejor persona. Cuando veas el resultado te darás cuenta que Dios es sabio y sabe lo que hace en nuestra vida, aunque mientras estamos en el taller de la forja no sepamos comprender el porqué. Mira hacia el pasado, y te daras cuenta de la manera como Dios ha trabajado en tu vida, cómo te ha librado y bendecido, y hoy te prepara para propósitos gloriosos, entonces podrás expresar como el salmista: *"Bendito sea Dios, que no hecho de sí mi oración, ni de mí su misericordia"*.

OREMOS

Señor, no comprendo por qué debo pasar por esta prueba que me resulta difícil de sobrellevar. Me faltan las fuerzas, pero se que Tú gracia no me falta, que Tú poder se perfecciona en mi debilidad. Tú sabes lo que haces en mi vida y se que no me abandonas, que estás trabajando en mi para hacerme una mejor persona y prepararme para propósitos gloriosos. Concédeme la fe y la paciencia para esperar en Ti y ser agradecido por lo que haces y harás en mi vida. Amén.

Salmo 67

LA TIERRA DARÁ SU FRUTO; NOS BENDECIRÁ DIOS

El salmo 67 es un canto que se compuso para agradecer a Dios por una buena cosecha. Para los pueblo campesinos cuya supervivencia depende del fruto de la tierra levantar una cosecha abundante es motivo de celebración. Particularmente para el pueblo hebreo era una señal de bendición de Dios y de su generosa providencia. Ese canto es una manera de decirle a Dios: "Tu eres nuestro sustento, bendices nuestra tierra, nos das las lluvias, bendices el trabajo de nuestras manos". Tal manifestación de gozo y gratitud era también una exresión de fe hacia el futuro. Dios es nuestro sustento y lo será siempre. Así lo dice el salmista: *"La tierra dará su fruto; nos bendecirá Dios, el Dios nuestro"*. Esto nos recuerda las palabras de la oración que Jesús nos enseñó: *"Danos hoy el pan de cada día"*.

Ciertamente que el sustento cotidiano que viene de la provisión divina es una manifestación de su favor aquí expresado, también, en el salmo: *"Dios tenga misericordia de nosotros, y nos bendiga; haga resplandecer su rostro sobre nosotros"*. Eso es una forma de decir, Señor, así como lo haces ahora al concedernos una cosecha abundante, que siempre nos muestres Tú favor y Tú compasión.

El pueblo judío desde los tiempos de David al presente repiten esta oración cada vez que comen el pan: "Bendito sea Tú, Señor, Rey del universo que extraes el pan de la tierra". Con toda seguridad estas son las palabras que Jesús pronunció al bendecir el pan al celebrar la pascua con sus discípulos e instituir el sacramento de la comunión.

Llama la atención en este salmo que el deseo de bendición no es solo para el pueblo hebreo, sino para todas las naciones. Al recoger la cosecha esta era su oración: Señor, no solo da a cada pueblo el sustento tal como hoy lo das a nosotros, sino que los bendigas también con tu salvación y seas el pastor, y el justo juez de cada nación sobre la tierra de tal manera que todo los pueblos te alaben. ¡Qué maravilloso deseo de bendición para todas las naciones! Nosotros hemos dividido el mundo, hemos trazado límites geográficos y levantado muros, como si viviésemos en mundos distintos, como si no perteneciéramos a la misma humanidad y nos sustentaramos de la misma tierra que, por cierto, no pertenece a nadie, sino a Dios.

Cada vez que tomamos los alimentos debemos agradecer a Dios por que Él nos sustenta, debemos agradecer por las manos que siembran diligentemente la tierra y recogen el fruto en largas y agotadoras jornadas haciendo posible que el alimento llegue a nuestras mesas, y no solo eso, debemos pedir por todos los pueblos y por cada persona en este mundo a fin de que tengan acceso por igual a la participación de las bendiciones y frutos de la creación.

Que al unir nuestras manos para agradecer y orar con las palabras del Padrenuestro pidamos también por el pan común, por que cada uno tenga el pan suficiente para cada día. Dos miradas se precisan al unir nuestras manos en oración: hacia el cielo para agradecer, y alrededor para compartir.

OREMOS

Señor, te damos gracias por las bendiciones de este día, por la salud y el trabajo, por el pan que pones en nuestra mesa. Que aprendamos a compartir para aliviar en lo posible la necesidad de aquellos que pasan por hambre. Ciertamente que el pan que compartimos es una señal de comunión y de gracia que nos recuerda que así se entregó Cristo por nosotros en la cruz para enseñar a amarnos y ser generosos en Tú Nombre. Amén.

Salmo 68

DIOS ES PADRE DE HUÉRFANOS Y DEFENSOR DE LAS VIUDAS

El salmista en el salmo 68 describe la estremecedora manifestación de la presencia de Dios. En la memoria de su pueblo había quedado grabada para siempre la ocasión en la que Dios descendió en el Sinaí, la montaña sagrada. Aunque no vieron a Dios porque ¿Quién puede resisitir la gloria de su presencia y vivir? Su presencia fue más que evidente: *"Dios nuestro, cuando saliste al frente de tu pueblo, cuando anduviste por el desierto, la tierra tembló. Al verte, Dios de Israel, los cielos derramaron su lluvia; ante tu presencia, el monte Sinaí se estremeció"*.

También la presencia de Dios es descrita en este salmo en los terminos de un general que dirige un formidable, poderoso, e invencible ejercito. *"Entre miríadas de poderosos carros de guerra, tú, Señor, marchas del Sinaí a tu santuario. Asciendes a lo alto, llevando contigo a los cautivos y el tributo que recibiste de gente rebelde"*. Este Dios, descrito en términos superlativos, es quien ha querido habitar también en el santuario para encontrarse con su pueblo y bendecirlo.

Con frecuencia al hablar de Dios no tomamos conciencia de su grandeza. Lo maravilloso es que ese Dios autoexistente, eterno y poderoso, que descendió en el Sinaí, es también un Dios amable y compasivo que ha querido descender a nuestra humanidad a través de Jesucristo, la presencia visible y encarnada de su gloria para nuestra salvación. Hay todo un misterio aquí que jamás comprenderemos.

Acercarse a la presencia de Dios ciertamente demanda reverencia y humildad. Dios debe ser adorado, y tal cosa significa tomar conciencia de la infinta distancia que hay entre su majestad y nuestra condición de criaturas, pero, paradójicamente, podemos acercarnos también con total libertad. Nada es comparable con la bendición y la gracia que se nos concede de tener amistad con Dios y llamarle Padre.

Toda esa descripción superaltiva de Dios no solo tiene la intención de producir un sentido de asombro sino también de confianza. Él despliega su inmenso poder para bendecir, especialmente, a los débiles, a los sencillos, a los que viven en la marginalidad y están expuestos al menosprecio y a la indiferencia. El salmo nos dice que Él es Padre de huérfanos y defensor de las viudas. Él hace habitar en familia a los desamparados y saca a los cautivos a prosperidad.

La presencia de Jesucristo es la expresión suprema de la determinación de Dios de colocarse al lado de los que tienen sus esperanzas rotas, para traerles buenas noticias. Esta disposición divina es una denuncia contra el egoísmo humano y una llamada a cada uno de nosotros a volver el corazón al prójimo dispuestos a amar y servir en su Nombre, especialmente a los más sencillos, que son, precisamente, aquellos a quienes Dios ha colocado en un sitio de privilegio dentro su reino.

OREMOS

Dios omnipotente, que al acercarme a Tí pueda tomar conciencia de Tú majestad y de mi indignidad. Garcias por amarme y e invitarme a la comunión contigo. Ahora sé que adorarte es asombrarme ante Tú grandeza, pero también confesarte como un Padre amoroso al cual puedo acercarme con confianza. Dame la humildad para bajarme del falso pedestal de mi orgullo, y así para poder amar y servir en Tú Nombre a los más sencillos. Esa es la mejor manera de honrarte y reconocerte como mi Dios. Amén.

Salmo 69

Busquen a Dios, y vivirá su corazón

Todos alguna vez, o quizá más de una vez, hemos dicho, estoy hasta el cuello de problemas. Sabemos bien lo que eso significa. Como todo ser humano tal sentimiento lo conocía muy bien el salmista, así lo expresa en el salmo 69: *"Sálvame, oh Dios, porque las aguas me han llegado hasta el cuello. Me encuentro hundido en un profundo pantano, y no hallo donde poner pie. He caído en aguas abismales, y me cubre la corriente"*. Vaya que esa es una situación desesperada. Sentía hundirse poco a poco, y en medio del cieno que lo rodea trata desesperadamente de encontrar un lugar firme donde pararse, pero su pie no toca fondo. No le queda más que gritar con desesperación pidiendo ayuda. *"Ya me canso de llamar; ronca está mi garganta; mis ojos desfallecen en espera de mi Dios"*. En verdad que quien espera desespera. Dos situaciones han llevado al salmista a este momento, por una parte: el despiadado e injusto ataque de sus enemigos; por otra parte, la enorme preocupación de aquellos que están bajo su responsabilidad y cuidado. *"Señor, Dios de los ejercitos y Dios de Israel, ¡no permitas que por mi culpa sean avergonzados los que en Ti confían!"*. Que los problemas nos afecten en lo personal es una cosa, pero que lastimen o dañen a quienes amamos, agrega un peso mayor a nuestras preocupaciones.

¿A quién acude usted cuando las cosas se complican? ¿Cuál es su mayor recurso frente a las dificultades imprevistas? Cuando atravesamos por un problema pensamos en las distintas formas de resolverlo, pero debemos admitir que hay momentos en la vida en los que simplemente no hay solución a la vista, no tenemos recursos y no queda nada más que esperar lo que vaya a suceder. La desesperación del salmista es evidente, pero su grito de auxilio se dirige a su Dios: *¡Sácame del lodo! ¡No dejes que me hunda! ¡Líbrame de los que me odian, y de las aguas profundas! ¡No dejes que me ahogue la corriente!*

La fe no es el recurso final del que echamos mano cuando todo lo demás ha fallado, la fe es la confianza en ese Dios que nos mira cuando estamos hundidos en el cieno, que escucha nuestro grito y que viene en nuestra ayuda. El salmista lo sabía muy bien. *"Pero yo oro a Tí, Señor, en el momento de Tu buena voluntad; ¡escúchame, Dios mío, por tu gran misericodia y por la verdad de Tu salvación".* No es precisamente porque todo está resuelto que podemos confiar. La fe no es esa clase de transacción en la que yo prometo creer a cambio de ser librado de toda prueba. Fe es saber que Dios está allí en los momentos más oscuros e inciertos de la vida, justo cuando parece que ya nos hundimos teniendo la absoluta confianza de que nuestra vida está siempre en sus manos. Es entonces cuando aprendemos a esperar en Dios. El salmista concluye diciendo: *"Busquen a Dios, y vivirá su corazón; porque el Señor escucha a los menesterosos, y no rechaza a los que están prisioneros".* Es así como sucede el milagro . La paz de Dios que sobrepasa todo entendimiento viene a nuestro corazón afligido y en vez de hundirnos aprendemos a fluir.

OREMOS

Siento hundirme, no me quedan fuerzas. Señor, ven en mi ayuda en esta hora de necesidad. Que Tú luz y Tú presencia brillen en mi oscuridad. Confío en Ti, como un pequeño se siente confiado en los brazos maternos que lo rodean y lo protegen con amor. Dame de Tú paz y enséñame que más allá de lo que podemos hacer o no hacer esta Tú gracia que se manifiesta en mi debilidad. Amén.

Salmo 70

AYUDA MÍA Y MI LIBERTADOR ERES TÚ

Fe no es tener todas las respuestas, ni todas las certezas. Con frecuencia la fe es como andar en medio de la bruma espesa sin alcanzar a ver lo que está adelante. Tal vez usted ha vivido la experiencia de caminar por una ruta desconocida. Estará de acuerdo conmigo en el hecho de que hay una gran diferencia entre andar a solas o acompañado de alguien que conoce bien el camino. Todo es nuevo mientras andamos por un sendero desconocido, no sabemos que encontraremos en el siguiente recodo o detrás de la montaña que avisoramos a la distancia, pero mientras tengamos un guía podemos sentirnos seguros. ¿No es verdad, también, que los caminos desconocidos se nos hacen interminables y tortuosos? La seguridad de que llegaremos a destino está en función de la confianza que tenemos en la persona que nos guía. Así es la vida en la fe. No sabemos que vendrá adelante, pero confiamos en Aquel que camina con nosotros. Por otra parte, el caminar de fe es andar la distancia que separa nuestra pobreza y necesidad de la grandeza de Dios. El salmista da cuenta de ello cuando en el salmo 70 escribe: *"Estoy pobre y afligido, ¡ven pronto, oh Dios, en mi ayuda! Tu eres mi ayuda, ¡eres mi libertador! ¡No tardes, Señor!"* Allí está la expresión de la indigencia humana, el grito de angustia, el clamor desesperado. La fe comienza en la necesidad. Delante de Dios siempre somos menesterosos. Luego está la otra parte de la fe: el Dios a quien clamamos. Escribe el salmista: *"Que se alegren en Ti todos los que te buscan; que los que aman Tú salvación digan siempre: Grande es nuestro Dios".*

De un lado la limitación, la necesidad, nuestra humana debilidad, desde la cual clamamos; del otro lado, la grandeza de Dios, su compasión, su gracia que nunca nos abandona. ¿Por qué habría Dios de interesarse en nosotros? ¿Por qué habría de responder a nuestra oración y volver su mirada desde su majestad a nuestra miseria? Porque es un Dios de gracia que se metió en la historia humana, se humilló voluntariamente hasta la muerte vergonzosa de la cruz. Él conoce el camino del dolor, de la indigencia, de la soledad y el quebranto. En la cruz se abismó hasta el fondo mismo de la miseria humana. Él entiende bien, y como ya recorrió ese camino. Podemos confiar en él, por que la historia del Dios humanado no terminó en el Gólgota, donde su gloria quedó oculta en el madero, sino en la tumba vacía. La muerte está vencida.

No necesito todas las respuestas, solo la guía amorosa de Aquel que tiene el poder para conducirme a lo largo del camino hasta la casa del Padre. ¡Eso es fe! Hay un oración que siempre me ha inspirado y que fue escrita por el teólogo y pastor alemán Dietrich Bonhoeffer quien murió como martir en un campo de concentración nazi. En la prisión confortó a un hombre que iba a ser ejecutado a la mañana siguiente con esta oración: "Reina en mí la oscuridad, pero en Ti está la luz; estoy solo, pero Tú no me abandonas; estoy desalentado, pero en Ti está la ayuda; estoy intranquilo, pero en Ti está la paz; la amargura me domina, pero en Ti está la paciencia; no comprendo tus caminos, pero Tú sabes el camino para mí".

OREMOS

Desde mi necesidad te busco en esta hora de incertidumbre. Tú sabes todas las cosas y tienes un camino para mi. Tómame fuerte de Tú mano y guíame a través de la bruma de la duda y la incertidumbre. Tu majestad no es distancia de mi necesidad, sino poderosa presencia en mi vida. Gracias por escucharme y bendecirme como nadie más puede hacerlo. Amén.

Salmo 71

SEÑOR, EN TI BUSCO REFUGIO

El salmo 71 es la oración de un anciano que se dirige a Dios y le dice: *"No me deseches en el tiempo de la vejez; cuando mi fuerza se acabare, no me desampares"*. Considero que nuestra cultura se ha empobrecido extraordinariamente al no apreciar el inestimable valor de los ancianos. Relacionamos la fuerza, la salud y la productividad con la juventud, de tal manera que, gradualmente, hemos convertido esta etapa final de la vida en una expectativa inaceptable ¡Como si tuviéramos la capacidad de evitar el paso de los años! Vivimos en un mundo donde cada vez más los ancianos son olvidados, dejados de lado, abandonados como muebles en desuso. Nos hemos perdido de la riqueza que se adquiere al aprender de la experiencia y la sabiduría de quienes ya anduvieron la mayor parte del camino.

El anciano que expresa aquí su plegaria sabe que nunca está desamparado de Dios ¿Quién es Dios para él? La roca a la que puede acudir continuamente, fortaleza y seguridad. Reconoce que Dios mismo fue quien le sacó de las entrañas de su madre concediéndole la vida y ha estado a su lado a lo largo de todo el camino andado.

¿Cuáles son las reflexiones de este anciano? No son de desaliento y falta de ganas de vivir. El mira al pasado y agradece sus bendiciones: *"Vendré a los hechos poderosos del Señor; haré memoria de tu justicia, de la tuya sola"*. Las fuerzas ya no son las mismas, las capacidades físicas de manera natural van menguando, pero eso nada tiene que ver con la alegría y la fe. La vejez es un asunto de actitud y solo significa derrota cuando permitimos que nuestros pensamientos se llenen de desaliento. No importa que piensan los demás de nosotros cuando los años han pasado, lo que cuenta es lo que pensamos de nosotros mismos. Una manera de mantener una mente activa es meditar en la bondad de Dios en el pasado, y alabarlo a cada momento en el presente. Este es el secreto de la fortaleza espiritual y la confianza de este anciano cuya oración tenemos aquí. No hay pensamiento de autocompasión, coraje, resentimiento o soledad. Desde su corazón se levanta una canción de gratitud a Dios que es fiel y ha estado siempre presente en su vida: *"Más yo esperaré siempre, y te alabaré más y más. Mi boca publicará tu justicia y tus hechos de salvación todo el día aunque no se su número".* ¡Tiene incontables bendiciones que contar y por las cuales alabar a Dios y agradecer! Un corazón así nunca será derrotado por la desesperanza y la tristeza. Y todavía tiene una gran tarea que realizar, un deseo intenso anima su alma: manifestar el poder de Dios, a la posteridad, y su potencia a todos los que han de venir. ¿Cómo conocerán la nuevas generaciones que hay un Dios todopoderoso al que hay que honrar, un Dios que bendice y sostiene con su gracia? A tráves del testimonio de vida de quienes han caminado con el a través de los años. Si ya eres viejo aprópiate de esta oración y haz la tarea que Dios te da de ser ese puente generacional que transmite la fe a la nuevas generaciones, y si eres joven, vive de tal manera que tengas mucho que enseñar a tus hijos y tus nietos cuando llegues a la edad de oro.

OREMOS

Gracias mi Dios, porque cuanto más avanzan mis años, más tengo que contar de Tú bondad en mi vida. Que no olvide nunca que Tú eres mi refugio, que mi canción no sea de queja sino de alabanza por lo que has hecho y harás en mi vida. Concédeme dar testimonio de Tú poder y bondad para que las nuevas generaciones te conozcan y te honren. Amén.

Salmo 72

¡QUE VIVA EL REY!

Soñamos con un mundo donde reine la justicia y la paz. Donde las personas y los pueblos vivan en armonía; un mundo sin hambre, sin pobreza, sin guerras, donde los niños crezcan libres, confiados y amados. Un mundo en el que convivamos respetuosamente con la creación de Dios y participemos todos por igual de sus bendiciones. El salmo 72, el último atribuido al rey David, nos describe un mundo así, gobernado por esa clase de gobernante que todos los pueblos anhelan: un rey justo, poderoso, compasivo con los afligidos y pobres de la tierra, promotor de la justicia y la armonía universal.

Este salmo se ha considerado tradicionalmente como un salmo mesiánico, describe a Jesús como el Rey de reyes. Él llena y excede la descripción de un rey justo e integra cualidades que parecen incompatibles en cualquier gobernante: justicia y misericordia, poder y generosidad, exaltación y humildad. Solo el Hijo de Dios puede expresar de manera superlativa y única estas cualidades. Los evangelios nos dicen que Jesús provino de linaje real, de la casa del rey David, pero ese linaje real no solo fue por descendencia humana, sino por su condición divina. El Hijo de Dios, la Palabra eterna hecha carne, es el Rey de todo el universo, de toda criatura y gobierna y gobernará por toda la eternidad.

Jesús, el Rey Mesías, incorpora en su persona no solo las cualidades de un gobernante perfecto, pero también la esperanza de un mundo nuevo. Así los describe este salmo: *"Que haya en sus días justicia y mucha paz. Que su dominio se extienda de mar a mar. ¡Que su nombre sea siempre recordado! ¡Que su nombre permanezca mientras el sol exista! ¡Que todas las naciones sean bendecidas por él, y que lo llamen bienaventurado!"*

Con su presencia Jesús vino a traer salvación, esperanza y reconciliación. Aún cuando el mundo sigue envuelto en la maldad, la injusticia y la desigualdad, lo que este salmo anticipa es que este mundo nuevo se comenzó a gestar en su venida. Pensemos en un semilla, tan diminuta e insignificante, pero con un potencial de vida que puede llenar un campo de flores hermosas. Así es el reino que Jesús ha traído, parece tan pequeño, pero poco a poco va llenando de esperanzas nuevas a este mundo, así lo expresa este salmo: *¡Que viva el Rey! ...¡Que sea en las cumbres de los montes como un puñado de grano que cae en la tierra!*

Debemos tener la perspectiva correcta de la historia: los reinos de este mundo y los despotas que parecen tan poderosos, inamovibles y pretensiosos en sus sillas han pasado y pasarán. Y ese reino que parece tan humilde y pequeño permanecerá por toda la eternidad. Por eso debemos seguir soñando la utopía y creyendo en ese Rey sembrando en el presente en medio del campo desierto del mundo, semillas de amor, fraternidad, justicia y reconciliación, porque esas semillas de esperanza florecerán y nosotros, quienes confiamos y hemos rendido nuestra vida al Rey Jesús, reinaremos con él. ¡Qué buena noticia! ¿verdad?

OREMOS

Señor Jesús, rindo mi vida a ti, te reconozco como el Rey de mi vida, gracias por gobernarla con amor, gracia y poder. Dame la fe para creer, esperar y trabajar por ese mundo nuevo que ya has sembrado en la historia. Que bajo la bandera de tu reino pueda esparcir semillas de amor, servicio, justicia y compasión, con la fe de que esas semilla florecerán para la eternidad. Bendito seas. Amén.

Salmo 73

"¿A QUIÉN TENGO YO EN LOS CIELOS? ¡SÓLO A TI!

En el salmo 73 tenemos un cuadro muy descriptivo de aquellos que fundan su prosperidad en la miseria de los demás: Todo les parece ir bien, no sufren congojas, ni se afanan, ni se ven golpeados como el resto de los mortales, la soberbia es su corona y la violencia es su vestido. Tan gordos están que los ojos se les saltan. Ante esta realidad, aquel que tiene temor de Dios tiene lucha con dos actitudes. La primera de ellas es ser tentados a actuar de la misma manera que estos arrogantes carentes de todo temor de Dios. Así lo expresa el salmista: *"Tuve envidia de los arrogantes, al ver como prosperaban los malvados"*. Tal parece que hay que hacer el mal para que nos vaya bien. Esa es la ley bajo la cual viven muchos hoy día, revestidos de una mentalidad pragmática. No son malos por convicción, sino por conveniencia. Otra actitud posible frente al mal es la de total desaliento, creer que el mal va ganando la partida y este es un destino que no podemos cambiar a pesar de nuestras buenas intenciones. De nada vale tratar de hacer adelantar el bien porque es una lucha destinada al fracaso. Vive y deja vivir.

El salmista es muy honesto cuando habla de su lucha interior con el desaliento: *"Me puse a pensar en esto para entenderlo, pero me resultó un trabajo muy difícil...casi se deslizaron mis pies; poco faltó para que mis pasos resbalaran"*. Y si nosotros somos honestos hemos de reconocer que al ver la prosperidad de los malvados nos han agobiado, también, esta clase de pensamientos y sentimientos.

Sin embargo, estas dos actitudes provienen de una lectura limitada de los hechos. Quien asi considera las cosas y se deja dominar por los malos pensamientos tiene una visión limitada, ha perdido la verdadera perspectiva de la realidad que no tiene que ver solamente con lo que ocurre en el presente, sino con el destino final de las personas. Asaltado por estos pensamientos el salmista entró en el santuario del Señor y, ahí, de pronto, en comunión con su Dios adquirió una lectura correcta de la realidad: *"Como quien despierta de un sueño, cuando Tu, Señor, despiertes, harás que se desvanezcan"*. Entendamos bien estas palabras que parecen revestidos de una dureza incompatible con un Dios de amor. La llamada misericordiosa de Dios está siempre allí, hay quienes escuchan ese llamado y se vuelven a Él, hay quienes la ignoran y continúan su camino hacia la destrucción.

El salmista adquiere ahora una nueva comprensión de la realidad, reconoce su torpeza y falta de entendimiento. Puede seguir confiando en Dios, haciendo el bien, y esperando lo mejor. No importa cuanto prosperen otros a la mala. Él tiene una bendición que no tiene precio, que ninguna riqueza en este mundo jamás podrá ofrecer: *"¿A quién tengo yo en los cielos? ¡Sólo a Ti! ¡Sin Ti, no quiero nada en la tierra! Aunque mi cuerpo y mi corazón desfallecen, Tú, mi Dios, eres la roca de mi corazón, ¡eres la herencia que siempre me ha tocado!"* Podremos tener todo en este mundo, sin Dios siempre seremos pobres y miserables, pero quien a Dios tiene, nada le falta. Y esa bendición nada ni nadie te la puede arrebatar, es tuya para toda la eternidad, por eso vale la pena creer en el bien, pues ya sabemos cuál será el final de la historia.

OREMOS

Señor, dame una correcta visión de la realidad, que mi fe no se aparte de Ti nunca, que no deje de creer en el bien y de hacerlo. Que recuerde que los bienes que permanecen son los del cielo sabiendo que por Tú gracia ya tengo la mejor herencia para toda la eternidad que eres Tú mismo mi Dios. Amén.

Salmo 74

DIOS MÍO, ¡LEVÁNTATE Y DEFIENDE TU CAUSA!

Cuando las aflicciones golpean con dureza nuestra vida surgen las preguntas. ¿Por qué Dios mío? ¿Por qué a mí? Esta es una respuesta muy humana de la cual el salmista da constancia en su propia experiencia en el salmo 74. El desastre había alcanzado a su pueblo. El templo había sido reducido a ruinas destruido por manos impías. Así lo expresa el salmista: *"¡Le han prendido fuego a tu santuario! ¡Han profanado y derribado el tabernáculo a Tu Nombre!"*. El pueblo está a merced del enemigo, desvalido, derrotado. Todos ven con lágrimas y absoluta desesperanza la destrucción de la ciudad y la humillación del santuario de Dios. Por supuesto surgen las preguntas: *"¿Por qué te has enojado con las ovejas de tu prado Dios nuestro?, ¿hasta cuando nos afrentará el enemigo? ¿Por qué te quedas cruzado de brazos? ¿Por qué esconde en el pecho tu diestra?"* El grito desesperado se levanta al cielo: *"Ven a ver estas ruinas interminables: ¡mira cuanto daño ha hecho el enemigo en tu santuario!"* ¿No es verdad que en tiempos de ruina y desesperanza Dios parece no escuchar ni ver? ¿Estará distraído? ¿Se habrá olvidado de nosotros? ¿Nos estará castigando por nuestros pecados? ¿Se niega a actuar? Dios no está dormido, ni distraído. Tampoco se ha olvidado de nosotros. Los tiempos de grandes dificultades nos invitan a la meditación. En medio de la ruina de su pueblo, el salmista mira por encima de las circunstancias para recordar quién ha sido y quién es su Dios, trayendo a la memoria sus grandes hechos del pasado. Él ha sido desde siempre el rey de su pueblo, los libró de la esclavitud en Egipto, partió las aguas en dos para que pasaran en seco, abrió manantiales en el desierto dándoles de beber. Él es quien creó el día y la noche, estableció los límites de la tierra y las estaciones del año. Ellos, los que ahora están bajo el peso de la aflicción, son su pueblo elegido con quienes estableció una alianza para bendecirles, y Él nunca se vuelve atrás de sus promesas, nunca deja de cumplir su palabra, y además, como soberano del universo, tiene el poder para ejecutar su voluntad y no hay poder, ejercito, arma o enemigo que pueda detenerlo.

¿Cómo puedo saber que ese Dios está conmigo? Porque Él es el Dios que creó el cielo y la tierra, me formó a su imagen y semejanza, me habla en su Palabra. Es quien se metió en la historia humana y sufriendo en una cruz llevó mis quebrantos, cargó con mis culpas, sufrió mi muerte, me libró de la condenación y me dio vida eterna por su resurrección. Por eso se que, sin importar cuanta desgracia y aflicción haya en este mundo, mi confianza está en su poder, gracia y fidelidad.

Karl Barth, es uno de los más extraordinarios teólogos del siglo XX, escribió una cantidad de libros que se puede medir por metros, tan solo su Dogmática contiene trece volúmenes, ¡más de diez mil páginas! Su mente privilegiada penetró como pocos el pensamiento divino. Entrevistado en un programa radial cuando visitaba los Estados Unidos le pidieron que resumiera en unas cuantas palabras su teología, él respondió con la letra de una canción cristiana infantil: "Cristo me ama, bien lo se, su Palabra dice así" ¡Vaya respuesta! Esa es toda la fe y seguridad que necesitamos para mantenernos firmes y victoriosos en este mundo, a pesar de todo lo que ocurra.

OREMOS

En tiempos de grandes dificulatdes, concédeme la confianza para esperar en Ti y confiar en Tú gracia y fidelidad. Gracias Dios porque me amas, y no puedo dudar de ello pues me diste a Tú propio Hijo para mi salvación. Que en medio de la prueba nunca olvide quién has sido y eres para todos tus hijos e hijas. Que pueda alentar a otros con esta misma fe. Amén.

Salmo 75

EL JUICIO PROVIENE DE MÍ, QUE SOY DIOS

El poder es engañoso, crea una sensación de omnipotencia. No es que el poder en sí sea malo. Estaremos de acuerdo en el hecho de que hay poderes legítimos y necesarios en este mundo. El problema es cuando ese poder se ejerce más allá de los límites justos y se vuelve una tiranía. Así es que el problema no radica en sí en el poder, sino en el corazón de quien lo ejerce. El salmo 75 nos da algunas lecciones al respecto. Nos dice que por encima de toda autoridad en este mundo está la autoridad divina. De Él emana todo poder legítimo y este ha de ejercerse bajo su voluntad y mando supremo. Uno de los grandes males de nuestra sociedad es la ambición de control y la inclinación egoísta y pecaminosa de hacerse de la silla del poder a cualquier precio: padres autoritarios, jueces que venden la justicia, gobernantes que se convierten en dictadores, líderes religiosos que se apoderan de las conciencias. El problema de quien ejerce un poder abusivo es que, al pretenderse absoluto, desafía a Dios convirtiéndose en una especie de ídolo.

Este salmo nos recuerda que Dios desde los cielos vigila las acciones de los seres humanos. Él está muy atento a quienes se enseñorean de los demás. A Él no le agradan las injusticias y los abusos. Como el soberano y justo juez de nuestras vidas juzga las acciones de los abusivos y nos recuerda aquello que no debemos olvidar jamás. Por una parte, que Él se coloca del lado de los desvalidos, de los que están sometidos por poderes de muerte, de los que sufren a causa de las desigualdades, las injusticias y los abusos; por otra parte, nos recuerda, también, que cada uno de quienes ejercen injusticia y abusan de su poder si no se arrepienten habrán de enfrentar la justicia divina que no puede ser burlada.

La imagen que nos presenta este salmo de Dios es impresionante: Él es el Dios que juzga con rectitud y justicia, que sostiene las columnas de la tierra y a sus habitantes. Él advierte a los que abusan que no se envanezcan, que no se sientan intocables, que no hagan alarde de su poder, que no hablen con la cabeza erguida llenos de orgullo y autosuficiencia. ¡Qué cuadro tan descriptivo de los déspotas! Cuántas imágenes y personajes nos evoca esta descripción. A ellos Dios les recuerda que no hay lugar en la tierra de dónde les venga ese poder, que Él es el juez que humilla y enaltece y que, ciertamente, juzga sus acciones haciéndoles beber del vino del justo juicio. Parece que esta es una lección que el mundo no aprende. Cuántos tiranos hemos visto caer, cuantos otros han sido sorprendidos por la muerte, y el corazón humano desviado sigue buscando su propio reino autodeterminado lejos de Dios. Los más extraordinario es que ese Dios creador, rey y juez supremo, se manifestó al mundo de una manera por demás inesperada, en una condición de pobreza y humillación que lo llevó desde el pesebre hasta la cruz, para luego ser exaltado y recibir lo que por derecho propio siempre le perteneció: la gloria y la majestad divinas. Ese Dios nos enseña así que en su reino la grandeza pasa por la entrega a los demás, y el poder se ejerce sirviendo y siendo el más pequeño entre los demás. ¿Aprenderemos esta lección?

OREMOS

Señor, concédeme humildad y sabiduría para actuar siempre con integridad y justicia. Guárdame del pecado de la autosuficiencia, de creer que mi criterio es infalible e incuestionable. Que pueda apreciar el valor de cada persona y sobre todas las cosas, que puedan amar y servir en Tú Nombre buscando la grandeza dentro de Tú reino. Lo ruego por Jesucristo, quien siendo Señor, no vino para ser servido sino para servir. Amén.

Salmo 76

¡Glorioso eres Tú, Señor!

El salmo 76 tiene una relación temática con el anterior. Describe el poder de Dios frente a los poderes humanos que son pasajeros y relativos. Este salmo presenta a Dios como un formidable y poderoso guerrero: su Nombre es grande, es adorado en su santuario, derrota a todos sus oponentes, es temible, juez justo e inflexible con los malos, y está por encima de todos los gobernantes de este mundo. ¿Cómo es el "dios" que usted concibe? Hay muchas construcciones culturales de Dios que son una burda reducción de su gloria. Esta el "dios" genio de la lámpara que cumple cada capricho de sus criaturas, está el "dios" anciano bonachón que contempla lo que sucede en el mundo sin intervenir, el dios retablo que permanece mudo en algún altar, pero no sale de su cómodo santuario, está el "dios" temperamental y caprichoso que cambia de idea; un día piensa de una manera, al otro cambia de idea; el "dios" elitista que solo bendice a los ricos y poderosos que le dan generosas ofrendas, está el "dios" vengativo y castigador el cual podemos hacer aliado de nuestra causa aunque sea injusta. En fin, podemos seguir multiplicando las imagenes que nuestra cultura ha ido construyendo de Dios. ¿Quién es Él realmente? ¿Lo concemos? Reconocemos que, frente a su grandeza que es indescriptible y que rebasa toda definición y representación, Dios ni siquiera puede ser imaginado. Solo lo conocemos por lo que Él nos revela de su persona y, sobre todo, lo conocemos porque se humanó en Jesucristo. Bien dijo Jesús: "El que me ha visto a mi, ha visto al Padre".

El que no podamos definirlo ni representarlo no quiere decir que no podemos hablar de Él, aunque como niños balbuceantes. La manera como el salmo 76 habla de Dios, si realmente prestamos atención a su contenido, resulta tan sobrecogedor que podemos caer postrados antes su presencia llena de poder y majestad. Como gobernante y poderoso guerrero es invencible y humilla a todos los altivos de la tierra. *"Los fuertes de corazón fueron despojados, durmieron su sueño...¿Quién podrá estar de pie delante de ti cuando se encienda Tu ira?"* Nos preguntamos, para ¿quién gobierna y a quienes defiende? La respuesta la da el mismo salmo: *"Te levantaste, oh Dios para salvar a los mansos de la tierra"*. Si, en su reino, los que se exaltan son humillados, y los sencillos son exaltados para sentarse con los príncipes del pueblo de Dios. Los pobres, los que viven en los márgenes de una sociedad que condena a la exclusión, los que no tienen estirpe, ni un nombre reconocido, los que son pasados por alto, ignorados, todos ellos son las personas favoritas de Dios, para quienes gobierna, por los que ha traído esperanza y salvación a este mundo. Son aquellos de los cuales Jesús dijo: *"Dichosos los mansos de corazón porque ellos heredarán la tierra"*. Claro, no se trata de ser pobre o rico en el sentido material de la palabra. Se trata de reconocerse pobres en espíritu y necesitados de la misericordia divina, porque una cosa es cierta: delante de Dios todos somos seres necesitados y solo entraremos a su reino a través de la puerta de la humildad y el arrepentimiento.

OREMOS

Solo una cosa te pido hoy, que pueda realmente conocerte mi Dios para servirte según Tú voluntad y no según mis criterios. Gracias porque toda esa grandeza incomparable de Tú ser la has manifestado para salvación de quienes reconocen su necesidad de Ti. Guárdame de pretensiones ilusorias. Que no aspire a otra gloria que amarte sobre todas las cosas y amar a mi prójimo como a mí mismo. Esta es mi humilde oración. Amén.

Salmo 77

TÚ ERES EL DIOS QUE HACE MARAVILLAS

¿Qué hacer cuando el abatimiento ha llegado a nuestra vida, cuando la prueba, el dolor, el temor a lo que pueda suceder nos domina? Nuestro espíritu se agita, se nos va el sueño, nos conmovemos desde lo más profundo de nuestro ser, nos hacemos preguntas, levantamos nuestras manos al cielo, gritamos desde lo profundo de nuestro ser pidiendo a Dios venga en nuestra ayuda, nos sentimos totalmente desprotegidos. Este es el sentir que el salmista expresa en el salmo 77: *"Con mi voz clamé a Dios, a Dios clamé en el día de mi angustia; alzaba mis manos de noche sin descanso; mi ama rehusaba consuelo. Me acordaba de Dios, y me conmovía: me quejaba y desmayaba mi espíritu"*. No sabemos que le ha sucedido al orante de este salmo, pero es claro que la desesperación se ha apoderado de su alma hasta el punto de enfermarlo.

Hace algunos años leí un interesante libro que explica la oración de la serenidad. ¿La recuerdan? *"Señor, concédeme serenidad para aceptar las cosa que no puedo cambiar; valor para cambiar las que si puedo, y sabiduría para distinguir la diferencia.* Lo que el autor dice respecto a esta oración es que lo primero que tenemos que hacer frente a las circunstancias que escapan a nuestro control es tomar conciencia de que no somos Dios. Aceptar que nuestra vulnerabilidad es, ciertamente, una de las tareas más difíciles que la vida nos plantea. Nos atemoriza el solo hecho de pensar enfrentar aquello que rebasa nuestras capacidades para salir al paso y resolverlo. La invulnerabilidad es un engaño. No lo sabemos todo, no lo podemos todo, somos seres humanos y en ello no hay diferencia entre unos y otros. Luego, entonces, ¿qué hacer frente a situaciones que nos aquejan y desafían nuestra seguridad y confianza?. El salmista expresa abiertamente delante de Dios todo su sentir. Cuando esté agobiado hable, hable con Dios, con las personas que le aman, con sus amigos, no ponga diques emocionales, no intente ocultar aquello que desborda su corazón. Sentimientos que no se expresan se vuelven síntomas físicos y enfermedad

Pero, también piense en Dios, recuerde los días buenos. Cuando enfermamos o vemos a un ser querido sufrir, es importante pensar que esa circunstancias no determina toda nuestra vida, ha habido días buenos en que las noches fueron de cánticos y no de queja y sufrimiento. Dice el salmista: *"Meditaré en todas tus obras y hablaré de tus hechos[...]¿Qué Dios es grande como nuestro Dios? Tú eres el Dios que hace maravillas"*. El es el Dios cuya presencia y poder se hizo presente dando forma al caos original de la creación. El trueno de su gloria brillo en la oscuridad trayendo luz y orden. Dios es más grande que mis preocupaciones, que mis problemas, que mi debilidad y frágil humanidad. Y ese Dios me ama y me conoce. Si, porque la Palabra eterna se hizo carne, la luz de la presencia divina que ilumino la creación en el principio, se manifestó en su Hijo. Desde el quebranto de su cruz, el Hijo de Dios nos recuerda que el dolor nunca será lo último en nuestra vida. Él nos entiende y nos llena de esperanza, porque al viernes de dolores le seguirá siempre un luminoso domingo de resurrección.

OREMOS

En esta hora de gran necesidad me acerco a Tí. Escucha mi voz, ven en mi ayuda, levántame. Que la luz de Tu gloria brille en medio de las sombras que me rodean y me recuerde que nunca estoy solo, que Tú me acompañas y me ayudarás a atravesar el valle de oscuridad. Estoy en Tus manos, en Ti confío, por Jesucristo. Amén.

Salmo 78

PUEBLO MÍO, ESCUCHA MIS ENSEÑANZAS

La transmisión generacional de la fe es fundamental para que nuestros hijos e hijas sepan que hay un Dios. Esta es una verdad que el salmo 78 expresa. Es necesario contar a la generación venidera las alabanzas del Señor, y su potencia y las maravillas que hizo. Esta era virtual y globalizada que estamos viviendo ha producido la dispersión del núcleo familiar. Cada quien vive su vida y somos ajenos a lo que está sucediendo en casa con los nuestros. Ha sido necesario que ocurra algo tan devastador como la pandemia que vivimos para revalorar la importancia que tiene la unión familiar y la educación en la fe. El salmo 78 narra extensamente las experiencias de Dios con su pueblo. Cuántas bendiciones recibió Israel de su Dios. Los liberó de la esclavitud en Egipto, los hizo pasar en seco dividiendo el mar, les dio agua para calmar su sed, los alimento durante todo su caminar en el desierto y les introdujo a una nueva tierra. ¿Cuál debería ser la respuesta de ese pueblo a ese Dios tan bondadoso? Sin duda una respuesta de gratitud, dedicación, honra, pero no fue así. El salmo nos dice que, reiteradamente, tentaron a Dios, lo desafiaron, fingieron honrarle con sus palabras, pero en sus corazones anidaron la rebeldía, el reclamo injusto y la ingratitud. Esa es la razón por la cual una y otra vez experimentaron el fracaso y la tragedia. Todas estas fueron experiencias que debieron producir en ellos humildad, obediencia y honra al Santo Nombre de Dios. Nuestras historias personales o familiares no son muy diferentes. Cuántas bendiciones hemos recibido a lo largo de las generaciones de parte de Dios, cuántas bendiciones son las que hoy tenemos, pero somos ingratos, tenemos la idea de que Dios solo está para bendecirnos y complacernos y cuando las cosas no van como nosotros quisiéramos establecemos nuestros reclamos y nos olvidamos de lo bueno que ha sido nuestro Dios. Lo más extraordinario es que Dios no necesita de nosotros, si nos bendice es porque nos ama y es su deseo hacerlo.

Llama poderosamente la atención el hecho de que a pesar de la rebeldía del pueblo de Israel Dios nunca dejo de bendecirlos ni de cumplir la alianza que había hecho con ellos. Dios es bueno y, aunque nosotros no somos suficientemente agradecidos, Él nos bendice. Otro hecho significativo de este salmo es que el recuento que el salmista hace aquí de la historia de su pueblo no pretende retocar los hechos contando solo cosas buenas. Actualmente los especialistas en la conducta humana afirman que hay guiones ineficaces y destructivos de conducta que se van heredando a los hijos, tomar conciencia de ellos nos ayuda a corregir esos guiones. Me parece que es importante hablar no solamente de lo bueno que ha sucedido en el pasado de la familia, sino aquello que no lo fue, a fin de que las nuevas generaciones aprendan de las experiencias del pasado y, sobre todo, aprecien la bondad y de la fidelidad de nuestro Dios, *"para que lo sepa la generación venidera, y los hijos que nacerán; y los que se levantaren lo cuenten a sus hijos, a fin de que pongan su confianza en Dios, y no se olviden de las obras de Dios".*

OREMOS

Perdóname Señor, por no ser suficientemente agradecido por las bendiciones que generosamente me concedes día por día. Dame la gracia y sabiduría para transmitir a otros las experiencias del pasado y como Tú fidelidad ha permanecido de generación en generación a fin de que las vidas nuevas aprendan a honrarte y a confiar en Tí. Amén.

Salmo 79

POR LA GLORIA DE TU NOMBRE, ¡AYÚDANOS

Cuando nos suceden males inesperados una de las inquietudes que vienen a nuestro corazón es: ¿Qué mal habremos hecho para que Dios nos castigue de esta manera? En el salmo 79 tenemos un tema recurrente en los salmos, ¿cómo podemos darle sentido a los males que nos vienen? Esta inquietud nace no solo del sentir personal del salmista, es la pregunta que se hace una nación ante el desastre que les ha sobrevenido, en este caso la guerra con toda su estela de muerte, destrucción y ruina. Al ver que el mal no termina, sino que se acrecienta, el salmista levanta al cielo una pregunta que se agita en los corazones de toda su gente: *¿Hasta cuando, oh Señor? ¿Estará airado para siempre? ¿Arderá como fuego tu celo?*

Sin duda la nación hebrea de muchas maneras le dio la espalda a Dios, menospreció sus bendiciones y tuvo en poco la alianza de gracia que había hecho con ellos. Surgen, entonces preguntas que se han hecho por generaciones filósofos, teólogos, y guías espirituales: ¿Dios castiga? ¿Los males que nos han sobrevenido son un juicio divino por nuestra ceguera y rebeldía? Leo la Biblia, y tal vez, en esta conclusión habrá quienes no estén de acuerdo, pero no encuentro en todo el libro sagrado una intención divina de castigarnos, que por otra parte sería un acto de justicia, lo que veo es a un Dios amoroso y lleno de gracia que está determinado en rescatarnos de las consecuencias de nuestra rebeldía y pecado y tal cosa incluso a pesar nuestro. Los males que nos suceden son, por una parte, el resultado de nuestra condición humana expuesta al desgaste, el sufrimiento y la muerte, pero, también, con mucha frecuencia, debido a que hemos tomado un camino equivocado. Hay la tendencia muy común a culpar a alguien más por aquello que es nuestra responsabilidad. Esta es una vieja historia que viene desde el Edén cuando la criatura humana después de desobedecer a Dios pretendió ocultarse delegando su culpa en alguien más: el hombre en la mujer, la mujer en la serpiente que, a fin de cuentas había sido puesta por Dios en el jardín. El Dios de gracia y amor tiene respuesta a estas dos instancias: la fragilidad humana, y el pecado con su consecuencia de muerte eterna. En medio de la desolación que nos rodea se levanta una cruz en el centro de la historia del mundo mostrando a aquel que siendo Dios se humanó y desde esa humanidad llora, sufre y muere por nosotros y con nosotros. Desde esa cruz, ahora vacía, porque él venció la muerte, también nos dice de la manera más elocuente que puede ser expresada: yo soy perdón y vida, ven a mí. Ya el salmista en medio de la ruina que le rodeaba atisbaba esa misericordia y levantaba al cielo su oración: *"¡No te acuerdes de la maldad de nuestros padres! ¡Por tu bondad, ven pronto a nuestro encuentro, porque estamos totalmente abatidos! Por la gloria de tu nombre, ¡ayúdanos, Dios de nuestra salvación! Por causa de tu nombre, ¡líbranos y perdona nuestros pecados!"* ¿Dios escuchó esa oración? Absolutamente, lo hizo desde una cruz donde su Hijo se entregó por nosotros. Este es el Dios en el que creo y en el que confío, ¿Y usted?

OREMOS

Gracias, Señor, porque no me hablas desde la distancia, estás aquí conmigo en medio del dolor, me lo dices desde la cruz, expresión suprema de tu amor no merecido. Y no solo me entiendes y acompañas, me ofreces la vida. De corazón te confieso mis faltas y te ruego me perdones y me ayudes a caminar en Tu voluntad llevando a otros esperanza. Amén

Salmo 80

OH, DIOS, RESTÁURANOS

El salmo 80 es una súplica por la restauración de la nación. El pueblo hebreo estaba expuesto al ataque de otras naciones y a la burla de los pueblos vecinos. Parece que Dios se ha airado, les ha dado la espalda y no está más dispuesto a escuchar sus súplicas. Así lo expresa el salmista: *"Señor, Dios de los ejércitos, ¿hasta cuando mostrarás tu indignación contra la oración de tu pueblo? Les diste a comer pan de lágrimas; y a beber lágrimas en abundancia. Nos pusiste por escarnio a nuestros vecinos, y nuestros enemigos se burlan entre sí".* En medio de la desesperanza, viendo a su pueblo sufrir por el hambre, la injusticia y la corrupción generada por gobernantes ambiciosos que les han llevado al fracaso el salmista levanta su clamor a Dios en palabras que se repiten como estribillo a lo largo de todo el salmo: *"Oh, Dios, restáuranos; haz resplandecer tu rostro, y seremos salvos".* Recuerda la pasada grandeza de su nación y la manera como Dios les bendijo de entre todos los pueblos, pero ahora, más que una vid productiva y llena de fruto lo que ve es una planta marchita, sin cercado que la proteja, expuesta a que las fieras del campo la destrocen. ¡Qué imagen esta por demás ilustrativa!

Pensemos en nuestra nación azolada por tantos males. La corrupción de aquellos que han saqueado a nuestro país inmensamente rico, aquellos que han vendido nuestro futuro; pensemos en el menosprecio a la vida, los crímenes de estado, los desaparecidos, las mujeres asesinadas, los niños y niñas violentados, los cárteles y la complicidad de los que se sentaron en la silla del poder para robar nuestros sueños y condenarnos al hambre. Nuestro país es ahora una tierra desolada, una planta destrozada y quemada por la ambición sin medida. Ciertamente que somos objeto del menosprecio de otras naciones, pues debiendo ser esta una tierra de promisión, es ahora un campo yermo.

¿Por dónde debemos comenzar a plantar de nuevo la esperanza que hará posible nuestros sueños? ¿Cómo echar los cimientos de una nación renovada? Primero lo primero: volvernos a Dios en un ruego sincero pidiendole que nos visite con su salvación, que nos de vida, y nos restaure. Necesitamos recuperar el sentido de indignación para levantar una oración a Dios buscando su favor, rogando que Él vuelva su mirada a nuestro pueblo, que nos muestre compasión, que su reino de paz y justicia se establezca entre nosotros, y junto a este ruego encarecido presentemos nuestras manos y nuestro corazón a Dios, dispuestos a hacer nuestra parte, rogando nos conceda ser instrumentos en sus manos para sus propósitos. Nuestra nación será otra vez la tierra prometida, el lugar donde los niños y niñas podrán crecer seguros, donde caminaremos por las calles sin miedo y en la cual todos serán bendecidos con abundancia de paz, justicia y pan. Si lo crees, une tu oración a la mía y tu corazón al mío. Reparemos los portillos caídos y sembremos de nuevo la planta de la esperanza en esta tierra que también es tierra de Dios, entonces el milagro estará más cercano.

OREMOS

Señor, te pedimos por nuestra nación, azolada ahora por tantos males, la enfermedad, la mentira, la corrupción, la injusticia, el menosprecio de la vida. Ante tanto mal, me pregunto ¿qué puedo hacer? y Tu me respondes que estas dispuesto a empezar conmigo. Aquí está mi vida, úsala para Tus propósitos y hazme como Tú, un constructor de sueños y esperanzas por la victoria de la cruz de Cristo, árbol de esperanza sembrado en la historia. Amén.

¡Oh, si mi pueblo me escuchara!

Se dice mucho acerca del amor, se le canta en canciones de moda, se le expresa en la poesía, en el cine, en las novelas románticas. Somos criaturas hechas para amar y ser amados, ¿por qué, entonces hay tantas viviendo en la soledad, heridas emocionalmente, temerosas de abrirse a los demás con la plenitud que nos da el saber que podemos amar en libertad, libres del miedo al abandono y la traición? Me parece que hay que reevaluar lo que es en verdad el amor y para ello necesitamos una referencia absoluta y eterna. Esto es algo que vemos en el salmo 81. Ciertamente, que no encontramos la palabra amor en este salmo, pero sí las acciones de un Dios amoroso. El salmo comienza con una nota de celebración jubilosa a Dios exaltando su trato bondadoso hacia su pueblo: les libró de la esclavitud, les dio leyes para que se guiaran como nación, estableció una alianza en la que se comprometió por su propio nombre y honor a ser su Dios. Bien escribió una vez Cervantes: "Hechos son amores y no buenas razones". El salmista expresa de esta manera la bondad del trato divino: *"Oí una voz desconocida que me decía: "ahora quitaré la carga de tus hombros; libraré tus manos de las tareas pesadas. Clamaste a mí cuando estabas en apuros, y yo te salvé".* ¿Cuál debería ser la respuesta de su pueblo? Escuchar a su Dios, andar en sus caminos, amarle y servirle en exclusiva. Tal amor demanda tal entrega. Preguntémonos, ¿si Dios es pleno en sí mismo, si en la perfecta y eterna comunión del Padre, el Hijo y el Espíritu Santo hay tal plenitud y gozo eternos, por qué quiso incluirnos en esa comunión? Él eligió amarnos de manera gratuita. Decidió que así fuera solo por el gozo que eso traería a sus criaturas. Ya sabemos la historia, Dios corrió el riesgo de crearnos como seres capaces de elegir libremente y decidimos darle la espalda, pero Él no deja de ser Dios en ningún momento y por esa razón siguió amando a su criatura y decidió hacer lo necesario para traerla de nuevo a la comunión con Él. Como dice esa increíble mujer que fue Corrie Ten Boom: "El amor tiene la forma de una cruz grabada en la historia de la humanidad". Si estamos heridos emocionalmente, si nos sentimos vacíos del verdadero amor, es que lo hemos estado buscando en el lugar equivocado. Dios tiene tantas bendiciones para tí, amistad, comunión, plenitud de vida, seguridad y confianza, por eso necesitamos volvernos a Él la fuente verdadera de amor eterno. Este es su ruego encarecido: *"¡Oh, si mi pueblo me escuchara! ¡Oh, si Israel me siguiera y caminara por mis senderos!...Los alimentaría con el mejor trigo; los saciaría con miel silvestre de la roca".* Alguna vez en una conferencia para matrimonios escuché a una mujer expresar este pensamiento profundo y verdadero a la vez: "Hay mucha frustración y dolor en nuestras vidas porque esperamos de una persona el amor perfecto que solo Dios puede darnos". Cuánta razón hay en esas palabras. Así es que volvámonos a Aquel que es amor perfecto, seamos humildes para aprender de Él, de tal manera que nuestro amor humano pueda ser un reflejo del suyo. ¡Veremos, entonces, como nuestra vida sufre un giro inesperado y glorioso!

OREMOS

Me vuelvo a Tí Dios fuente inagotable de gracia y amor, me sumerjo en el océano de Tú inmensa bondad. Te ruego sanes mis heridas, los recuerdos de un pasado doloroso, de un presente de soledad y búsqueda insatisfecha. Concédeme que mi amor hacia el prójimo sea un reflejo de Tu amor perfecto, paciente y generoso para vivir en la alegría de la comunión verdadera. Amén.

Salmo 82

¿Hasta cuándo ustedes juzgarán con injusticia?

El salmo 82 presenta una imagen muy interesante y llena de significado: Dios como el más grande y justo juez preside en medio de seres celestiales en el tribunal de cielo. Si hay un sitio desde el cual ejerce una perfecta justicia es precisamente en el cielo. Esta es una corte imponente que gobierna el universo y juzga las acciones de los seres humanos. En el centro de esa corte, sentado en su trono de gloria está Dios. Todos los corazones son un libro abierto para Él. Conoce las acciones y las intenciones de sus criaturas humanas. El clamor de quienes sufren a causa de las injusticias y desigualdades sube hasta su presencia y, desde el cielo mismo, Dios establece su reclamo: *"Hagan justicia al pobre y al huérfano; defiendan los derechos de los oprimidos y de los desposeídos. Rescaten al pobre y al indefenso; líbrenlos de las garras de los malvados"*. Este es el mismo reclamo que se escuchó a través de los profetas llamando una y otra vez de manera insistente a su pueblo a volverse a Él y a vivir en justicia. Dios sigue haciendo este mismo reclamo cada día entre los poderosos, entre las naciones, en los tribunales, en cada espacio de este mundo y de la sociedad. Desde el cielo mismo hace oír su voz para preguntar: *"¿Hasta cuándo dictarán decisiones injustas que favorecen a los malvados?"*. Él exige justicia y compasión hacia el prójimo.

Justicia y compasión son dos principios fundamentales que deben regir las relaciones entre personas, pero con frecuencia, en una lógica conveniente, estas dos cualidades se confunden. Si arrebato por un lado lo que legítimamente le pertenece a mi prójimo, sea su honra, su propiedad o su vida, en una palabra, su derecho, y si por otra parte doy limosna a un necesitado para que pueda alimentarse un día, no estoy ejerciendo ni justicia ni compasión. La generosidad que se ejerce disfrazada de compasión, es hipocresía y Dios que conoce los corazones lo sabe muy bien. Hay muchas personas y organizaciones en el mundo que están comprometidas en aliviar el hambre y la pobreza en el mundo y este es un esfuerzo en el cual debemos comprometernos cristianamente, pero no olvidemos que defender del débil y del huérfano y librarlo de la mano de los malos no es un asunto de compasión, sino de justicia. Menos compasión se necesitaría si hubiera más justicia en el mundo. Jesús se coloca definitivamente del lado de los que están en una condición de esclavitud, pobreza y opresión. Al iniciar su ministerio toma las palabras del profeta Isaías para describir su proyecto de salvación: *"Él Espíritu del Señor está sobre mi, por cuanto me ha ungido para traer buenas nuevas a los pobres; me ha enviado a sanar a los quebrantados de corazón: a pregonar libertad a los cautivos, y vista a los ciegos; a poner en libertad a los oprimidos; a predicar el año agradable del Señor"*. (Lucas 4:18-19) Y este es, precisamente, el llamado para todos aquellos que se confiesan sus seguidores. Mientras tanto le seguimos, llevamos en el corazón la oración que tantas veces pronunciamos: "Venga tu reino, hágase tu voluntad como en el cielo, así también en la tierra".

OREMOS

Padre gracias porque tienes compasión de los más necesitados en el mundo. Tú corazón justo y generoso exige que yo actúe como un hijo tuyo y como un verdadero seguidor de Jesús. Tú no quieres que te pregunte el porque de maldad en el mundo, Tú me preguntas a mí y me desafías a ser compasivo con el prójimo, en tanto que hago todo lo posible por hacer valer la justicia. Amén.

Salmo 83

QUE RECONOZCAN QUE TU NOMBRE ES EL SEÑOR

El salmo 83 es uno de esos salmos llamados imprecatorios, difíciles de asimilar, pues expresan el deseo de que Dios ejecute un severo juicio sobre los enemigos de su pueblo. Estos enemigos aquí referidos, están dispuestos a atacar, son naciones que se han confabulado para destruir al pueblo de Dios que está inerme y sin recursos para defenderse. Estos salmos deben ser interpretados no solo teológicamente, sino también en clave humana. Lo que vemos entonces es un ruego desesperado para que Dios acuda en su ayuda y los defienda en esa hora en que la tragedia se cierne sobre la nación.

Todos hemos visto imágenes de la devastación que producen las guerras, como pueblos enteros pueden son arrasados arrebatando la vida de gente inocente. También hay otras formas de devastación que dejan su estela de devastación: terremotos, incendios, inundaciones, y tal como lo estamos viviendo ahora, una pandemia que ha impactado prácticamente a la población mundial. ¡Nunca imaginamos pasar por tanto sufrimiento y tragedia!

Es, justamente, en circunstancias como estas que surgen las interrogantes y las oraciones desesperadas: ¿Superaremos este mal? ¿Volveremos a una vida normal, sin sobresaltos ni angustias? ¿Dios se da cuenta de la crisis por la que atravesamos? ¿Nos dejará solos en medio de la tragedia? ¿Intervendrá para salvarnos? En medio de las circunstancias aciagas que atravesaban, el pueblo de Dios clamaba diciendo: *"Dios mío, ¡no guardes silencio! Dios mío, ¡no te quedes callado! Date cuenta de que tus enemigos rugen, de que te desafían los que te aborrecen".*

El anhelo de su pueblo no es solo ser librado por el poder de Dios, sino que su Nombre brille y sea exaltado entre las naciones para que "conozcan que su Nombre es Señor; Tu solo Altísimo sobre toda la tierra".

Nunca estamos abandonados por Dios. Él no solo conoce perfectamente lo que nos sucede, como soberano preside y gobierna entre las naciones y en la historia, y aunque nuestra humana condición nos impide ver la manera sabia y todopoderosa como Dios lleva a cabo sus perfectos propósitos por al fe sabemos que Él tiene el universo, el mundo y nuestra vida en sus manos. ¿Cómo podemos tener certeza de ello si de pronto todo a nuestro alrededor parece indicarnos que Dios parece ausente? Hay una razón muy poderosa para confiar en Dios. Él justamente está donde parece no estar. Tal afirmación nos resulta contradictoria, pero, pensemos en la cruz; un instrumento de muerte y derrota. Dios parecía no estar en el calvario, pero justamente, desde la debilidad y el quebranto de la cruz manifestó la fuerza de su salvación para darnos una esperanza eterna que no puede ser derrotada. Por esa razón podemos tener esta sola y maravillosa convicción. Dios esta con nosotros siempre, nunca nos abandonará, su amor es perfecto, fiel y eterno y triunfará sobre todas las adversidades para nuestro gozo y salvación.

OREMOS

Señor, concédeme la fe para tener este íntimo conocimiento y convicción: aunque el mundo parezca derrumbarse a mi alrededor, nunca me abandonas, en tu amor perfecto y fiel puedo tener esta seguridad: soy más que vencedor en Tú Nombre, mediante Jesucristo mi Señor, el cual me amó y se entregó a si mismo por mí. Amén.

Salmo 84

¡CUÁN GRATO ES HABITAR EN TU TEMPLO!

¿Cuál es el lugar donde más desea estar en este momento? Todos tenemos un sitio favorito, un lugar donde nos agrada estar. Tal vez es un sitio que visitó hace mucho tiempo, el pueblo donde creció o el hogar de su infancia. El salmista en el salmo 84 nos dice que el lugar donde más ama estar es la casa de Dios. *"Señor de los ejércitos, ¡cuán grato es habitar en tu templo! ¡Mi alma anhela ardientemente estar, Señor, en tus atrios! ¡A ti, Dios de la vida, elevan su canto mi corazón y todo mi ser!"* Nada como estar en la casa de Dios, ¿Qué encontraba el salmista allí que le hacía tener este profundo deseo? La casa de Dios es un lugar de refugio, aún las aves encuentran allí un lugar seguro para hacer sus nidos. En el santuario sagrado encontraba ese espacio de recogimiento y comunión donde hablar con su Dios. Era el lugar de encuentro con el Señor que allí habitaba. En la casa de Dios encontraba gracia y fortaleza, también dirección para el camino. Cuando la vida se vive sin una pausa, sin la luz de la presencia de Dios, sin el encuentro y la comunión con Él, andamos como extraviados en el mundo, no sabemos a dónde vamos, ni para quién vivimos. La vida nos deja exhaustos, cargados de afanes y desgastados por las batallas que libramos, no encontramos reposo, pero en la casa de Dios hay bendición para nuestras vidas, allí bajo la mirada grata de Dios, encontramos el descanso y la reparación que nuestras almas necesitan para continuar la jornada.

Hace algunos años, aguardaba impacientemente en la central camionera de una ciudad fronteriza la hora de salida de mi autobus hacia casa. Debía aguardar tres horas, me parecía una espera eterna. De hecho, había viajado todo el fin de semana, lo que más deseaba era llegar a casa. Sin tener mucho que hacer, observé a una señora llegar a la terminal acompañada de dos lindos niños; el menor, de unos cuatro o cinco años que vestía una camisita y un moño en el cuello, portaba un letrero que decía: "Bienvenido a casa papá, te extrañamos". La mayor, una niña de mejillas sonrosadas en un vestido muy hermoso. Ella llevaba un ramo de flores. Estuve muy atento para ver lo que sucedería. Cuando llegó el papá corrieron a encontrarlo y lo abrazaron. ¡Qué bienvenida! – pensé –. Por cuanto tiempo habrían estado separados y lo largo que debió ser el viaje de regreso. Nada mejor que estar en casa con las personas que amamos. El salmista sabe muy bien donde desea estar: en la casa de Dios, *"¡Cuán felices son los que habitan en tu templo! ¡Todo el tiempo te cantan alabanzas! Es mejor pasar un día en tus atrios que vivir mil días fuera de ellos"*. Cada ocasión que nos reunimos en el templo nuestro Dios nos dice: ¡bienvenido, qué alegría tenerte en casa!

Algún día, habiendo atravesado el camino de esta vida en la que somos solamente peregrinos viviendo en una tienda temporal, las puertas de aquella casa que Jesús ha preparado para todos los que en él confían, se abrirán de par en par y, entonces, escucharemos la voz amorosa del Padre que nos dirá: "Bienvenido a casa hijo querido, te esperaba con gran ansía desde hace tiempo".

OREMOS

Mi Dios, cuanto anhelo Tú casa y la comunión contigo. Dame fuerza para el camino, guárdame en mi peregrinaje hasta el día en que nos veamos en la casa de cielo que Jesús ha preparado para todos tus hijos e hijas. Será el gran encuentro y nuestra alegría, entonces, será perfecta y eterna. Amén.

Salmo 85

CIERTAMENTE CERCANA ESTÁ SU SALVACIÓN

Cuando la corrupción y la tragedia se ciernen sobre la nación es urgente que nos volvamos a Dios. Lo que tenemos en el salmo 85 es una bellísima súplica a Dios para que manifieste su salvación y sea propicio a su pueblo y la tierra que habita. El salmista hace un recuento del pasado trayendo a la memoria el trato bondadoso de Dios hacia Israel: los trajo de la cautividad y perdonó todos sus pecados. La cautividad fue una pedagogía muy dolorosa pero eficaz. Dios permitió que fueran llevados a Babilonia y alejados de su tierra, del templo y de la ciudad santa de Jerusalén. Nunca olvidemos que lo que interpretamos como castigo divino no es un estallido de ira divina, sino la enseñanza de un Padre amoroso que desea conducirnos a la vida, a la libertad y a la comunión con Él. Ahora el pueblo se ha corrompido nuevamente, se ha olvidado de su Dios y el salmista levanta su mirada al cielo rogando el favor divino. *"Restaúranos[...] Muestranos, oh, Señor, tu misericordia, y danos tu salvación"*.

Ciertamente que compartimos este deseo y oración cuando miramos nuestra propia tierra, nuestra nación, llena de violencia, corrupción, e injusticia. A todo ello se ha sumado la pandemia que tanta desolación ha traído. Ciertamente que en todo ello hay lecciones que aprender.

¿Qué actitudes podemos asumir frente a esta realidad complicada que vivimos? Podemos mantenernos indiferentes, sencillamente creer que no es nuestro problema, otra actitud es ceder a la desesperanza, con la idea de que nuestros esfuerzos para cambiar la realidad son inútiles. La otra actitud es la de envolvernos no solo en el problema, sino también en la solución. No dice: "perdónales, muéstrales tu misericordia" él esta implicado en la triste realidad de su pueblo, ora en plural, reconoce que es parte de esa nación. Esta es la actitud si esperamos experimentar un cambio que nos lleve a una nueva realidad. Saber que somos parte del problema, pero también de la solución. La realidad que vive nuestro país exige una vuelta desde el corazón a Dios, una plegaria nacional, un deseo de dejar atrás las realidades degradantes que vivimos y que no llegaron solas; nosotros construimos nuestra ruina, ahora necesitamos levantar la nación sobre nuevos cimientos. Los cimientos de la justicia, la verdad y la fraternidad. No hay otra vía que nos lleve a un nuevo amanecer de esperanza. El salmista no solo ve la ruina de su pueblo, no permanece inactivo, ora y sueña, y está dispuesto a ser parte de una nueva realidad. Dios tiene grandes bendiciones reservadas para nuestra nación. *"Hablará paz a su pueblo y a sus santos para que no se vuelvan a la locura. Ciertamente cercana está su salvación para los que le temen, para que habite la gloria en nuestra tierra"*. Miren que imagen tan rica y hermosa nos ofrece de lo que nos aguarda si esperamos en Dios y construimos la esperanza: La misericordia y la verdad se encontrarán y se besarán como dos enamorados, *"la verdad brotará de la tierra, y la justicia mirará desde los cielos. Él Señor dará también el bien, y nuestra tierra dará su fruto"*.

OREMOS

Perdóname, Señor, por creer que procurar un cambio para bien en mi país, es un asunto de otros, y no mío. Mira con misericordia a México, concédenos aprender de las lecciones de la historia y hacer un recuento de las bendiciones que nos has concedido. Aquí están mis manos y mi corazón para trabajar por el bien común, construyendo la esperanza. Trae la salvación a mi país, porque esta es también tierra de promesas. Amén.

Salmo 86

EN EL DÍA DE MI ANGUSTIA TE LLAMARÉ

Las batallas más intensas y decisivas las libramos dentro de nosotros. Somos seres carentes, necesitados, indigentes que necesitan y buscan reposo, seguridad y paz. ¿A quién acudir cuando los caminos parecen cerrados? ¿Quién puede venir en nuestro auxilio en la noche oscura del alma? El salmo 86 es una oración que sale de lo profundo del ser del salmista en horas de angustia: *"Inclina, oh Señor, tu oído y escúchame, porque estoy afligido y menesteroso[...]Ten misericordia de mi, oh, Señor porque a Ti clamo todo el día"*. El salmista tiene por cierto dos realidades: la angustia que le aflige está allí como un dolor punzante, y la certeza de que Dios lo escucha y está con él. A veces nuestra oración es un plegaria breve, a veces una expresión de gozo agradecido y, en muchas ocasiones, un ruego constante para que Dios venga en nuestra ayuda en los tiempos oscuros y difíciles que vivimos. El salmista tiene por cierto, como debemos tenerlo nosotros, que Dios escucha y responde a nuestra oración: *"En el día de mi angustia te llamaré porque Tu me respondes"*. ¿Cómo puede tener esta certeza? Porque conoce a su Dios. Él es misericordioso, bueno, perdonador, un Dios único e incomparable, hacedor de maravillas, clemente y misericordioso, lento para la ira, y grande en misericordia y verdad. Que gran Dios es nuestro Dios por eso podemos confiarle nuestra vida. Él nos escucha, nos da su auxilio divino y está siempre con nosotros. Tener la íntima convicción de quién es el Dios de nuestras oraciones nos lleva a transitar del clamor desesperado, a la oración confiada que pide dirección. *"Enséñame, oh, Señor, Tu camino; caminaré en tu verdad; afirmaré mi corazón para que tema Tu Nombre".* Esto tiene un sentido muy profundo que nos lleva a conocer el secreto mismo de la confianza y la intimidad con Dios. Cada prueba, enfermedad y dificultad en nuestra vida, es un camino que nos conduce a conocer la voluntad divina, a cambiar la pregunta ¿Por qué, Señor? a ¿Para qué, Señor? ¿Qué deseas que yo entienda? ¿Cuál es el camino de Tú voluntad por el que me quieres llevar? A veces es la aceptación de aquello que no podemos cambiar, a veces es vislumbrar las nuevas posibilidades que se abren ante nosotros y que no somos capaces de descubrir porque estamos abrumados por el dolor y hundidos en la oscuridad de la desesperación. Otras ocasiones será para darnos cuenta de lo que aún tenemos y no sabemos que lo tenemos. Con toda seguridad cada prueba será para el propósito de experimentar una maravillosa certeza: Dios está siempre con nosotros, llora y sufre a nuestro lado en la humanidad de su Hijo, pero también consuela y nos hace saber que esos tiempos difíciles no determinan nuestra vida, ni cancelan nuestra seguridad. Él quiere que sepamos que la más grande bendición de nuestra vida es la comunión que tenemos con Él.

¿Recuerdas aquellas noches de tormenta siendo un niño que corrías asustado a refugiarte en los brazos de tu padre? La tormenta continuaba, pero te sentías seguro. Dios es y será siempre nuestro refugio eterno, y en la bendita comunión con Él tenemos paz y seguridad. El salmista lo sabía muy bien, por eso concluye su oración con estas palabras: "Tu, Señor, me ayudaste y me consolaste".

OREMOS

Gracias, Señor, porque me escuchas cuando estoy en gran necesidad. En Tú bondad y gracia nunca te apartas de mi lado. Ayúdame a entender y aceptar Tú voluntad sabiendo que eres mi mayor bien y contigo a mi lado seré fuerte y paciente. Bendito sea Tú Nombre por siempre. Amén

Salmo 87

ESTE Y AQUEL HAN NACIDO EN ELLA

Amamos la nación de la cual somos ciudadanos, nos sentimos orgullosos de la tierra en la cual vimos la luz por primera vez, así sea el sitio más pequeño y apartado. El tener una ciudadanía es uno de los derechos fundamentales de toda persona. El salmo 87 se refiere, precisamente a la ciudadanía. Se menciona el monte santo y nos dice que el Señor ama las puertas de Sión. Sión es el monte donde se haya establecida la ciudad de Jerusalén, la más sagrada de todas las ciudades, prácticamente la capital espiritual del mundo. Allí estaba ubicado el santuario al que todos los años judíos y extranjeros acudían para encontrarse con Dios. Simbólicamente en Jerusalén está el asiento del gobierno divino, su trono está en el templo y, desde allí gobierna a todas las naciones. Por esa razón se considera a la ciudad sagrada de Jerusalén como una representación visible y terrenal del cielo desde donde Dios gobierna el universo entero. En este salmo se hace mención de varias naciones extranjeras, particularmente, enemigas de Israel. Lo maravilloso es que ahora estas naciones vienen a ser contadas como pueblo de Dios también. Se dirá de los extranjeros: *"Este y aquel han nacido en ella"*. Es decir que, dentro del reino de Dios ya no serán considerados extranjeros, sino conciudadanos del pueblo de Dios. A través de un nacimiento espiritual recibirán un acta de ciudadanía con todos los derechos y privilegios de aquellos que forman parte del pueblo elegido. Esto es lo que significan las palabras que encontramos aquí: *"El Señor contará al inscribir a los pueblos: Éste nació allí"*. Podemos considerar este salmo un anticipo de lo que sucedería después con la presencia de Cristo. A través de la proclamación de su muerte y su victoriosa resurrección la buena noticia sería esparcida por el mundo convocando a todas las naciones a ser parte del pueblo de Dios a través del nuevo nacimiento. En el fastuoso templo que construyó el rey Heródes en Jerusalén, había una pared en el atrio reservada para los extranjeros que advertía que no podía ingresar al santuario. Es el apóstol Pablo quien nos dice en su Carta a los Efesios que esa pared de separación ha sido derribada por la obra de Cristo en la cruz. Ahora tenemos libre acceso a la presencia de Dios. Tal como dice San Pablo: *"Ya no hay judío, ni griego, esclavo ni libre, hombre ni mujer, sino que todos ustedes son uno solo en Cristo"*. *(Gálatas 3:28)* Los dos maderos de la cruz representan admirablemente la obra reconciliadora de Cristo. El madero vertical, nuestra reconciliación con Dios; el madero horizontal, la reconciliación de la humanidad en él, sin importar su origen, nacionalidad o condición social, para ser una sola nación, una comunidad fraterna. Cuánto sentido tiene todo esto en un mundo dividido por fronteras y muros en el que se cierran las puertas y los corazones. Cuánta gracia y amor el de nuestro Dios quien incluye nuestros nombres y dice: *"Este y aquel han nacido en ella"* y está inscrito entre los que se cuentan como mi pueblo diciendo: "Este nació allí". ¡Qué gran desafío para cada uno de nosotros a abrir las puertas del corazón al prójimo y no mirarlo más como un extraño, sino como un hermano, un conciudadano nacido por la gracia de Dios en su reino.

OREMOS

Gracias por tu inmensa bondad por haberme hecho nacer de nuevo como una persona perdonada y amada. Gracias por inscribir mi nombre como ciudadano de Tú reino. Enséñame a tener un corazón como el tuyo, un corazón de puertas abiertas que derriba muros y construye puentes para acercar, abriendo los espacios para incluir. Bendito sea Tu Nombre por Jesucristo el gran reconciliador. Amén.

Salmo 88

LLEGUE MI ORACIÓN A TU PRESENCIA

El salmo 88 es una elegía, un cántico de duelo. Lo sorprendente es que el autor no llora por la muerte de otra persona, sino por su propia muerte. Su corazón sigue latiendo, su cerebro sigue funcionando, pero se siente como muerto en vida. Escuchemos su lamento: *"Soy contado entre los que descienden al sepulcro; soy como hombre sin fuerza, abandonado entre los muertos, como los pasados a espada que yacen en el sepulcro de quienes no te acuerdas ya".* No nos dice qué le llevó a este estado calamitoso, pero, sin duda, se trata de una experiencia de pérdida que le ha traído un intenso sufrimiento. Todos hemos pasado en mayor o menor grado por momentos de profunda tristeza en los que hemos perdido todo bienestar, alegría y esperanza. Aún, hemos pensado: mejor morir que seguir viviendo, al menos los que han muerto ya no padecen. Esta tristeza de muerte viene acompañada de diversas reacciones. Emocionalmente nos sentimos como encerrados en un lugar estrecho de cual no podemos salir, mentalmente nuestros pensamientos están asediados por el fatalismo y las ideas negativas, nuestro cuerpo se siente enfermo y debilitado y, espiritualmente, le atribuimos a Dios todo el conjunto de nuestros sufrimientos. Miren como lo expresa el salmista: No te acuerdas de mí, me has puesto en un hoyo profundo, en oscuridad. Sobre mi reposa tu ira y me has afligido, has alejado de mi mis conocidos. ¿Cómo atravesar ese túnel de tragedia y quebranto que parece interminable? Lo primero es aceptar nuestros reales sentimientos y vulnerabilidad. No somos autosuficientes, no lo sabemos todo, no lo podemos resolver todo. No estamos más allá de las dificultades y las pérdidas. Aceptar nuestra debilidad no es tener una mentalidad de derrota, sino la consciencia de aquello que está en nuestras manos resolver y aquello que escapa a nuestro control. Quien aprende a conocer esta diferencia, podrá empeñar todas sus capacidades para hacer frente a sus reales responsabilidades y tareas. Es necesario, también, darnos cuenta de que estos sentimientos son comunes a todas las personas, es parte de nuestra humana condición. Aún los más grandes héroes y heroínas de la fe alcanzaron su estatura espiritual luchando contra la adversidad y el desaliento. Esto incluye atribuir a Dios nuestras penurias. Dios no se remueve de su trono solo porque una de sus criaturas amadas levanta sus reclamos al cielo. Él entiende como nadie, se humano en Jesucristo y, desde su humanidad, nos acompaña en el dolor y nos da esperanza. Antes de ir a la cruz Jesús expresó sus sentimientos con estas palabras: "Mi alma está muy triste hasta la muerte". Palabras muy semejantes a las del salmista aquí. En medio de las sombras de la muerte que envuelven su alma, entre lamentos, el salmista levanta también una oración. Muy dentro de su ser, sabe que su único refugio es Dios. *"Dios de mi salvación, día y noche clamo delante de ti. Llegue mi oración a tu presencia. A ti he clamado, oh Señor, y de mañana mi oración se presentará delante de ti"*. ¿Qué es lo que necesitas hoy de tu Dios? Ciertamente hay algo que Él te ha prometido y jamás dejará de darte: paz, esperanza y salvación. Espera en Él, confía en Él.

OREMOS

Desde el pozo de mi desesperación te busco, ten compasión de mí, extiende tu mano para levantarme. No te pido me libres de toda pérdida, pero si que me des la fortaleza para seguir adelante a pesar de dolor. Llévame de la oscuridad a la luz hasta tener la íntima convicción de que no me abandonas y no me sueltes de Tu mano. Amén.

Salmo 89

¿QUIÉN, SEÑOR, SE IGUALA A TI EN LOS CIELOS?

La vida es adoración y adoración es exaltación de Dios. El salmo 89 es la expresión de un adorador que hace recuento de la grandeza de Dios. En su canto nos expresa quién es Dios y cómo se manifiesta. A Dios se le adora en los cielos y se le bendice en la tierra. *"Es formidable sobre todos cuantos esperan alrededor de Él"*. No se le puede comparar con nadie pues no hay otro Dios. Tenemos en este salmo una extensa lista de sus atributos: poderoso, fiel, victorioso, justo y misericordioso. Todo eso y más es nuestro Dios. Dondequiera su dominio se manifiesta y la entera creación da testimonio de su grandeza. A Él le pertenecen los cielos, la tierra, el mundo en su plenitud y todo lo que lo habita porque Él creó y sustenta todas las cosas. Los que en Él confían encuentran en Él luz, gracia, fortaleza, protección y victoria. Tal descripción superlativa nos expresa el hecho de que Dios está más allá de toda descripción. Nuestra mente no alcanza a comprender la profundidad de su ser. ¿Cómo podemos, entonces, conocerle? Dios no ha permanecido en el silencio, ha dejado inscrita en la belleza de la creación su firma de creador y diseñador único, nos ha hecho a su imagen y semejanza. Encontramos el significado de nuestro ser y la finalidad de nuestra existencia solo en Él. Bien expresaba Juan Calvino que los dos más grandes conocimientos a los cuales podemos aspirar son: el conocimiento que tenemos de Dios, y el conocimiento que tenemos de nosotros mismos; pero de estos dos, el más importante es el conocimiento que tenemos de Dios, porque el ser humano no llega a comprender realmente quién es hasta que se contempla en el rostro de Dios. He aquí, entonces, la gran cuestión: ¿Cómo conocerle? Dios en un acto de gracia y de condescendencia hacia su criatura humana, la cual Él ha elegido libremente amar se ha revelado a ellas. Y así lo hace a través de la páginas de las Sagradas Escrituras, pero este acto divino de autorevelación, no solo ha quedado inscrito en la creación y en su Palabra, Él ha venido personalmente en la humanidad de Jesucristo para mostrarnos la gloria de su ser y el amor infinito que tiene por nosotros criaturas caídas necesitadas de perdón y reconciliación. El orante de este salmo, después de contemplar la grandeza de Dios, mira a su alrededor, a su humana necesidad y a la necesidad de su pueblo. Sabe, perfectamente, que se han apartado de sus caminos, y que les ha sobrevenido toda esa ruina como consecuencia. ¿Estará airado Dios? ¿Serán todas esas desgracias un castigo? ¿Se habrá olvidado de su pacto? ¿Se habrá apartado de su pueblo? Estas son preguntas que también nos hacemos cuando estamos en medio de la tragedia y vemos la ruina social que como un cáncer atraviesa nuestra nación. Pero Dios nunca deja de ser Dios, ciertamente, es justo, pero también compasivo, y aquello que consideramos como castigo es la compasión y la sabiduría de Dios atrayéndonos a Él con la disciplina amorosa de un Padre perfecto. Si miramos solamente nuestra ruina e indigencia perderemos toda esperanza, pero si levantamos los ojos al cielo para contemplar por la fe al Dios de toda gracia, ciertamente nuestra desesperación se tornará en confianza y con el salmista diremos: ¡Siempre cantaré del amor inagotable del Señor!

OREMOS

Queremos, Dios amoroso, tener nuestra mirada de fe siempre hacia Ti, nunca olvidar Tú amor y fidelidad. Queremos andar en Tus caminos que nos traen alegría y bendición. Perdónanos si nos hemos apartado de Tí. Te adoramos y por Tú gran misericordia suplicamos vuelvas nuestro corazón a Tí. Amén.

Salmo 90

ENSÉÑANOS A CONTAR BIEN NUESTROS DÍAS

El título de este salmo nos dice que fue escrito por Moisés, el gran legislador y libertador del pueblo de Israel. Es una meditación de gran profundidad reflexiva sobre la brevedad de la existencia humana y la eternidad de Dios. Lo escrito aquí surgió de las experiencias vividas en la travesía por el desierto. Nuestra vida en este mundo es una especie de pagaré con fecha de vencimiento desconocida, así es que en cualquier momento se nos puede requerir el pago. ¿Cuántos años tiene usted? Bien, pues esos son justamente los que ya no tiene, ya los vivió. En su reflexión, Moisés nos dice que los días de nuestra edad son setenta años; y si en los más robustos son ochenta años, con todo su fortaleza es molestia y trabajo. Con toda seguridad él había ya alcanzado y superado la edad promedio y podía comprobar en su propia persona el peso de los años transcurridos. Llega el momento en nuestra vida en la que comenzamos a hacer el descuento. Un hecho es irrefutable: nuestra vida es pasajera. El salmista aquí lo expresa de manera muy poética. Somos como la flor del campo que en la mañana florece y crece; a la tarde es cortada y se seca, somos como un pensamiento fugaz que atraviesa nuestra mente y se desvanece, como el ave que pasa presurosa por el cielo en su vuelo migratorio. Me recuerda las coplas de Manrique a la muerte de su padre: "Nuestras vidas son los ríos que van a dar a la mar que es el morir", y las palabras que escribió Calderón de la Barca: "La vida es sueño, y los sueños nada son".

¿Qué es la vida, entonces? El llamado de Dios para realizar la existencia dentro de la temporalidad. Esto nos recuerda que no somos dueños ni del tiempo, ni de la vida, estos le pertenecen a Dios que ha fijado los límites de nuestra habitación. Ay del pretensioso que creyéndose dueño de su existencia hace planes como si el día de mañana le perteneciera. Dos cosas son necesarias para vivir como se debe: humildad y sentido de oportunidad. Humildad para saber que nuestra vida está en las manos de Dios y todo depende de Él, y sentido de oportunidad porque el tiempo que corre no vuelve y hoy es el momento para vivir como se debe. Así es que el asunto no es cuanto tiempo vivimos, sino como se vive el tiempo. Podemos desperdiciarlo inútilmente, dejar que los días transcurran sin pena ni gloria.

Cada día es una bendición y cada experiencia vivida una enseñanza, si estamos dispuestos a aprender. Mañana, el próximo año y hasta el final de nuestra vida puede ser igual a hoy, el tiempo no cambia a nadie. Nosotros somos los que decidimos cambiar o permanecer estacionados. Bien dice Moisés: *"Enséñanos de tal modo a contar nuestros días que traigamos al corazón sabiduría"*. En contraste con nuestra temporalidad, Dios es eterno. Ayer fue nuestro refugio, lo es hoy y lo será de generación en generación. Cada día es un nuevo comienzo y una oportunidad irrepetible que se nos concede, pero también cada día podemos probar la bondad de Dios a quien debemos adoración y gratitud. En medio de nuestras existencias inquietas volvemos nuestra mirada a Él para decirle: *"Aparezca en tus siervos tu obra, y tu gloria sobre tus hijos. Sea la luz del Señor nuestro Dios sobre nosotros, y la obra de nuestras manos confirma sobre nosotros; si, la obra de nuestras manos confirma".*

OREMOS

Gracias, Señor, por el tiempo concedido. Has sido mi refugio en todo tiempo, y los serás para siempre. Te doy gracias por este día que me das para adorarte, para amar y servir. Dame sabiduría para vivir como se debe, y humildad para aprender de lo vivido. Que en tu Nombre pueda servir y ser útil a los demás. Amén.

Salmo 91

DEBAJO DE SUS ALAS ESTARÁS SEGURO

Hay momentos en la vida en los que no sentimos totalmente desprotegidos y abandonados, a merced de las circunstancias. La ansiedad y el temor se apoderan de nuestros corazones y, tal parece, que nadie puede entender por lo que pasamos, ni acompañarnos en medio del riesgo, las amenazas y las dificultades que nos agobian. La soledad de una cama hospitalaria, de una casa vacía, de una enfermedad que nos causa dolor físico y emocional, la tristeza de la ausencia de un ser querido que se encuentra lejos de nosotros o que ha partido en el viaje definitivo, en fin, hay situaciones totalmente desesperanzadoras en las que nos sentimos rodeados de oscuridad. A veces la vida es como andar en un camino minado, nuestros pasos son vacilantes, tememos que en cualquier momento sobrevenga el desastre. El salmo 91 nos hace saber que nunca estamos solos, sin importar aquello por lo que estamos pasando. Este es un salmo de confianza en Dios y de lo que su presencia significa en nuestras vidas. Él es el Altísimo que está por encima de todas las circunstancias que nos limitan, Él es como una alta montaña que se yergue majestuosa, inamovible, en la cual hallamos un sólido refugio en las alturas donde ningún mal puede alcanzarnos de manera definitiva. Él es nuestra esperanza y baluarte en quien encontramos refugio; nuestro defensor y escudo que nos protege de los dardos mortales que amenazan el alma.

Una imagen que me encanta es la de una gallina que guarda y protege a sus polluelos pequeños e indefensos debajo de sus alas, ellos están seguros y protegidos bajo su sombra. Cada imagen aquí expresada transmite esta idea: Dios es siempre mi segura defensa y protección, y yo puedo encontrar refugio bajo sus alas eternas de amor. Esta confianza me guarda del temor. Nada más desgastante en la vida que vivir presos de la ansiedad, al borde de la desesperación y la derrota. Dios me guarda de la peste destructora, de la fiera amenazante, de los riesgos ocultos en el camino. Me acompaña, conduce, defiende, protege y sostiene a cada paso que doy. Si consideramos el pasado cuántas veces su protección divina nos libró de la enfermedad, de las amenazas inesperadas, llenándome de bendiciones. Si he llegado hasta aquí es porque no he andado solo en la vida, mi Dios ha sido mi compañero y protección constante. ¿Quiere decir que nunca me sucederá nada malo? Sin duda que no, mientras estemos en este mundo somos vulnerables y los males vendrán. Pero lo que este salmo sí dice es que nunca estaré solo y que esos males no serán definitivos. El duelo, las lágrimas, el quebranto y la enfermedad no serán para siempre. Un día todas nuestras enfermedades serán curadas, nuestras lágrimas enjugadas, y la muerte y el sufrimiento dejarán de ser para siempre. Dios te lo promete, puedes confiar en Él porque es amor y gracia. Esta es la promesa: *"Rescataré a los que me aman; protegeré a los que confían en mi Nombre. Cuando me llamen, yo les responderé; estaré con ellos en medio de las dificultades. Los rescataré y los honraré. Los recompensaré con una larga vida y les daré mi salvación"*. Puedes creerlo con todo Tú corazón porque Él, el Dios eterno, lo ha firmado desde una cruz con la sangre de su propio Hijo.

OREMOS

Mi Dios, que nunca olvide que andas conmigo el camino, nunca me abandonas y yo encuentro seguro refugio en Tí. Protégeme bajo tus alas eternas de amor, defiéndeme del mal, guárdame de la desesperación y dame la confianza de que sin importar lo que suceda me conducirás con bien hasta la eternidad misma. Amén.

Salmo 92

LOS JUSTOS FLORECERÁN COMO LAS PALMERAS

La más grande sabiduría que podemos obtener en esta vida es aprender a distinguir entre lo pasajero y lo perdurable. Porque, sin duda, si nos preocupamos solo por obtener lo pasajero y dejamos de lado lo que permanece, terminaremos perdiéndolo todo. El salmo 92 es un canto de alabanza a Dios y una meditación acerca de la vida desde la perspectiva de la eternidad. El salmista vive para adorar a Dios, para cantar por las mañanas su misericordia y su fidelidad cada noche. Reconoce humildemente que las obras de Dios son grandes y perdurables y sus designios impenetrables. La persona necia no es capaz de entender estas verdades, vive descuidadamente, ignorando a Dios y sembrando para lo que morirá con ella. En su corto entendimiento, no puede entender que, *"aunque los malvados broten como maleza y los malhechores florezcan, serán destruidos para siempre"*. Tal prosperidad, fruto de la injusticia, basada en la acumulación y en el hambre de otros está destinada a desaparecer.

La gran interrogante existencial que debe responder cada persona es, entonces: ¿Trabajo solo para el presente o trabajo para alcanzar los bienes eternos? Un hecho es verdad: Quienes confían en el Dios eterno permanecerán por siempre con Él. Ciertamente andar en integridad y justicia en este mundo es estar dispuestos a caminar un camino difícil, a nadar contra corriente en medio de una cultura llena de egoísmo e impiedad, pero en ese andar no estamos solos. La confianza del salmista está en Dios, y es una confianza que podemos hacer nuestra también: Tú aumentarás mis fuerzas como las del búfalo; seré ungido con el óleo de Tu alegría y aprobación. Ciertamente que luchar por la causa del bien, la bondad y la justicia puede ser muy desgastante, pero si la tarea que estamos haciendo es la de Dios Él nos dará una capacidad más allá de lo imaginable. El salmista nos presenta dos ejemplos para describir la bendición puede esperar la persona que camina en justicia en este mundo: *"los justos florecerán como palmeras y se harán fuertes como los cedros del Líbano"*. Estos dos árboles tienen características muy especiales y notables. La palmera tiene un tronco alto, delgado y muy flexible. Cuando vienen los vientos huracanados todo se destruye, menos las palmeras que se doblan, pero no se quiebran. Por su parte, el cedro del Líbano es un árbol extraordinariamente fuerte, aunque no crece mucho, el secreto de su fortaleza está en sus raíces profundas. El cedro del Líbano es más grande debajo de la superficie que su altura sobre la tierra. ¿Dónde radica la fortaleza de la persona justa? Su aspecto exterior puede ser como el de una palmera, delgado, pero alto en su estatura espiritual. Puede tener una apariencia exterior muy humilde, pero su grandeza está en la profundidad de sus principios y de su fe. Dios te promete la resistencia de la palmera y la fortaleza del cedro si caminas en integridad y procuras los bienes eternos. *"Los justos… florecerán en los atrios de nuestro Dios. Incluso en la vejez aún producirán fruto, seguirán verdes y llenos de vitalidad. Declararán: El Señor es justo! ¡Es mi roca!"*

OREMOS

Tú sabes, Señor, que ante el mal y la injusticia del mundo desespero. Me duele el egoísmo de aquellos que basan su prosperidad en el hambre y la necesidad de los demás. Ayúdame a creer siempre en el bien. Dame la fortaleza para caminar en justicia e integridad, con la seguridad que Tú renovarás mis fuerzas y me bendecirás en este mundo, y en la vida que viene. Por Jesucristo. Amén.

 Salmo 93

¡GRANDE ES EL SEÑOR, NUESTRO DIOS!

El salmo 93 es una celebración del reinado de Dios. En la historia del mundo han existido tiranos y algunos reyes estimados por ser justos, sin embargo, no ha existido, ni existirá un solo gobernante perfecto. Pensemos por un momento, ¿cómo sería un gobernante perfecto? Debe ser poderoso para infundir respeto a sus gobernados, sabio para resolver los múltiples asuntos que requieren una toma de decisión, justo para tratar con el mismo respeto y dignidad a cada persona; debe ser compasivo para mirar por los más desprotegidos y necesitados, valiente para defender a sus gobernados y, finalmente, mirar por el bien común como celoso guardián de la paz y la justicia. Por supuesto que esa es una utopía, pero sin las utopías no hay sueños que nos señalen el camino. Si deseamos conocer a un gobernante perfecto volvamos nuestra mirada al cielo donde reina Dios. El salmista lo describe en términos sublimes. Está vestido de magnificencia y poder, gobierna el universo, establece sus designios y es poderoso para ejecutarlos. Creó el mundo y lo sostiene, su trono es eterno e inamovible, su presencia todopoderosa es estremecedora, el sonido estruendoso de los ríos que corren de manera incesante es apenas un susurro frente a la majestad de su presencia. Toda la creación da testimonio constante de sus soberanía y poder. ¿Dónde se manifiesta el reino de Dios? Por todas partes en el universo. Todas las criaturas viven, se mueven, y existen en Él, diligentemente cumplen las leyes que Él les estableció. Cada ser en el que hay aliento de vida es gobernado por Él y de Él recibe su sustento. Como seres humanos creados a su imagen y semejanza en Él nos movemos, existimos y somos. Vigila nuestros pasos, determina los límites de nuestra habitación, gobierna con su inescrutable sabiduría nuestras vidas.

Su reino se ha manifestado de manera visible en la historia a través de la persona de Jesucristo, la Palabra eterna hecha carne para nuestra salvación. En las palabras de Juan el Bautista cuando ve aparecer a Jesús en escena podemos afirmar: el reino de Dios se ha acercado a nosotros. A esta humanidad extraviada, a la raza caída de Adán le ha nacido el Rey. Sorprendentemente ha venido a nosotros con ropajes humildes, nacido en pobreza en una condición de servidumbre. ¡Cuánto misterio y asombro hay en el acontecimiento de la encarnación! Él es el Rey todopoderoso que nos ha traído la esperanza de paz y salvación, conquistando los corazones no por la fuerza de las armas, sino con el poder del amor. Siendo Rey merece ser exaltado, aunque nació en pobreza; merece ser servido, aunque vino para servir; merece una corona de oro, pero eligió una de espinas que llevó en la cruz donde dio su vida por nosotros. Siendo Rey es dueño de todo, aunque se negó a todo, aún a retener su vida por salvarnos. Ahora resucitado y exaltado vive y reina con el Padre y el Espíritu Santo un solo Dios por toda la eternidad. Nosotros, los que por su gracia somos ciudadanos de su reino estamos llamados a proclamar su soberanía, a hacer realidad el sueño de un mundo nuevo donde reine la paz, la armonía y la perfecta justicia. Estamos llamados a darnos en su Nombre a los demás en un servicio generoso y de esta manera a hacer cada día más cercano el sueño. ¡Bendito y exaltado sea nuestro Rey!

OREMOS

Señor Jesús quiero que seas el Rey de mi vida, que Tú voluntad me gobierne, que Tú ejemplo perfecto de amor y humildad me inspire. Usa mi vida de tal manera que pueda hacer avanzar Tú reino en muchos corazones. Amén.

Salmo 94

ERES MI DIOS Y LA ROCA EN QUE CONFÍO

Hay dos actitudes que podemos asumir frente al mal del mundo: la indiferencia o la indignación. El salmo 94 es la expresión de un orante que frente a las injusticias de las que es testigo y se conmueve y pide a Dios que intervenga de una vez por todas. Refiriéndose a los poderosos abusivos escribe: *"A tu pueblo, oh, Señor, quebrantan, y a tu heredad afligen. A la viudas y al extranjero matan, y a los huérfanos quitan la vida"*. Estos no solo hacen el mal, se burlan de Dios diciendo: *"No verá el Señor, ni entenderá el Dios de Jacob"*. A veces interpretamos la paciencia divina como indiferencia. Nada de eso, tal como el salmista refiere, *"El que hizo el oído, ¿no oirá? El que formó el ojo, ¿no verá?"* Es una manera de decir, "no se equivoquen" Dios no permanece indiferente ante el dolor y las injusticias en el mundo. La Biblia entera es un testimonio de cómo Dios interviene en la historia para ayudar a los desvalidos. El libro de Éxodo nos cuenta que, en medio de su pesada servidumbre, Dios oyó el clamor de su pueblo, miró su aflicción y descendió para liberarlos. Él es esposo de la viuda, padre del huérfano y refugio del extranjero. Él es el garante del trato que damos al prójimo y lleva cuenta exacta de nuestras intenciones y acciones. ¿Por dónde comienza nuestro compromiso por el bien? Justamente por compartir la indignación de Dios y luego, comprometernos a la acción. Somos instrumentos en sus manos llamados a ser agentes de liberación y promotores de la compasión por el prójimo. Dietrich Bonhoeffer, el extraordinario teólogo y pastor alemán que fue ejecutado por oponerse al régimen nacional-socialista escribió: "Vale más tener una conciencia segura, que una conciencia tranquila". Frase extraordinaria. Los que tienen la conciencia tranquila duermen sin inquietud y se conforman con no hacer daño a nadie. Los que procuran una conciencia segura, se inquietan y aún pierden el sueño. Como el Señor, escuchan y ven la necesidad alrededor. No basta la compasión, si compartimos su indignación, es necesario hacer cuanto está en nuestras manos por el bien del prójimo. Como Dios, debemos tener oídos para escuchar y ojos para ver la necesidad y comprometernos a hacer cuanto bien sea posible. Desde luego, no resolveremos todos los problemas, ni terminaremos con el mal del mundo, pero Dios promete bendecir nuestros esfuerzos y acompañarnos en nuestras luchas. Él quiere que seamos luz y testimonio en el mundo señalando el camino que nos llevará al mundo nuevo que Dios está construyendo. Así es que, lo verdaderamente decisivo será de qué lado estuvimos. Si, es verdad, el mal del mundo es una amenaza constante para aquellos que se compromete con el bien, pero en Dios tendremos nuestra seguridad siempre. Estamos del lado ganador de la historia y, si en el empeño de hacer el bien enfrentamos la adversidad, no olvidemos que Dios es nuestra segura defensa. El salmista lo sabía muy bien, por esa razón escribe: *"Si no me ayudara el Señor, pronto moraría en el silencio. Cuando yo decía: mi pie resbala, Tu misericordia, oh Señor, me sustentaba. En la multitud de mis pensamientos dentro de mi, tus consolaciones alegraban mi alma".* En pocas palabras: Si Dios está con nosotros, ¿quién contra nosotros?

OREMOS

Dame, Señor, valentía para creer en el bien y para actuar con compasión y justicia. Quiero ser tus oídos para escuchar y tus ojos para ver la necesidad del que sufre. Quiero ser Tú corazón para amar y servir, de tal manera que, cuando Tú Hijo venga no me sienta avergonzado por lo que debí hacer y no hice. Amén.

Salmo 95

"¡VENGAN, Y RINDÁMOSLE ADORACIÓN!

El salmo 95 es un canto de alabanza que convoca a su pueblo a hacer fiesta delante de Dios, a venir ante Él con gritos de alegría y cánticos de alabanza. Por supuesto que Él, y sólo Él es digno de semejante exaltación. El salmista nos da los motivos para ello: Él es Dios grande y Rey grande: creó y sostiene el universo. La majestad de las altas montañas coronadas de nieve, y los abismos profundos de los mares con toda su abundancia de vida le pertenecen y manifiestan su poder incomparable y la gloria de su Nombre. Hay un motivo más, este es el que nos da la mayor razón para adorarle: *"Somos el pueblo de su prado, y ovejas de su mano"*. ¡Qué entrañable imagen tenemos aquí del trato bondadoso de nuestro Dios hacia nosotros! Él es nuestro gran pastor. Nuestra vida tiene dueño, pertenece a Aquel que nos creó y nos amó y nos ama a pesar de nuestra rebeldía y absoluta falta de merecimientos. No solo ha querido revelarse como nuestro pastor desde los cielos, ha venido en persona para mostrarnos su compasión y bondad. Cristo es el buen pastor que conoce a sus ovejas por nombre. Él les da vida eterna y nadie las arrebatará de su mano. Como no ha de defender a cada una de ellas si las ha comprado a tan alto precio y ahora las sostiene amoroso en sus brazos. ¡Qué seguridad la que encontramos allí que nada ni nadie puede quitarnos! Tal como el apóstol Pablo expresa: no hay ningún poder en la entera creación que nos pueda separar del amor que Dios nos ha dado en Cristo Jesús su Hijo. Ni la muerte, ni a vida, ni lo presente ni lo porvenir, ni ninguna otra cosa creada. Podemos perderlo todo, pero jamás perderemos el perfecto amor de nuestro divino pastor. Le pertenecemos para la eternidad misma. ¿No es esta la más poderosa razón para adorarle agradecidamente?

A veces la solemnidad de un santuario, el silencio que guardamos en un lugar sagrado nos hace pensar que Dios tiene un carácter serio y adusto. Ante Él debemos guardar silencio y permanecer en nuestro sitio. Ciertamente que hay lugares y espacios en la vida para la solemnidad y el recogimiento personal, pero me encanta ese Dios alegre que nos presenta los salmos, que le agrada el canto, la algarabía, la fiesta y el estar junto a su pueblo. Así es que la adoración no es solo la oración callada y contemplativa, es también la aclamación, la risa, el festejo y sobre todo la experiencia del encuentro. El salmista nos dice aquí cual es la forma concreta que toma la experiencia de adoración: *"¡Vengan, y rindámosle adoración! ¡Arrodillémonos delante del Señor, nuestro Creador! El Señor es nuestro Dios..."* Es una experiencia comunitaria, cuando adoramos juntos volvemos nuestra mirada agradecida a Aquel que es la fuente de todo sustento, vida y bendición, es una adoración humilde: Dios es el Creador y nosotros criaturas que nos debemos a Él. La adoración tiene como su centro sólo a Dios, nadie más merece la alabanza de nuestras vidas. Así es que es necesario detenernos en nuestro vaivén constante para volver juntos nuestra mirada a Dios y escuchar lo que Él tiene que decirnos.

OREMOS

Qué alegría la que encuentro en Tú presencia, levanto mi canción agradecida para adorarte sólo a Ti, me uno a mis hermanos y hermanas para celebrar Tú santidad, majestad y misericordia con gran alegría. Gracias por sustentar mi vida y amarme tanto. Gracias por ser mi buen pastor. Por Jesucristo, te doy gloria. Amén.

Salmo 96

¡CANTEN AL SEÑOR!
¡BENDIGAN SU NOMBRE!

El salmo 96 tiene como tema central la adoración a Dios. Toda la creación y nosotros humanas criaturas hemos sido formadas para que vivamos en adoración a su Nombre. El sentimiento de lo religioso está en cada persona, la universalidad de la búsqueda de lo trascendente da testimonio de ello. El saber que hay una realidad que está por encima de nosotros que le da sentido y significado a la existencia no solo es una necesidad, es una condición de nuestra naturaleza humana. Bien nos dice Agustín de Hipona en sus Confesiones: *"Nos hiciste para Tí, y nuestro corazón andará siempre inquieto mientras no descansa en Tí"*. Tratamos inútilmente de resolver esa necesidad de completamiento equivocadamente. Dice el salmista que *"todos los dioses de los pueblos son ídolos"*. Todo aquello que adquiere un valor de absoluto en la vida es, en realidad, un ídolo. Puede ser una falsa divinidad, el dinero, el poder, la fama o cualquier otra cosa. Solo Dios satisface profundamente el alma. Esto significa que detrás de nuestros temores, ansiedades y búsquedas insatisfechas, está una profunda necesidad de Dios que solo Él puede llenar. Así es que, precisamos volvernos a Él como la fuente y destino mismo de nuestra existencia y aprender a vivir en la dimensión de la adoración constante a Dios.

El salmista haciendo eco a ese sentimiento de lo eterno no solo bendice a Dios, convoca a toda la creación a adorarle: a las naciones, a todas las familias de la tierra, a la entera creación, al mar y las criaturas que en el habitan, al campo y todo lo que en el esta. Dios es adorado por su pueblo que le confiesa y bendice, por las pequeñas y grandes criaturas vivas en el cielo, la tierra y el mar.

Pensemos en una pequeña avecilla, el color de su plumaje, en el nido que ha construido para proteger a sus polluelos, en su trinar. Cada una de estas características le han sido dadas por Dios; en su condición criatura vive conforme a la ordenanza divina. ¡No se aparta de esas leyes! Más aún, Dios no solo ha establecido las leyes bajo las cuales vive, sino que también la sustenta, le da el alimento, la paja con la que fabrica su nido, el árbol que le sirve de refugio, el agua del estanque en el que sacia su sed. Por más pequeña e insignificante que parezca a nuestros ojos, esa ave no cae en tierra sin la voluntad del Padre celestial. Bien dice Jesús que si el Padre tiene cuidado de las aves y viste a las flores de hermosos colores, no hará mucho más por nosotros que somos sus hijos e hijas amados. Esta vocación de adoradores es un llamado que reclama la vida toda. Dios debe ser bendecido cada día en nuestro corazón, en el seno de nuestra familia, en nuestro quehacer y oficio.

Como el ave, cada aspecto de nuestra vida debe ser una expresión de nuestra gozosa obediencia a su voluntad, porque hemos sido formados a su imagen y semejanza para vivir en comunión con Él y unos con otros. Ciertamente vivimos en un mundo caído que le rinde adoración a una multitud de falsos dioses, nuestra alabanza a Dios debe ser también la expresión de nuestro deseo de que todos los pueblos le adoren y que muy pronto juzgue al mundo con justicia y a los pueblos con equidad para que el sea el soberano y único Dios de cada pueblo y familia y encontremos seguro destino en Él.

OREMOS

Como las aves canto para Tí mi Dios y vivo bajo Tú cuidado que es provisión y abrigo seguro. Mi adoración es sólo para Tí. Deseo honrarte con todo lo que soy y lo que hago. Te pido de todo corazón que cada persona, pueblo y familia llegen a concoer Tú bondad misericordiosa y te adoren también. Amén.

Salmo 97

¡EL SEÑOR REINA!
¡QUE SE REGOCIJE LA TIERRA!

El salmo 97 exalta a Dios como rey universal e inicia con estas palabras: *"El Señor reina; regocíjese la tierra"*. Cuando consideramos las realidades trágicas de este mundo nos preguntamos si el mundo y la humanidad están condenados al caos definitivo. Todo parece estar fuera de control. La humanidad, atrapada en ese continuum de degradación vive al filo de la autodestrucción tal como un cazador que ha caído presa en la trampa que él mismo construyó. No podemos eludir la responsabilidad de nuestra acciones que van en contra de la creación y la sustentabilidad de la vida. Ante tal estado de cosas, aún llegamos a preguntarnos si Dios ha abandonado a la humanidad o ha perdido el control del universo. Nada de eso: Dios está activamente envuelto en la restauración de lo que Él creó porque le pertenece y ha decidido recuperarla. Él sigue reinando y tiene al universo, al mundo y nuestras vidas en sus manos. El salmista describe en términos superlativos la majestad de su reinado. Su trono en los cielos está rodeado de gloria y su presencia, estremecedora como la tempestad y los relámpagos, es fuego consumidor. Los montes se derriten como cera delante de Él que es el Señor de toda la tierra. El salmista rememora la experiencia del descenso de la gloria de Dios en la cumbre del Monte Sinaí en la que un sonido estremecedor, fuego y relámpagos sacudieron con extraordinaria fuerza las montañas y la tierra. Las manifestaciones del poder de la naturaleza como los terremotos, los mares embravecidos, los huracanes y la fuerza incontenible de los ríos que se han salido de cauce nos dan una idea de lo extraordinariamente poderosa que es la presencia de Dios.

Dios reina y no está ausente del mundo, Él mantiene a los planetas en sus órbitas, sostiene las galaxias, el universo da testimonio de su poder y su providencia, las estrellas nacen y mueren, el sol ilumina cada día, las estaciones en su ciclo constante mantienen y dan ritmo a la vida, la lluvia llena los estanques, los mares, ríos y bosques sustentan la vida que se sigue multiplicando profusamente. Toda esta creación que ha sido formada por su poder es sustentada constantemente por su gobierno providente.

No solo eso, Él quiso venir a formar parte de su creación, misterio inexplicable este, al humanarse en Cristo y manifestar de manera visible la presencia de su reino que ahora se abre paso en los corazones. Ciertamente los cielos anunciaron su justicia y todos los pueblos vieron su gloria.

Aunque vemos destrucción alrededor, Dios está construyendo un mundo nuevo. Su reinado en nuestra vida es tarea y esperanza. Tarea, porque aquellos que amamos al Señor debemos aborrecer el mal y establecer su reino haciendo el bien, sembrando justicia y paz; y esperanza, porque esta promesa tenemos por segura: *"Luz está sembrada para el justo, y alegría para los rectos de corazón"*

Alguna vez un senador inquieto frente a los males del mundo que parecen no tener solución preguntó al evangelista Billy Graham si era optimista respecto al futuro. Graham respondió: "Sí, porque yo ya leí el final de la historia, y vamos a terminar bien".

OREMOS

Que nuestra mirada esté siempre hacia Tí que vives y reinas. Que jamás olvidemos que no estamos abandonados de Tú cuidado y Tú presencia. Ayúdanos a confiar y a trabajar con fe por el bien del mundo, sabiendo que Tú harás que todo sea para bien de quienes te amamos. Amén.

Salmo 98

¡CANTEN ALEGRES AL SEÑOR!

El primer versículo del salmo 98 propone el tema: *"Canten al Señor cántico nuevo, porque ha hecho maravillas; su diestra lo ha salvado y su santo brazo"* Cuando el pueblo de Dios miraba hacia el pasado haciendo memoria de las intervenciones salvadora de Dios era movido a la adoración gozosa y agradecida. Cuántas veces habían sido librados de peligros extraordinarios, de riesgos inesperados, de enemigos poderosos. Si, ciertamente, habían pasado por toda clase de experiencias, pero nunca anduvieron solos, Dios los liberó, los condujo y sustento en la travesía por el desierto y los bendijo con una tierra buena y nueva. Eran el más insignificante de todos los pueblos. Las naciones determinaban su grandeza por el poderío de sus dioses. Israel parece tener un Dios cuyo nombre ni siquiera puede ser pronunciado, pero ese Dios reina, ese Dios es el único Dios y Señor de la entera creación que ha manifestado su justicia frente a todas las naciones. Los falsos dioses han quedado expuestos y humillados. No hay otro Dios, sólo El reina, y no solo su pueblo agradecido lo bendice, la entera creación le adora: los pueblos de la tierra, los instrumentos musicales, el mar y los seres que lo habitan, los ríos y montañas. Toda criatura que recibe de Él vida y sustento es convocada a unirse al gran concierto de interminables alabanzas a su glorioso nombre. El pueblo de Dios puede vivir con seguridad el presente y aguardar con esperanza el futuro: *"Dios juzgará al mundo con justicia, y a los pueblos con rectitud".* Reflexionemos por un momento, esta es una pregunta profunda y desafiante: ¿Necesita Dios de nuestras alabanzas? ¿Hay algo que pudiéramos ofrecerle que le haga falta? ¿Podemos presentar una ofrenda de la cuál Él no sea dueño ya? El es Rey, El es dueño de la plata y el oro, creó todas las cosas y todas las cosas le pertenecen. La respuesta definitiva a esta preguntas es un contundente y definitivo no. Él es pleno en sí mismo en la perfecta comunión y armonía eterna del Padre, del Hijo y del Espíritu Santo. Él quiso crear y decidió amar a su criatura, cuando esa criatura humana se apartó rebelde y desagradecida, decidió rescatarla.

El rabino Harold Küshner narra la historia de un judío llamado Mendel que vino donde su rabino para hacerle saber su queja: —"¿No es un fastidio mañana, tarde y noche orar y cantar alabanzas? ¿Acaso Dios no se cansa de escuchar todo el tiempo la misma cantaleta diciéndole que es todopoderoso, rey del universo y sustentador del mundo y nuestras vidas? —. El rabino le respondió: —Mendel, eres el más grande ignorante, Dios no necesita tus oraciones ni tus alabanzas. Él no necesita de ti en lo absoluto; tú necesitas de Él a cada momento y debes recordar quién es Tú Creador, la fuente de tu sustento y quien te bendice cada día, sea que lo agradezcas o no—.

Tal como el pueblo de Dios lo hace aquí en los salmos, debemos mirar hacia el pasado para recordar y agradecer. Dios ha andado con nosotros este camino y nos ha bendecido. Sobre todo, recordemos que un día en una tosca y humillante cruz de madera, el Rey del universo se entregó por nosotros y que esa inusitada oferta de salvación es ahora una invitación abierta a ir a él y recibir de él gracia, misericordia y salvación, ¿cómo no amarle? ¿Cómo no vivir agradecidamente?

OREMOS

Perdona mi ingratitud, perdóname por creer que todo me pertenece cuando en realidad todo lo he recibido de Tú bondad. Me uno al concierto de la creación para levantar mi canto de alabanza a Tí. Gracias por amarme tanto de manera inmerecida. Te bendigo hoy y siempre por Jesucristo Tu Hijo. Amén.

Salmo 99

¡EL SEÑOR ESTÁ EN SU TRONO!

El salmo 99 es un salmo más que exalta la realeza de Dios. Es como si el salmista en estos cantos que van del 92 al 99 quisiera dejar impresa en el pensamiento y en el alma de sus lectores esta verdad: El Señor reina. En este salmo nos da una descripción de la gloria de su trono y de la grandeza de sus atributos divinos. El está sentado entre querubines. El pueblo en marcha por el desierto en dirección a la tierra prometida fue testigo de la presencia de la majestad todopoderosa de Dios que en forma de nube en diversas ocasiones rodeo el santuario. Esto nos recuerda la visión de la gloria de Dios que tuvo el profeta Isaías: *"Vi al Señor sentado en un majestuoso trono, y el borde de su manto llenaba el templo. Lo asistían poderosos serafines, cada uno tenía seis alas. Con dos alas se cubrían el rostro, con dos se cubrían los pies y con dos volaban. Se decían unos a otros: ¡Santo, santo, santo es el Señor de los Ejércitos Celestiales! ¡Toda la tierra está llena de su gloria!* (Isaías 6:1b-3) Una visión semejante es la que reporta el apóstol Juan en el libro de revelación. Alrededor del trono de Dios la entera creación y los seres celestiales cantan alabanzas diciendo: *"Señor, digno eres de recibir la gloria y la honra y el poder, porque Tu creaste todas las cosas, y por Tu voluntad existen y fueron creadas".* (Apocalipsis 4:11)

El salmista nos describe, también, los atributos de este Rey divino: es grande y temible, es santo, es juez supremo que gobierna con justicia y rectitud al mundo y al entero universo, y es un Dios perdonador. Tal Rey majestuoso e incomparable merece nuestra adoración. Eso significa rendirnos ante Él en obediencia, gratitud y servicio. Él es el dueño de nuestras vidas y la gobierna con poder, gracia y compasión. La sola contemplación de su trono debiera hacernos temblar, pero a la vez experimentar la seguridad que nos da el saber que estamos bajo el gobierno y la protección de su poder incomparable. "La contemplación de su trono majestuoso se vuelve adoración: *"¡Exalten al Señor nuestro Dios! ¡Póstrense ante sus pies porque él es santo!"*.

¿Qué debiera producir en nosotros esta contemplación de su reinado en nuestras vidas?

Bajo el amparo de su reinado podemos vivir confiados, seguros, protegidos. Nuestra vida tiene dueño y defensor. Preguntémonos que es aquello que nuestra alma contempla, cuales son los pensamientos que llenan nuestra mente, los sentimientos que se apoderan de nuestro corazón. Si miramos solo lo evidente, lo inmediato, nuestra alma se rodea de oscuridad. Lo que vemos alrededor es muerte, enfermedad, caos, necesidad e injusticia. Eso es lo inmediato, pero esa no es toda la realidad, aún más todo esto es relativo y pasajero. Levantemos nuestros corazones al Señor y seamos sostenidos por a bendita visión de Aquel que reina y reinará con poder para gloria y bendición de sus amados. Que esa contemplación del trono de Dios llene de tal manera nuestro ser que en adoración agradecida y gozosa digamos a nuestra alma: descansa en Dios, descansa en su reinado, vive segura, protegida y guardada para la eternidad misma bajo el manto de su justicia y misericordia.

OREMOS

Tú, Señor, me conoces como nadie, sabes bien que el temor y la ansiedad amenazan constantemente con apoderarse de mi alma. Líbrame de la desesperación, dame la visión constante de Tu magnifico ser reinando majestuoso. Hazme ver que eres más grande que mis problemas y mis temores, y hazme sentir seguro bajo Tú reinado de amor, paz y justicia. Amén.

Salmo 100

SOMOS SU PUEBLO. ¡SOMOS LAS OVEJAS DE SU PRADO!

Cuando una persona está muy enamorada ese sentimiento llena todo su ser y le acompaña a dondequiera que va. Habla de ese amor, lo expresa de diversas maneras a la persona amada: con flores, con canciones, con palabras. Nada como estar enamorados y bien correspondidos. El salmo 100 nos habla del más grande enamoramiento, ese que llena el alma de gozo al sabernos amados y bendecidos por Dios. El salmo comienza con una invitación a todos los habitantes de la tierra a venir a la presencia de Dios en su santuario con cantos de alegría. Me encanta la amplitud de esta invitación: todos bienvenidos a la casa de Dios, no importa de dónde vengas, acá no hay extraños, en el corazón de Dios hay lugar para toda la humanidad. Qué imagen esta de la una comunidad diversa y multitudinaria que vive la experiencia de adorar juntos a Dios. El sueño de una humanidad unida bajo la bandera del amor y de la pertenencia a una misma familia hecho realidad.

A ese Dios que está enamorado de nosotros por propia elección y deseo hay que expresarle también nuestro amor, y tenemos poderosos motivos para ello: Él es Dios, incomparable y único, Él nos hizo y no nosotros mismos. Importante énfasis, de lo que es evidente, pero, precisamente por su importancia el salmista acude a este recurso literario para dejar en claro esta verdad fundamental. No nos pertenecemos, nuestro ser tiene un Creador y Dueño que nos ha formado a su imagen y semejanza y ha puesto toda su complacencia en nosotros. Nos debemos a ese Dios. El salmista nos da una razón más para adorarle: somos su pueblo, no solo nos creó, nos hizo su familia, Él es nuestro Creador y Padre. En la experiencia humana que importante es que un padre reconozca a su hijo, no solo es cuestión de darle un apellido, sino de amarlo, proveerle, educarlo y protegerlo. ¡Todo eso es lo que hace nuestro Dios! Miremos, además, esta otra imagen que se nos presenta a aquí: somos pueblo suyo y ovejas de su prado. Padre, Creador y Pastor. Todo esto es Dios para su pueblo. Viene a la memoria el entrañable salmo 23: "El Señor es mi pastor; nada me faltará". Nos alimenta, nos guía, nos defiende, y nos guarda seguros en su redil. Este buen pastor ha querido revelarse en la persona de Jesús, nuestro Señor nos dice: *"Yo soy el buen pastor, y el buen pastor su vida da por las ovejas". (Juan 10:11)* Miren que no éramos buenas ovejas en realidad, más bien rebeldes, descarriadas, pero el Señor con tanto amor nos ha rescatado y conducido a su redil donde nos guarda seguros. El buen pastor nos conoce por nombre, nos ama incondicionalmente, ha pagado un alto precio por nuestra salvación eterna, así que no está dispuesto a perder a ninguna de esas ovejas amadas. Cómo no vivir enamorados de ese Dios, cómo no agradecerle y adorarle.

Por eso nos acercamos a Él con alegría, venimos a su santuario con cantos y alabanzas porque esto es verdad: "El Señor es bueno; para siempre es su misericordia, y su verdad por todas las generaciones".

OREMOS

Gracias Dios por amarme de esa manera tan única e incondicional. Conquistaste mi alma cuando no te buscaba; no renunciaste a mí jamás. Gracias por hacerme hijo de tu casa junto con todos mis hermanos y hermanas. Te amo ahora porque me amaste primero y te doy la adoración de mi vida, a Tí, mi Creador, mi Padre y Pastor. Gracias por guardar mi alma con toda seguridad. Amén

Salmo 101

QUIERO ENTENDER TUS PERFECTAS ENSEÑANZAS

El salmo 101, nos enseña que la integridad es algo que surge del corazón, de nuestra esencia. El asunto es, ¿quién puede saber lo que hay en lo profundo de nuestro ser? Cuántas veces he escuchado palabras como estas: "creí conocerlo, pero ahora, después de tratar a esta persona me doy cuenta de quién es realmente". Me pregunto, ¿a quién habremos defraudado nosotros de la misma manera? Hay alguien que sabe exáctamente lo que hay en nuestro corazón. Para Dios no hay secretos. Él conoce nuestros pensamientos, intenciones y deseos. Tal cosa puede ser reconfortante o una señal de juicio. Sin duda, muchas veces hemos sido juzgados de manera equivocada y se nos han atribuido malas intenciones cuando en realidad no las teníamos, el hecho de saber que Dios conoce nuestros corazones nos anima. Él sabe que no procedimos maliciosamente, pero si nuestro corazón no es recto, si por fuera nos mostramos piadosos simulando una bondad o buena intención que realmente no tenemos, Él lo sabe. Somos un libro abierto para Dios y tal verdad debiera guardarnos de proceder de manera injusta o engañosa. El salmista comienza este canto con una expresión de alabanza Dios: *"Alabaré tu misericordia y tu justicia; cantaré, Señor, salmos a tu nombre"*. Sabe que la vida debe vivirse en adoración a Dios y Él conoce a ese Dios: Él es justo y misericordioso. ¿Cómo desea ese Dios que vivan aquellos que le confiesan? Por supuesto, en justicia y misericordia hacia el prójimo. Sabe el salmista que estar determinado a vivir según los principios del Dios que confiesa no lo puede lograr sin su gracia, por esa razón humíldemente suplica: *"Quiero entender tus perfectas enseñanzas. ¿Cuándo vendrás a mi encuentro? Así me conduciré con rectitud en mi hogar, y no pondré los ojos en la injusticia"*. Todo comienza con la determinación de vivir conforme a la voluntad divina, reconociendo humíldemente que necesitamos ser enseñados. Solo quien reconoce su ignorancia y está dispuesto a ser guiado tendrá sabiduría y dirección de Dios para su vida. Luego, viene la resolución, el compromiso con una vida de integridad, eso es algo que solo se decide en lo interior y ante Dios que nos conoce. Esta es la declaración: Me conduciré integramente en mi casa. Somos lo que somos primero en casa, de otra manera nuestra vida es una mentira constante. No tendré compromiso con nada que sea injusto, no haré ronda con los que fraguan la mentira y el fraude, defenderé al que es inocente ante los falsos acusadores, no seré servil con los altaneros y vanidosos, pondré mis ojos en los fieles de la tierra, ellos serán mis amigos. ¿Podemos hacer de esta declaración de integridad los principios que guíen nuestras acciones? Ciertamente que vivir de esta manera es ir contracorriente en un mundo lleno de mentiras e injusticias. Habremos de estar dispuestos a pagar el precio, pero hacer la diferencia es lo que mostrará que la lámpara del bien y la verdad no se ha apagado. Si procedemos con integridad no nos cuidemos del juicio de la personas, honremos a Dios, porque solo quienes le honran serán bendecidos. Bien dice el Señor Jesús: *"Bienaventurados los que tienen hambre y sed de justicia, porque ellos serán saciados"*. *(Mateo 5:6)*

OREMOS

Señor Tú conoces mi corazón y sabes que deseo agradarte pero no tengo el valor para hacer frente al mal del mundo. Dame valentía para no comprometerme nunca con el mal y fortaleza y sabiduría para actuar con integridad, justicia y compasión. Que tenga tanto temor de Ti que nunca tema de los hombres. Amén.

Salmo 102

YA ES HORA DE QUE TENGAS MISERICORDIA

El escritor sagrado introduce el salmo 102 con estas palabras: *"Oración de que sufre, cuando está angustiado, y delante del Señor derrama su lamento".* Para quien atravieza por el valle de la desesperación estas palabrs resultan muy familiares. Se describe aquí cómo se vive un profundo estado de angustia y tristeza. El salmista siente que la vida misma se le va, le arden los huesos, le duele el pecho, ha perdido el sueño y el apetito, se ha adelgazado en extremo. A todos estos síntomas se añade un sentimento de soledad absoluta. *Soy como los pelícano del desierto; ¡soy como los búhos de las soledades!...y hasta me siento como un pájaro solitario sobre el tejado. "Mi vida se diluye como una sombra; ¡me voy secando como la hierba!".* En medio de este estado calamitoso el salmista atribuye a Dios su condición: *"El pan que como, me sabe a ceniza; lo que bebo, se mezcla con mis lágrimas. ¡Y es porque estás enojado conmigo! ¡Primero me elevas, y luego me dejas caer!".* ¿Cuál es la causa de semejante estado? Tal parece que es objeto de la furia constante de enemigos gratuitos que se han confabulado para atacarlo. Se siente solo, inerme, a merced de sus opositores, presa del miedo, no tiene tiene fuerzas para luchar, siente morir lentamente a la mitad de sus días. Cuando atravezamos por una experiencia así, tenemos la tendencia a creer que nadie nos puede entender, que estamos solos y completamente desvalidos. Tendemos a creer que solamente a nosotros nos sucede y a nadie más. Si estamos pasando por una experiencia semejante lo primero que precisamos es aceptar que somos humanos. No tienen sentido culparnos reprochándonos nuestra debilidad. Todos en la vida estamos expuestos a situaciones límite. En mayor o menor grado experimentamos el conjunto de síntomas y emociones aquí descritos, incluído enojarnos con Dios, quien no se remueve de su trono porque uno de los suyos levanta sus reclamos al cielo. Estas situaciones límite pueden ser diversas: una pérdida, una experiencia cercana a la muerte, la enfermedad, en fin, la lista es larga. Situaciones como estas que nos sobrevienen y no podemos controlar nos empujan a refugiarnos en lo que Viktor Frankl llamó la última de las libertades humanas. Ante la condicionalidad de lo que nos sucede hacemos valer la incondicionalidad del espíritu humano que es libre de elegir la esperanza y asignarle un sentido al sufrimiento, un para qué, a lo que nos sucede. Quien se refugia en Dios siempre puede tener esperanza aún en las situaciones más adversas. En medio de la oscuridad de su quebranto el salmista deja asomar la luz de la esperanza. No importa qué suceda en nuestra vida, Dios sigue siendo misericordioso, Él sabe nuestra necesidad, mira nuestras lágrimas y nunca desecha nuestros ruegos. Cuando parece que todo ha terminado y nada queda por esperar, Dios tiene siempre un nuevo amanecer, una bendición inesperada, una puerta abierta, un camino no andado todavía para nosotros, mientras tanto nos da fuerzas para ir más allá de nuestras fuerzas, a fin de comprender que la limitacion humana jamás es una imposibilidad divina. Podemos abrigar esta certeza en nuestros corazones: nada, nada hará que su propósito de bendición deje de cumplirse en nuestras vidas, no solo más allá del dolor, sino también a través de él.

OREMOS

Ven en mi ayuda en esta hora de quebranto. No tengo fuerzas, el dolor me agobia, no me puedo levantar. Sáname y levántame. Que no vea las circunstancias que me rodean, sino Tú fiel amor que nunca me abandona. No te pido que me libres de todo quebranto, pero que a través del mismo perciba Tú presencia y pueda tener Tu paz. Amén.

Salmo 103

NO OLVIDES NINGUNA DE SUS BENDICIONES

El salmo 103 establece un contraste con el anterior; si el salmo 102 expresa un pesar profundo y quebrantamiento de espíritu, el salmo 103 es un canto que refleja confianza y gratitud a Dios. Si desea levantarse de la postración emocional, superar el dolor, recuperar el sueño y la paz de espíritu agradezca a Dios sus bendiciones. Donde hay gratitud no hay lugar para la ansiedad y el temor. Esto es lo que llamo la "la ley de la impenetrabilidad espiritual". Si hablamos en términos de la leyes físicas, la ley de la impenetrabilidad de la materia establece que dos objetos no pueden ocupar el mismo lugar al mismo tiempo. Lo que opera en el ámbito de las leyes físicas opera también en el ámbito de las leyes espirituales. Con frecuencia luchamos con sentimientos negativos, nuestra alma está saturada de ansiedad, preocupaciones, temores, tristeza y tantas emociones negativas. Cuanto más luchamos por liberarnos de ellas menos lo logramos. Abandonemos esas batallas pédidas, comencemos a llenar nuestro corazón de gratitud a Dios y esos sentimientos se irán desalojando por sí solos.

Tenemos tanto que agradecer. El salmista piensa en las bendiones de Dios en el presente, las que ha recibido en el pasado y lo que significa la eternidad de Dios en contraste con el nuestra condición humana sujeta a la temporalidad.

Dios es quien perdona nuestros pecados, sana nuestras dolencias, nos rescata de la muerte, y renueva nuestras fuerzas de manera constante llenándonos de sus favores y misericordias. Notemos que el salmo lo dice en plural: favores y misericordias. Aquí el salmista trata de darnos una idea de las dimensiones inconmensurables del amor paternal y perdonador de Dios. *"Tan alta como los cielos sobre la tierra, es su misericordia con los que le honran. Tan lejos como está el oriente del occidente, alejó de nosotros nuestras rebeliones".* Como la distancia que existe entre la tierra al cielo y la que separa el oriente del occidente así de inmenso es el perdón, la gracia y la paternidad de nuestro Dios.

Cuando consideramos el carácter transitorio de nuestra vida en este mundo en contraste con la eternidad de Dios, nos damos cuenta de lo que significa su pedurable misericordia. Nosotros somos pasajeros como la flor del campo que en la mañana florece y crece y a la tarde es cortada y se seca; en cambio hoy, mañana y por la eternidad misma la bondad de Dios permanece. Por esa razón podemos saber que aquí y ahora Dios nos bendice, nos bendecirá mañana y por toda la eternidad que viviremos con Él en su casa.

No olvides ninguno de sus beneficios, afirma el salmista. Solo el ingrato olvida. Tener presente sus bendiciones es un ejercicio de alabanza absolutamente necesario en nuestras vidas, pues aunque Dios, que es Rey soberano y todopoderoso no necesita de nuestras alabanza, se alegra cuando le agradecemos sus constantes e inmerecidas bendiciones. Así es que si está agobiado por la ansiedad y la preocupación pensando que le sobran los problemas considere que lo que en realidad le está haciendo falta es más gratitud.

OREMOS

Cuánto tengo que agradecerte por lo que has hecho, haces y harás en mi vida. Como dice ese precioso canto, me has dado tantas cosas mi precioso Jesús, me has dado paz, me has dado fe, me has dado amor, que yo sería un ingrato si negara tu amor. Amén.

Salmo 104

¡Cuán grande eres, Señor mi Dios!

¡Qué descripción tan majestuosa la que tenemos aquí de Dios en el salmo 104! El salmista se siente abrumado ante semejante despliegue de grandeza. *"¡Cuán grande eres, Señor mi Dios! ¡Estás rodeado de gloria y de esplendor! ¡Te has revestido de luz, como de una vestidura! ¡Extiendes los cielos como una cortina! ¡Dispones tus mansiones sobre las aguas! ¡Las nubes son tu lujoso carruaje, y te transportas sobre las alas del viento!"* Al abrir nuestros ojos para contemplar la grandeza que nos rodea vemos la huella de Dios por todas partes. Recientemente escuché una interesante entrevista hecha a Juan Maldacena, argentino, uno de los científicos más influyentes dentro del campo de la física teórica. Maldacena explicaba la teoría del Big Bang y lo que la ciencia actual deduce acerca del orígen del universo y de la vida. De acuerdo a estas explicaciones teóricas fue una serie de combinaciones azarosas más el tiempo lo que, partiendo del caos, dio lugar a la complejidad de la vida en todas sus manifestaciones. "Los seres humanos somos polvo cósmico reciclado" afirma Maldacena. Desde luego él habla desde la perspectiva científica. Escuché, también, a un científico mexicano afirmar que no cree en Dios, pero si cree en las leyes de la naturaleza. ¿Se puede hablar de leyes sin un legislador que las haya establecido? ¿Acaso el hecho de que tratemos de entender la universo que nos rodea y darle significado no es una inquietud existencial que apunta más allá de nosotros mismos hacia lo que nos trasciende? El conocimiento humano tiene un límite, más allá de este, el conocer el orígen, la unidad y destino del universo y de nuestras vidas nos viene por revelación divina. A partir de esta revelación es que decimos: "yo creo" Creo en un Dios que hizo todas las cosas, que hizo al ser humano a su imagen y semejanza, creo que ese Dios estableció las leyes que gobiernan el universo; creo, además, que Él esta activamente presente gobernando y sosteniendo a toda su creación. Esto es justo lo que afirma el salmo 104. El da sustento a todas las criaturas que habitan el mundo, grandes y pequeñas, en el mar pululan incontables criaturas, el agua corre por los ríos desparramando vida, el día y la noche se suceden dando ritmo a la vida cotidiana y generando los ciclos sucesivos de la estaciones, haciendo frutificar la tierra para nuestro sustento. Bien afirma el salmista, abrumado ante la grandeza y la providencia divina hacia todas sus criaturas: *"¡Tus obras, Señor, son innumerables! ¡Todas las hiciste con gran sabiduría! ¡La tierra está llena de tus criaturas!"*

El Señor Jesús nos lleva a esta reflexión del cuidado paternal de Dios por nuestra vida. Si su Padre alimenta a las aves de los cielos que no siembran, ni cosechan, ni recogen en graneros; y si viste a los lirios del campo de hermosos colores nunca imitados por vestiduras reales, ¿no hará más por ustedes que son sus hijos e hijas? Así es que, confien en Dios y busquen primero su reino y su justicia y todo lo demás vendrá por añadidura. Alabado sea el Nombre de Dios que bendice, sostiene y alimenta a todas sus criaturas, pero especialmente a nosotros que somos sus creación amada y favorita.

OREMOS

Te doy gracias mi Dios porque me creaste a Tu imagen y cada día sostienes mi vida. Alientas mi respiración y los latidos de mi corazón, me das el día para trabajar y la noche para descansar. Que grande es Tu bondad en mi vida, ¿Cómo no creer y confiar en Tí? Bendito sea Tu Nombre por Jesucristo Tu Hijo. Amén.

Salmo 105

RECUERDEN SUS GRANDES MARAVILLAS

El salmista en el salmo 105 rememora el pasado y es movido a la adoración porque, sin duda, Dios ha sido bueno con su pueblo. *"¡Alaben al Señor, invoquen su nombre! ¡Que los pueblos reconozcan sus obras! ¡Canten, sí, cántenle salmos!... ¡Recuerden sus grandes maravillas, sus hechos prodigiosos y sus sabias sentencias!"*. A lo largo de este salmo el autor inspirado hace un recuento de la manera como Dios ha cuidado, guiado y bendecido a su pueblo. Todo comenzó cuando llamó a un anciano llamado Abram y a Sara su mujer que era esteril. Cuando todas sus esperanzas parecían muertas Dios les concedió un hijo en su vejez e hizo un pacto con Abram prometiéndole que todas las familias de la tierra serían bendecidas en su descendencia. Cuando Dios promete, compromete el honor de su Nombre y tal cosa significa que jamás se volverá atrás de su palabra. De esta manera Dios estableció una nación, la llevó a Egipto en tiempos de hambre para sustentarles, después de cuatrocientos años allí, los libro de la esclavitud, les hizo pasar el mar en seco, los defendió de sus enemigos, los condujo por el desierto y los sustento allí durante los cuarenta años que anduvieron errantes; finalmente, les dio la tierra como la herencia prometida. Hay dos maneras en las que el pueblo hebreo podía leer su historia: como una cadena de sucesos trágicos, o como una narrativa que da cuenta de la bondad de Dios que nunca los dejó y a través de todas las experiencias vividas les dio una herencia y un destino. A lo largo de mis años de ministerio he escuchado muchas historias trágicas de vidas que han estado llenas de sufrimiento. He visto como los traumas y heridas de un pasado doloroso permanecen a lo largo del tiempo. He descubierto que nuestras historias personales en realidad son una interpretación de los vivido. Quien mira lo vivido desde el dolor no verá más que sufrimiento. Es como colocarse unos lentes de color gris, ¡todo lo que vea a través de ellos será gris! Cuando escucho esas historias suelo preguntar a quien la narra "Cómo es que ha sobrevidido para estar aquí en este momento deseando con todo su corazón encontrase con otra realidad no experimentada aún. Tal vez hay otra manera de contar tú historia". Gradualmente van surgiendo otras vivencias que hablan de personas buenas que encontró en el camino, de quienes creyeron en ella y le diero una oportunidad, de la generosidad de quienes le concedieron su tiempo y su fe animándole a seguir adelante a pesar de todas las adversidades. Tal como el pueblo de Dios y estas experiencias personales descritas aquí, nosotros podemos contar nuestra historia de dos maneras, a través del lente grisaceo de la tragedia, o del cristal transparente que capta el colorido de la vida y aprecia toda la belleza y bondad que encontramos en el mundo. Si hemos llegado hasta donde nos encontramos ahora, a pesar de todas las dificultades, sufrimientos y luchas, es porque Dios nos liberó, nos guió a traves del desierto, nos proveyó en la travesía y caminó con nosotros y, ciertamente, está y estará a nuestro lado hasta llevarnos a la tierra prometida de sus bendiciones. ¿Cuál es su historia?

OREMOS

Señor, por mucho tiempo he llorado recordando un pasado doloroso. Las lágrimas me impiden ver todo aquello que me diste como bendición y lo que aún tienes para mi. Quiero contar a partir de hoy mi historia como verdaderamente es, la historia de tu misericordia y bondad que me ha traido hasta aquí. Me pongo en tus manos y me abro a la vida que me ofreces en espera de las promesas de bendición que tienes para mi hacia adelante. Amén.

Salmo 106

MUCHAS VECES EL SEÑOR NOS LIBRÓ

Cuando leemos el salmo 106 nos damos cuenta de que la paciencia divina no tiene límite. El salmista hace un recuento de las incontables veces que el pueblo hebreo repondió con inaudita ingratitud al trato bondadoso de Dios, ¡cómo si Dios fuese su deudor! Las ofensas fueron capitales: reclamos, rivalidades e idolatría. El salmo dice que provocaron la ira de Dios con sus acciones, pero Dios permaneció fiel, nunca se volvió atrás de su pacto ni dejó de bendecirlos. Tal actitud de paciencia y bondad divinas nos lleva a hacernos un cuestionamiento: ¿Acaso Dios cierra sus ojos para no hacer justicia y castigar la necedad de su pueblo que se niega a amarlo? Ciertamente que el pueblo de Dios se comportó como una novia que responde con rebeldía y descarada infidelidad a un marido solícito. La otra pregunta que surge es ¿porque Dios siguió amándo y bendiciendo a ese pueblo que solo merecía castigo y abandono definitivo.

Dios no cerró sus ojos complaciente ante la conducta de su pueblo. Ellos cosecharon el fruto de sus acciones: quebranto y muerte. La necedad parece no tener límites a veces. Comenzamos siendo complacientes con nuestra conducta, luego pensamos que nada va a suceder y terminamos llamándo a lo malo bueno. Es así como labramos nuestra propia desgracia; nadie viene a castigarnos, nosotros nos encargamos de ello. El apóstol Pablo expresa esta verdad con palabras que suenan muy duras pero que expresan una verdad incuestionable: *"No se engañen. Dios no puede ser burlado. Todo lo que el hombre siembre, eso también cosechará." (Gálatas 6:7)* A veces los padres ven a alguno de sus hijos tomar un camino equivocado, un camino que lleva a la destrucción. Tratan de hacer reflexionar a ese hijo, le hablan, le advierten de las consecuencias, le retiran algunos privilegios. Llega el momento en que esos padres se convencen de que ese hijo no va a corregir su camino no importa cuantas advertencias y consejos reciba. Es entonces que toman una de las decisiones más difíciles que unos padres puedan tomar, respetar la libertad de ese hijo y padecer en silencio viendo cómo se va al abismo, esperando que en algún momento pueda reaccionar, rogando al cielo para que no sea demasiado tarde. El primer Padre que tomó semejante decisión fue nuestro Dios. Corrió el riesgo de crearnos con libertad de decisión, vio con tristeza en su corazón cuando decidimos darle la espalda y tomar un camino de muerte. Pero hay un hecho profundamente conmovedor y real: no importa cuántas veces hayamos tropezado en el camino, que tan bajo descendimos menospreciando sus bendiciones. Nunca nos dejó de amar, y nunca dejará de hacerlo por una poderosa razón. Él no puede dejar de ser quien es. Nos sigue procurando y bendiciendo. ¿No es hora ya de volverse a tan inmenso, real e inmerecido amor? A la pregunta: ¿Cuánto me amas? Dios responde desde la cruz, con los brazos extendidos y las manos de su Hijo clavadas en el madero: "Así te amo".

OREMOS

Perdóname, Dios mío, por responder con ingratitud y rebeldía a tu inmenso amor que siempre me bendice. Cambia mi corazón, guía mis pasos de tal manera que puede dejar el camino sembrado de dolor y contradicción en el que voy andando. Gracias por Tu infinita paciencia que nunca ha dejado de esperarme. Me vuelvo a Ti con fe y gratitud y te pido me ayudes a vivir de tal manera que puede agradarte y andar con alegría en tus caminos. Amén.

Salmo 107

Alabemos al Señor porque él es bueno

Las primeras palabras del salmo 107 proponen el gran tema de este salmo: *"¡Alabemos al Señor, porque él es bueno; porque su misericordia es constante!"* Luego tenemos a lo largo de todo el salmo un ciclo que se repite constantemente haciendo referencia a la necesidad humana y la respuesta divina; cadaciclo dainicio con un estribillo que da unidad a todo el salmo con estas palabras. *"¡Alabemos la misericordia del Señor, y sus grandes hechos en favor de los mortales!"*. La reflexión de las maravillas que Dios ha hecho en medio de su pueblo mueven a la alabanza y a la gratitud. Una y otra vez el salmo nos dice que en su angustia clamaron al Señor y Él los libró de sus aflicciones. Cuando estuvieron en esclavitud, cuando anduvieron errantes por el desierto hambrientos y sedientos, cuando sufrieron las consecuencias de su rebeldía, en todas esas situaciones clamaron a Dios en medio de la deseperación y la necesidad y Él siempre les respondió, se manifestó a ellos como un Dios compasivo y liberador. En su reflexión el salmista refiere la manera como providencialmente *"Él da sustento a su pueblo: convierte desiertos en lagunas y la tierra seca en fuentes de agua. Lleva a los hambrientos para que se establezcan allí y construyan sus ciudades. Siembran los campos, plantan viñedos, y recogen cosechas abundantes. ¡Cuánto los bendice!"* Esta bondad divina se extiende a toda la famiia humana. Vivimos gozando de estas bendiciones. Cada día el sol nos alumbra, la noche nos invita al descanso, la tierra nos alimenta. Todo ese sustento viene de Dios que nos ha dado su mundo como bendición. Si es así, nos preguntamos porque hay tanta desigualdad, hambre y necesidad por todas partes. Ciertamente que el gran problema no es la escazes, sino el egoísmo humano que lleva a unos cuantos a ambicionar y a apoderarse de lo que es herencia y bendición común. Los hambrientos que Dios ha establecido en tierra de abundancia son menoscabados y abatidos a causa de la tiranía y las congojas. Desde los cielos Dios se manifiesta como el gran defensor que viene en ayuda para rescatar de las dificultades a los pobres, en tanto que los perversos son bruscamente silenciados.

¡Cuánta sabiduría hay en este salmo! Dios nos escucha cuando clamamos a Él en medio de la aflicción, nos bendice abundantemente con las riquezas de su maravillosa creación. Hay dos pensamientos que no deben tener cabida en nuestro corazón: que lo que tenemos es gracias a nuestras capacidades e inteligencia, y que todo cuanto está en nuestras manos nos pertenece. Nada nos pertenece, ni siquiera la vida. Dios es el dueño de todas las cosas que Él creo y nuestro sustento es gracias a su bondad providente que nos da la vida, el trabajo y la tierra. No olvidemos tampoco que no estamos solos en el mundo, somos una gran familia, debemos hacer espacio para todos compartiendo nuestras bendiciones, trabajando juntos por el bien común cultivando respetuosamente la tierra, este espacio vital que se nos ha concedido. Y, sobre todo, debemos alabar y agradecer a Dios que nos escucha y viene en nuestro auxilio cuando estamos en afición concediéndonos cada día sus bendiciones.

OREMOS

Gracias Dios por Tu inmensa bondad, gracias por responder a mis oraciones en los momentos de angustia y de necesidad. Gracias por el sustento que cotidianamente me dispensas con gran bondad. Que no olvide jamás ser agradecido y generoso para compartir con todos mis hemanos y hermanas tus bendiciones. Amén.

Salmo 108

EN DIOS HAREMOS PROEZAS

El salmo 108 comienza con una expresión de gozosa adoración a Dios. Al salmista le agrada buscar a Dios temprano, cuando el sol comienza despuntar con sus primero rayos anunciando un nuevo amanecer. Sabe bien que no puede dar un paso en el nuevo día sin procurar antes la gracia de Dios. La adoración es contemplación meditativa de la grandeza divina. La misericordia y la verdad de Dios son más altas que los cielos mismos, desde su santuario celestial reina con poder sobre todas las criaturas y pueblos.

¿Al despertar cada mañana cuál es el primer pensamiento que viene a su mente? En gran medida ese es el pensamiento que le acompaña a lo largo del día y tendrá una gran influencia en lo que decidimos y llevamos a cabo. A veces iniciamos el día ansiosos, frustrados, temerosos de lo que vayamos a enfrentar. Hay días que se nos presenta especialmente complicados: decisiones que tomar, problemas que resolver, situaciones que nos confrontarán con la dificultad y a contradicción.

El salmista nos enseña cómo debemos empezar bien nuestro día. Se trata de buscar a Dios temprano, de contemplar la grandeza de su ser en adoración, de hacer presente su bondad, misericorida y verdad en nuestra vida, y tomar conciencia de que, sin importar lo que vaya a suceder, Dios permanecerá a nuestro lado. Tomar conciencia de ello nos ayudará a vivir nuestra día confiados y fortalecidos.

El día en el que el escritor sagrado compuso este salmo se estaba preparando para enfrentar una batalla, por esa razón se pregunta: *"¿Quién me hará entrar en esa ciudad amurallada?"* Cuando un ejercito se dispone a entrar en combate es importante plantearse dos preguntas decisivas: ¿Cuáles son los recursos del ejercito oponente? Y ¿Cuáles son las recursos con los que cuento para esperar una victoria? David, el salmista, dirigía un ejercito de valientes, contaba con extraordinario general y armas suficientes, de hecho, nunca perdió una batalla, pero él sabía que su mejor y más poderoso aliado era Dios y si contaba con su presencia y su ayuda todopoderosa libraría la batalla y alcanzaría la victoria. Por eso escribe también: *"Bríndanos tu apoyo contra el enemigo, pues vana resulta la ayuda de los hombres. Por ti, Dios nuestro, haremos proezas; ¡tú harás morder el polvo a nuestros enemigos!"*. Él sabía perfectamente que podía contar con el mejor ejercito y las armas más poderosas y eficaces, pero solo con la ayuda de Dios libraría la batalla victoriosamente. Bien escribe el profeta Zacaría: *"Yo no actúo por medio de un ejército, ni por la fuerza, sino por medio de mi espíritu."* *(Zacarías 4:6)*, y el apóstol Pablo añade: *¿Qué más podemos decir? Que si Dios está a nuestro favor, nadie podrá estar en contra de nosotros."* *(Romanos 8:31)*

Hoy no libramos guerra con armas y ejercitos, pero cada día podemos estar frente a grandes dificultades y desafíos que probaraán nuestra fe y valentía. No olvidemos, entonces, primero lo primero: buscar a Dios temprano, porque con Dios a nuestro lado seremos más que vencedores.

OREMOS

Que al comenzar una nueva mañana te busque a Ti primero para enfrentar mi día. Ayúdame a descubrir que el íntimo secreto de la victoria ante las pruebas está en el confiar que Tú estás a mi lado para fortalecerme. En Tu Nombre y con Tu ayuda soy más que vencedor. Amén.

Salmo 109

SEÑOR Y DIOS MÍO, ¡AYÚDAME!

La aflicción suele ser muy desgastante, cala en nuestro ánimo y enferma nuestros cuerpos. Las fuentes de la aflicción son diversas: las calumnias, las enemistades gratuitas, la traición de quien habiendo recibido de nosotros bien nos hizo mal, la indignación ante las injusticias que ocurren alrededor. El salmista es muy descriptivo cuando habla acerca de su quebranto: *"Siento que me muero, como muere el día; soy sacudido como una langosta. Las rodillas se me doblan por causa del ayuno, estoy tan débil que mi cuerpo desfallece. Soy para la gente objeto de burla; los que me ven, mueven burlones la cabeza"*. ¡En que estado tan lamentable se encuentra! Sin duda usted ha visto los efectos devastadores que la depresión puede tener. Tal vez usted mismo ha atravezado por ese valle sombrío en el que el ánimo de vivir y la esperanza se pierde. ¿Cómo enfrentar la aflicción y superar este estado de postración? Hay alternativa al sufrimiento: el procurar ayuda, hablar acerca de aquello que le preocupa con una persona de confianza, tener una comunidad de soporte que puede ser la familia y la iglesia, recibir asistencia espiritual, psicológica y médica. Todo ello contribuye a superar de manera gradual la despresión y convertirla en un apendizaje y una oportunidad de crecimiento. No obstante, hemos de reconocer que no siempre contamos con estos medios de sostén. Lo que no debemos olvidar jamás es que Dios está allí no como nuestro interlocutor. Él conoce nuestras aflicciones, tiene compasión de nosotros y el poder de levantarnos de nuestra postración. Desde el pozo de la deseperación el salmista vuelve una vez más sus pensamientos a Dios: grita, pide, suplica y alaba. Él conoce su causa y lo íntimo de su corazón. Él es un Dios que no permanece impasible ante la necesidad humana, y más allá de lo que podemos pedir y entender dirige de manera soberana y sabia el universo, el mundo y nuestras vidas. Es así que el salmista hace una afirmación sorprendente: *Señor y Dios mío, ¡ayúdame!;por tu gran misericordia, ¡sálvame! Así sabrán que esto viene de tu mano, y que eres tú, Señor, quien me ha salvado"*.

¿Estáafirmando el salmista que todas las cosas malas Dios la ha propiciado? De ninguna manera, más bien está diciendo que más allá de toda comprensión humana, Dios está desenvolviendo un designio amoroso para restaurar nuestras vidas y el mundo en su totalidad. La prueba suprema de la preocupación de Dios por nosotros es la cruz de su Hijo. Este es un salmo mesiánico, los evangelistas lo refieren al describir la burla de que fue objeto nuestro Señor. Así es que Dios entiende nuestra aflicción y desde la cruz de su Hijo nos dice que Él esta de nuestro lado y que el dolor pasará. Así la oración que inicia como un lamento termina en una expresión de confianza: *"Yo te alabaré, Señor, con mucho gozo; ¡te cantaré en medio de una gran multitud! Porque defiendes al que nada tiene, y lo libras de quienes lo condenan a muerte.".* Esta es un manera de decir: Señor, espero en Ti, no quiero vivir afligido o preocupado por lo que no está en mis manos resolver. Quiero confiar en tu sabiduría y designio amoroso.

OREMOS

Atraviezo por un tiempo de oscuridad, ayúdame a recordar que no estoy solo, Tu estás a mi lado. Dame fortaleza, paz y sanidad. Confiadamente pongo en tus manos todo aquello que me aflige y no puedo resolver. Tú tienes un propósito aún en el dolor que nos enseña a ser humildes y a esperar solo en Ti cuando creemos que nada más queda por esperar. Amén.

Salmo 110

TÚ ERES REY PARA SIEMPRE

Reciéntemente escuché un comentario expresado por algún periodista que me produjo una sacudida. "Todos somos dictadores en potencia, solo que no hemos tenido la oportunidad de serlo". Es una sentencia lapidaria que exhibe una realidad innegable: el pecado anidado en el corazón que lleva al ser humano a autoidolatrarse. ¡Cuánto ha sufrido el mundo y sigue sufriendo por el abuso de poder y las injusticias! La gran pregunta que nos hacemos es: ¿Que piensa Dios de todo esto? El salmo 110 nos da otra perspectiva del poder, aquel que se ejerce con justicia, a favor de los abandonados y empobrecidos. Esta justicia no puede ser comprada ni burlada. Bajo el amparo del poder divino tenemos la certeza de que la verdad, la justicia y el amor triunfarán un día de manera definitiva. Quienes creemos en el poder actuante de Dios en el universo y en la historia no desesperamos, mantenemos la confianza y no dejamos de creer en el bien, aguardando el triunfo final y definitivo del reino de Dios.

Este salmo describe la coronación de un rey que vestido de gloria es exaltado al trono del universo. Dios mismo le concede el honor de sentarse a su derecha para ser coronado recibiendo la gloria de un gobernante supremo y la unción para la vocación sacerdotal. Dios le promete que su reino se extenderá sin fronteras y que sus enemigos serán derrotados. Su reinado y su sacerdocio no tendrán fin. Los escritores del

Nuevo Testamento identificaron claramente que este salmo anticipaba la presencia de Jesús como el Mesías. Nuestro Señor Jesús inicia su ministerio público con estas palabras: *"¡Por fin ha llegado el tiempo prometido por Dios!...¡El reino de Dios está cerca! ¡Arrepiéntase de sus pecados y crean la Buena Noticia!* (Marcos 1:15) El autor inspirado de la Epístola a los Hebreos citando el salmo 110 nos dice claramente que este personaje exaltado por Dios es definitivamente el Mesías cuando escribe: *"Además, Dios nunca le dijo a ninguno de los ángeles: Siéntate en el lugar de honor a mi derecha, hasta que humille a tus enemigos y lo ponga por debajo de tus pies"* (Hebreos 1:13) La manera como Jesús es exaltado como rey y sacerdote nos sorprende. Él nace en el mundo en una condición de pobreza, es expuesto al juicio humano, y sufre en carne propia la persecución y la condena de aquellos que viven hambrientos de poder, finalmente, es clavado en una cruz para sufrir una muerte cruel e injusta. Aunque Jesús es Rey y no tiene que reclamar una corona porque es el Hijo de Dios, quiso llevar una de espinas para enseñarnos que en su reino el que quiera ser el mayor, será el menor y el servidor de todos. Él mismo, siendo el Señor, se rebajó voluntariamente a la condición de siervo y solo después se levantó resucitado y triunfante para ser entronizado en los más alto de los cielos como el Rey de reyes y Señor de señores. Si queremos aprender cómo debe ejercerce el poder Jesús es el ejemplo perfecto. Su humildad desafía todas las pretensiones humanas y juzga todo afán despótico y dictatorial. Pero, además, es el único que tiene el poder de cambiar nuestros corazones para que aprendamos a servir humíldemente guardando en el corazón la íntima convicción de que el amor, la justicia y la paz reinarán un día con el Rey para siempre.

ORACIÓN

Dios nuestro, ponemos nuestra vida bajo el reinado y la voluntad del Rey Jesús y Te pedimos nos enseñes a ser humildes y serviciales, especialmente, con los más sencillos para procurar la grandeza donde tiene su real valor, en el reino de los cielos. Por Jesucristo, siervo, Sacerdote y Rey lo pedimos. Amén.

 Salmo 111

EL PRINCIPIO DE LA SABIDURÍA ES EL TEMOR DEL SEÑOR

¿En qué consiste la verdadera sabiduría? A lo largo de toda la historia de la humanidad han surgido diversas tradiciones reigiosas, maestros, guías espirituales y escuelas de pensamiento tratando de responde a esta pregunta. Los griegos, por ejemplo, relacionaron la sabiduría con la capacidad de escapar al mundo de lo inmediato, de lo sensible, para alcanzar la iluminación a través del camino de la razón humana y crearon la filosofía. Pero aún nos seguimos preguntando ¿Dónde esta la fuente de verdad que nos guíe el entendimiento del significado y proposito de nuestra existencia?

El salmo 111 nos da una respuesta que nos sorprende por su brevedad. La sabiduría antes que un conocimiento racional consiste en una apertura del corazón que responde a la fuente de la verdad eterna que es El Dios creador, sustentandor y redentor. *"El temor del Señor es la base de la verdadera sabiduría; todos los que obedecen sus mandamientos crecerán en sabiduría"*. Sí, la sabiduría consiste en honrar a Dios que nos ha hecho a su imagen. Él es es origen y sustento de nuestra existencia y nos ha creado para Él. ¿Qué es nuestra vida aparte del Dios Creador? Las grandes interrogantes existenciales que a todos nos inquietan: ¿Quién soy yo? ¿De dónde vengo? ¿Cuál es mi destino? Solo pueden ser respondidas a partir de la referencia a la eterna divinidad.

Este conocimiento de Dios no solo tiene que ver con el intelecto, tiene que ver, sobre todo, con una relación. La vida en Dios es convivencia y comunión constante que acompaña y nos dirige a nuestro destino de acuerdo con su designio eterno y amoroso. Sin Dios nuestra vida es una barca a la deriva que navega sin rumbo en el mar del tiempo. Podemos intuir que hay una verdad más allá de nuestro entendimiento, intentar explicar el significado de la existencia humana, de alguna manera tendremos destellos de la verdad, pero jamás llegaremos a comprenderla hasta que nos contemplamos en el rostro de Dios. En nuestro rostro humano está reflejada la imagen misma del Creador que también se hizo concreta cuando se humanó en Jesucristo. Si nos sentimos extraviados, si la vida carece de sentido, si nuestro destino nos resulta absolutamente incierto, no es más conocimiento lo que necesitamos, necesitamos la sabiduría que nace en el corazón cuando nos volvemos a Aquel que nos formó y nos amó rescatandonos de nuestra miseria por medo de Su Hijo. Sabiduría es honrar a Dios, darle gloria en nuestra vida, vivir en adoración, dedicación y gratitud a su Nombre. Porque como el hijo extraviado que vuelve a casa habiendo andado muchos caminos sin encontrar lo que buscaba, así nos volvemos a Dios misericordioso para descubrir que en su casa, en la comunión con Él está la verdadera sabiduría y la alegría que le da plenitud y sentido a la vida. Los teólogos de la Asamblea de Westminster expresaron esta verdad de manera admirable en su respuesta a la pregunta No.1 del Catecismo Menor: *¿Cuál es el fin principal del hombre? El fin principal del hombre es el de glorificar a Dios y gozar de Él para siempre.*

OREMOS

He buscado por tanto tiempo la verdad mientras amoroso aguardabas mi regreso como el hijo pródigo; hoy me vuelvo a Ti, fuente de la vida misma para encontrar paz, perdón y alegría. Gracias por Tu paciencia amorosa que nunca dejó de esperarme. Amén.

Salmo 112

DICHOSA LA PERSONA QUE HONRA AL SEÑOR

Vivimos tiempos de gran confusión y desorientación espiritual. La verdad se ha vuelto relativa y el sentido de rectitud, honor, justicia y decencia parecen a la presente generación conceptos anticuados y en desuso, no es de extrañar, entonces, que hayamos perdido el rumbo y vivamos en un mundo en el que cada quien cuida sus propios intereses. El prójimo y lo que suceda con él ha dejado de importar. En el salmo 112 el salmista vuelve a uno de los temas fundamentales expresados al inicio mismo de este maravilloso libro inspirado: la senda de los justos y el camino de los malos con sus resultados correspondientes.

Hay dos maneras de considerar el éxito y la realización: a la manera de Dios, o a la manera de la cultura decadente en la que la muchos se encuentran atrapados. Esta cultura te dice: "se astuto, toma la ventaja, pasa por encima de la gente, defiende tus intereses, tú eres el que importas, haz valer tu palabra aunque no tengas la razón, que no pasen encima de ti, saca provecho de las personas y has los menos posible, porque de todos modos no te lo van a agradecer. Se realista, piensa en ti, tu no vas a resolver los problemas del mundo". Sorprendentemente este es el discurso de muchos motivadores y el contenido de algunos programas de superación personal.

El salmo 112 nos recuerda que el éxito a la manera de Dios va en el sentido opuesto. Comienza por deshacerse de un yo pretensioso y autosuficiente para reconocer que nuestra vida toda debe honrar a Dios y no exaltar nuestra persona: *"¡Alabado sea el Señor! ¡Qué felices son los que temen al Señor y se deleitan en obedecer sus mandatos! Sus hijos tendrán éxito en todas partes; toda una generación de justos será bendecida"*. Refiere aquí el salmista un éxito y una bendición que no solo traera a nuestra vida un sentido de bienestar y realización, sino que tal bienestar y realización acanzarán a la nueva generación, no solo porque Dios se complace en la persona justa dándole como premio una descendencia bendecida, sino que su misma vida será ejemplo, enseñanza y modelo a seguir a las nuevas generaciones.

Un vez más, como ya lo ha hecho en otros salmos, el escritor sagrado nos decribe el carácter de la persona que es bendecida por Dios, la persona justa es compasiva, generosa, gobierna sus asuntos con juicio, no vive preocupado de recibir mal ni por haber hecho mal; no guarda sus bendiciones para sí, vuelve su mirada al necesitado para repartir. Sobre todo, espera la bendición y la aprobación de Dios. ¡Qué extrañas parecen a la presente generación estos principios! Una gran verdad es enseñada aquí para referirse al éxito en su sentido más auténtico: honra a Dios y mantén tu integridad y serás bendecido. Los necios, aunque tenga un éxito temporal, está destinados al fracaso definitivo, *"se escabullirán avergonzados con sus esperanzas frustradas"*.

OREMOS

Señor, que difícil mantener mi integridad y vivir de acuerdo a la verdad en un mundo que aprueba el engaño y encomia el abuso al prójimo. Ayúdame a comprender que es Tú aprobación y bendición la que debo procurar. Dame la valentía para no comprometerme con el mal y la generosidad para mostrar a otros Tú compasión. Amén.

Salmo 113

¿QUIÉN COMO EL SEÑOR NUESTRO DIOS?

El Nombre de Dios merece alabanza. Esta alabanza y constante y universal: *"Desde ahora y para siempre; desde el nacimiento del sol hasta donde se pone"*. Dios está sentado en su trono por encima del universo mismo, su gloria llena los cielos y a tierra. Si tuviéramos por un instante fugaz un destello de su gloria, sin duda, caeríamos en tierra abrumados ante la majestad de su presencia. El salmista nos dice aquí que Dios es incomparable, y lo es por dos razones: porque no hay otro Dios, Él es el Dios único y verdadero, nadie participa de su gloria, por lo tanto, Él es único digno de nuestras alabanzas. Pero también es incomparable por el trato bondadoso que dispensa a su criaturas, especialmente a aquellas en las que nadie piensa o no parecen importar mucho. Su generosidad comienza por volver su mirada hacia nosotros, a la entera humanidad, y lo más maravilloso e inesperado es que Él mira a aquellos a quienes nadie mira. Levanta del polvo al menesteroso, vuelve su mirada a la estéril para concederle el don de la maternidad y hacerla habitar en familia.

A lo largo de la historia se han elaborado distintas visiones de Dios. Se le ha pretendido hacer cómplice de cosas tan atroces como la guerra, la conquista, el autoritarismo, la superioridad racial, la riqueza, en fin, de toda clase de causas. Cómo apunta George McDonald, algún día nos horrorizaremos frente a las cosas que ahora creemos de Dios. Este salmo da un giro a todas estas construcciones humanas y falaces que pretenden decirnos quién es Dios. Entretanto los poderosos del mundo piensan que hacen la historia, Dios va tejiendo y llevando adelante su propia historia, la verdadera, la que determinará el final de todas las cosas y el lugar que cada uno tendrá dentro de su reino eterno y victorioso. Si leemos la Biblia desde esta perspectiva, emergerá el carácter de este único Dios. Llamó a unos ancianos sin hijos llamados Abram y Sarai en su vejez concediéndoles milagrosamente un hijo con el propósito de bendecir a todas las familias de la tierra. Rescató a su pueblo oprimido y esclavizado en Egipto, los guió por el desierto y le dió una nueva tierra. De esa nación Dios levantó un reino que con el correr de los siglos traería al Salvador del mundo a la humanidad. Ciertamente Jesús nació en un hogar pobre, de una muchachita virgen recién desposada, en medio de una nación esclavizada, en una villa insignificante. ¡Quién lo hubiera creído! No se dieron cuenta de su llegada porque jamás hubieran imaginado que el Rey del cielo y de la tierra se manifestaría de esa manera. El mensaje es claro, Dios está donde menos creemos que está, mira a los que nadie mira, exalta a los que viven humillados. En su reino los pequeños e insignificantes son los que sientan en los lugares de honor. No es que un rico, poderoso o dictador no pueda entrar en el reino de los cielos. La condición primera es la humildad y el verdadero arrepentimiento. La puerta del reino es muy estrecha para que quepamos con nuestra vanidad y autosuficiencia. No, esto no se trata de la glorificación de la pobreza como virtud, sino de la esperanza de quienes aguardamos un mundo nuevo, donde todos cuenten y vivamos fraternalmente.

OREMOS

Tú sabes, Señor, que a veces me siento insignificante e ignorado. Gracias porque vuelves Tú mirada compasiva y amorosa hacia mi y me dice que te importó tanto que viniste a buscarme en persona vestido de humildad. Enséñame a volver mi mirada a quienes nadie parece ver, para mostrarles que hay un Dios que los ama y se interesa en ellos. Lo suplico humíldemente en el Nombre de Tu Hijo. Amén.

Salmo 114

EL SEÑOR CONVIRTIÓ LA PEÑA EN UN MANANTIAL

La experiencia de la liberación de Egipto donde fueron esclavos y su travesía por el desierto hacia la tierra prometida quedó grabado de manera tan definitiva en el pueblo de Dios que su memoria les acompañó siempre. El salmo 114 es un breve recuento de ese tiempo pasado que permanecía tan presente. Uno de mis más apreciados profesores dijo alguna vez una frase que se ha quedado conmigo: "Si el pasado te inspira, revive algo". El pasado era para el pueblo de Dios un recordatorio permanente de quién es ese Dios que de manera tan poderosa había intervenido en su historia. Eran, sin duda, el más insignificante de los pueblos, pero Dios puso su mirada en ellos y los amo de pura gracia. La elección divina y la incondicionalidad de su amor es el porque sí de Dios, porque así lo quiere y nada más hay que decir. He aquí el recuento: salimos de pueblo extranjero, y Dios quiso hacer su santuario viviendo entre nosotros y acompañándonos en nuestro peregrinar. Sucedieron maravillas, eventos milagosos e inexplicables para nuestro entendimiento, el mar se abrió para que pasaramos en seco, las montañas saltaron como corderos, la peña se convirtió en fuente para apagar nuestra sed en medio del desierto, el río se abrió a nuestro paso para darnos la bienvenida a la nueva tierra. ¡Que Dios tan maravilloso y hacedor de prodigios!

Ciertamente que no estuvieron libres de dificultades. La servidumbre en Egipto fue dura, el mar que atravesaron era profundo, el desierto se presentaba delante de ellos como un lugar inhospito e interminable, pero en medio de todas esas situaciones nunca anduvieron solos, la presencia constante de Dios les acompaño, los sustentó a lo largo de la travesía, les dio agua de la peña en medio del desierto, los defendió de sus enemigos y guió sus pasos en dirección a la tierra de la promesa. Sin duda nuestra experiencia refleja la experiencia del pueblo hebreo. El temor y la ansiedad quieren apoderarse de nosotros atándonos a la incertidumbre del mañana y a las necesidades del presente que no hallamos como resolver. Ciertamente que, a veces, nuestra vida parece un prolongado desierto. ¿Cómo podemos levantar el espíritu, mantener la fe, esperar lo mejor a pesar de lo peor, creer que atravezaremos ese desierto hacia las nuevas promesas y posibilidades aún por realizar. Como el salmista, recordemos el pasado. Si hemos llegado hasta donde nos encontramos hoy es porque nunca anduvimos solos, Dios caminó a nuestro lado, nos sostuvo en pie en medio de las dificultades proveyendo aquello que necesitábamos para continuar nuestro peregrinaje. Nunca dejó de bendecirnos. A pesar de todas las luchas y las pérdidas no caímos de manera definitiva porque Él fue nuestro amparo y fortaleza. Ciertamente Dios nunca prometió que no habría desiertos, que no vendrían luchas que pondrían a prueba nuestra fortaleza y paciencia, pero si prometió estar siempre a nuestro lado, fortalecernos y dirigir nuestros pasos, porque este momento que vivimos no determina toda nuestra vida, sino hacia donde dirige Dios nuestro caminar. Él está hoy y estará siempre con nosotros, nada puede cambiar ese hecho y, sin duda alguna, dirige nuestros pasos a un lugar de bendición.

OREMOS

Dios mío ayúdame a recordar que siempre has caminado a mi lado. Que mi mirada no este puesta en el mar inqueto de mis preocupaciones, ni en le desierto de mis necesidades, sino en Tú bendita presencia que no se aparta de mi. Que en medio de mi caminar por esta vida pueda tener siempre presente que, sin importar lo que suceda, para tus hijos e hijas, lo mejor está siempre adelante. Bendito se Tú Nombre por Jesucristo. Amén.

Salmo 115

ES TU NOMBRE EL QUE MERECE LA GLORIA

En la historia humana en general tres corrientes de pensamiento han surgido respecto a la existencia de Dios: la primera de ellas afirma que no existe ningún dios, estamos solos en el mundo por alguna clase de accidente azaroso; la segunda idea es que sí existe Dios, pero no sabemos si es un dios o varios dioses como lo han creído muchas culturas alrededor del mundo. El tercer pensamiento afirma que, sin lugar a dudas, hay un Dios, pero no sabemos si se interesa en nosotros y podemos relacionarnos con Él. Estas inquietudes respecto a la existencia de Dios han estado siempre presente en el ser humano que se inquieta y se pregunta respecto a su propia existencia y la realidad que lo rodea. El salmo 115 comienza con una declaración que afirma la suprema dignidad de Dios: *"No a nosotros, oh Señor, no a nosotros sino a tu nombre le corresponde toda la gloria, por tu amor inagotable y tu fidelidad".* Recién leí un artículo de un connotado teólogo que aborda el tema del ateísmo, es decir, la afirmación de que no hay un dios. En este artículo hace referencia al reconocido astrónomo Joseph Lalande, quien afirmaba que no creía en Dios porque *"todo puede explicarse sin él"* y, al mismo tiempo, *"no puede demostrárselo".* De lo que Lalande no se percató al hacer semejante afirmación es que, justamente, por ser el Creador y origen de todo lo que existe, Dios no puede ser explicado en términos de la razón humana.

Estas inquietudes acerca de la existencia o no existencia de Dios y su relación con el mundo han rondado la mente de la personas en cada época. En este salmo, el escritor se refiere a las gentes que le preguntan: ¿Dónde está tu Dios? ¿Será que ellos tienen otros dioses de los cuales sí puede dar evidencia? ¿Será que en realidad no creen que exista algún Dios? El salmista responde con una confesión extraordinaria que deja en claro quien es el Dios vivo y verdadero en el cual confía: *"Nuestro Dios está en los cielos y hace lo que le place"*, es decir, hace según su voluntad y nadie puede impedirlo.

Nuestro Dios no comparte su gloria con nadie, porque no hay otro Dios, todas las demás deidades son ídolos, dioses inventados que no hablan, no ven, no oyen, no huelen, no palpan y no andan. Semejantes a ellos son los que los fabrican y cualquiera que confía en ellos. El Dios único y verdadero que hizo los cielos y la tiera, es digno de toda nuestra confianza, es nuestra ayuda y defensor, nos ha bendecido y nos bendecirá. Es un Dios amoroso y fiel que ha querido por su voluntad y su gracia hacerse presente en nuestras vidas. Ese amor no se expresó desde lejos. Aunque no podemos representarlo porque cualquier figura que pretenda ser la imagen de su persona sería una reducción insultante de su gloria, Él quiso revelarse en persona, entrar en la historia de la humanidad, tomar un rostro y un nombre concreto en Jesús de Nazareth. No quiso decirnos desde lejos que nos amaba, vino en persona manifestando su gloria y su gracia que sobrepasa todo entendimiento para rescatarnos de nuestra miseria, pecado y mortalidad definitiva. ¿Cómo no creer en ese Dios? ¿Cómo no amarlo y servirlo? Así es que, tal como el salmista no guardamos silencio. Desde el corazón lo bendecimos desde ahora y para siempre.

OREMOS

Mi Dios, que a nadie más de la gloria que solo a Ti corresponde. Que agradecidamente pueda reconocer Tú bondad en mi vida. Gracias porque aun cuando no te veo puedo llamarte Padre y tener comunión contigo. Gracias por haber venido a revelarme en persona la gloria de Tú presencia y la bendición de tu inmerecido amor por mi. Gracias por Jesucristo. Amén.

Salmo 116

Tú, Señor, me libraste de la muerte

Leyendo la biografía del gran Leonardo Da Vinci, llamaron mi atención las palabras introductorias recogidas por el notario en su testamento: "El cual, considerando la certeza de la muerte y la incertidumbre de su hora, ha conocido y confesado en la dicha corte..." y enseguida se da constancia de sus últimas voluntades. Ciertamente no sabemos cuándo, dónde y de qué manera, lo que sí sabemos (aunque pretendamos ignorarlo) es que esa incierta hora llegará. La memoria de nuestra pasajera existencia quedará cubierta por el polvo del olvido, le importará a quienes nos conocieron y nos amaron en tanto seamos recordados. Hay un curiosa experiencia personal. Uno de mis tíos construyó su casa en una propiedad que alguna vez había sido un cementerio, el rescató muchas lápidas que acomodó para formar un pasillo que él solía llamarlo en tono de broma el camino de la muerte. Algunas veces mientras caminaba por ese pasillo me detenía a leer los nombres en las lápidas. Nombres desconocidos de personas fallecidas muchos años atrás, ¿Quienes fueron? ¿Cuál fue la historia de sus vidas? ¿Amaron y fueron amados? ¿Quién les lloró en su partida? ¿A quienes le importaron?

El salmo 116 es una acción de gracias por haber sido librado de la muerte. El escritor da constancia de que estuvo muy próximo a muerte, podría decirse que la vio a la cara. En medio de su desesperación invocó el nombre del Señor, y el Señor escuchó su oración desesperada y lo libró. ¿Qué es lo que le ocurrió? ¿Cayo gravemente enfermo? ¿Sufrió un repentino accidente? ¿Sus enemigos le salieron al paso con la intención de arrebatarle la vida? El salmo no nos da una respuesta, pero si nos hace saber que estuvo a las puertas de la morte y fue librado por la misericordia de Dios.

En estos días terribles en los que hemos estado rodeados de tanta enfermedad y muerte hemos tomado conciencia de lo frágil que es nuestra condición humana. ¿Realmente importamos? Además de nuestros seres amados, ¿valemos para alguien más? Después de haber sido librado de la muerte el salmista sabe, por cierto, que importamos para Dios y escribe: *"Al Señor le conmueve profundamente la muerte de sus amados"*. Ciertamente, Dios tiene cuidado de nosotros. Andamos errantes por la vida pero el Señor acompaña nuestros inciertos pasos y con designio amoroso nos conduce. Esta es la confianza que ahora acompaña al salmista después de su angustiosa experiencia: *"Que mi alma descanse nuevamente, porque el Señor ha sido bueno conmigo. Me rescató de la muerte, quitó las lágrimas de mis ojos, y libró a mis pies de tropezar. ¡Así que camino en la presencia del Señor mientras vivo aquí en la tierra!"* De cuántas dificultades nos ha librado Dios, cuántas veces nos ha levantado de la postración, y si nos ha dado una oportunidad de vida después de una experiencia cercana a la muerte o de una grave enfermedad, Dios en su misericordia, nos ha extendido una prórroga. Nunca podremos pagar su inmensa bondad, pero, ciertamente debemos vivir agradecidamente por cada día que se nos concede.

ORACIÓN

Te doy gracias mi Dios porque me has librado tantas veces, muchas de las cuales ni siquiera tuve conciencia del reisgo que corría. Nunca podré agradecerte suficientemente, pero te consagro mi vida que te pertenece. Contigo a mi lado nada temo. Tu guías mis pasos, me forteleces y confortas, me guardas de la angustia y me das la bendita seguridad de que mi vida está siempre segrura en Tus manos. Amén.

Salmo 117

USTEDES, NACIONES TODAS, ¡ALABEN AL SEÑOR!

El salmo 117 en su brevedad bien expresa el sentido y el sentimiento más auténtico de todo lo que está escrito en los salmos: Dios es digno de la adoración del conjunto de las naciones. Sea que se le reconozca o no, Él bendice a todas sus criaturas y a la humanidad entera. La bondad providencial de Dios no hace distinciones. Tal como dice el Señor Jesús, *"Él da la luz de su sol tanto a los malos como a los buenos y envía la lluvia sobre los justos y los injustos por igual"* (Mateo 5:45. La sola generosidad divina debiera movernos a la gratitud y a la adoración. ¿Qué somos aparte de Dios? En este sentido, aun quien se considera un no creyente vive constantemente reconociendo a Dios, aunque no lo confiese. ¿Cómo es esto? El incrédulo pisa el suelo y se sustenta de la buena creación de Dios, sabe que a la noche seguirá el día, que a la primavera seguirá el verano, que el mundo seguirá girando en su eje y en su órbita en la misma dirección. El incrédulo puede acercarse a los fenómenos de la naturaleza y de la vida sabiendo de antemano que funcionan de acuerdos a leyes y principios que los gobiernan y por eso las cosas tienen una explicación racional. Así es que cada vez que el incrédulo respira, camina, eleva sus vista al cielo, recibe los rayos del sol, o se adentra en los misterios del mundo y de la vida está reconociendo que el universo tiene sentido y se conduce con orden y designio. Solo su ceguera y su mente oscurecida y vanidosa le impide ver lo evidente.

El salmo 117 es una expresión de exaltada adoración, una invitacion a todos los pueblos a dar alabanzas a Dios. Es muy interesante notar que esta adoración universal tiene expresiones muy propias de cada cultura. Cada pueblo en su lenguaje, con su música propia, con sus instrumentos y colores característicos exalta a Dios. ¡Qué maravillosa y rica esta diversidad en la que cada pueblo y nación alaba con voz propia! Tal como las instrumentos de una orquesta, cada uno en su tesitura, creando una perfecta armonía, como las distintos matices de los hilos que forman un bello tapiz o la diversidad cromática de un arco-iris que nos regala su impresionante belleza. La Biblia misma nos da un destello de este conjunto armónico unido en una sola voz y un solo corazón para exaltar al Dios eterno en una visión anticipada del cielo mismo: *"Después de esto vi una enorme multitud de todo pueblo y toda nación, tribu y lengua, que era tan numerosa que nadie podía contarla. Estaban de pie delante del trono y delante del Cordero. Vestían túnicas blancas y tenían en sus manos ramas de palmeras. Y gritaban con gran estruendo: ¡La salvación viene de nuestro Dios que está sentado en el trono y del Cordero!" (Apocalipsis 7:9-10).*

Cuando unimos la diversidad de nuestras voces en concierto universal estamos aniticipando el cielo mismo. Hay aquí un llamado implícito a abrirnos a los demás, a tender puentes de reconciliación entre personas y pueblos, a agradecer juntos las bendiciones de Dios y hacer de nuestras diferencias una armonía de fraternidad. Los motivos para adorar a nuestro Dios son muchos, pero el salmista nos refiere dos de ellos: Porque Él ha engrandecido su misericordia sobre nosotros y su fidelidad es para siempre. Aleluya.

OREMOS

Que maravilloso estar en Tu presencia y adorarte Dios mío, darte gracias por tus innumerables e inmerecidas bendiciones, pero no deseo hacerlo solo, quiero unirme a mis hermanos y hermanas y con nuestras diversas voces darte a Ti un sola adoración que Te sea grata. Te alabamos Dios nuestro, hoy y siempre por Tu misericordia y fidelidad. Amén.

Salmo 118

ALABEN AL SEÑOR PORQUE ÉL ES BUENO

El salmo 118 es la conclusión de un conjunto de salmos que comprenden del 113 al 118 conocido entre el pueblo hebreo como el Gran Hallel. Estos salmos solían recitarse al final de la celebración de la Pascua. El salmo está muy relacionado con dos momentos notables de la semana de la pasión de nuestro Señor Jesucristo. En su entrada triunfal a la ciudad de Jerusalén la multitud le aclamó con palabras de este salmo: *"Te rogamos, Señor, por favor, sálvanos. Te rogamos, por favor, Señor, haznos triunfar. Bendigan al que viene en el nombre del Señor".* El otro momento fue, precisamente, en la celebración de la Pascua el jueves por la noche, un dia previo a su juicio y crucifixión, en esa ocasión el Señor Jesús instituyó el sacramento de la comunión. Al finalizar la celebración el evangelio nos dice que cantaron el himno; se refería sin duda al Gran Hallel.

Este es un salmo de confianza que inicia y concluye con las mismas palabras: *"Alaben al Señor, porque él es bueno; porque para siempre es su misericordia".* El salmista levanta su corazón a Dios lleno de gratitud porque la misericordia de Dios se ha manifestado en su vida. No solo desea alabarle de manera personal, es tal su gratitud que invita a todo el pueblo a unirse a su adoración. Hace un recuento de como la misericordia de Dios se ha manifestado en su vida. Escuchó su oración cuando clamó a Él en medio de la angustia. La angustia se siente como estrechez, opresión, como estár encerrados en un espacio muy reducido. Sabemos lo que esto significa en estos tiempos difíciles en los que nos hemos visto confinados. El confinamiento no ha sido sólo físico, también emocional, trayéndonos ansiedad, temor y una sensación de incapacidad frente a las circunstancias frente a las cuales no tenemos control alguno. Miren como expresa el salmista la manera como Dios lo libró de la terrible y devastadora estrechez: *"Desde la angustia invoqué al Señor, y me respondió poniéndome en lugar espacioso".* El salmista continúa haciendo un recuento de la misericordia de Dios en su vida. Dios está conmigo, me conforta, me defiende de quienes me quieren hacer daño, me da fuerza para hacer frente a las adversidades, me libra y me sana de la enfermedad. Por cierto, estuvo cercano a la muerte y Dios lo levantó de tal manera que, aquello que fue una vez angustia de muerte, se volvió en un canto de gratitud: *"No moriré, sino que viviré, y contaré las obras del Señor".* ¡Qué extraordinaria la imagen la que nos presenta este salmo de quién es nuestro Dios! *"El Señor es mi fuerza y mi canción; me ha dado la victoria...¡El fuerte brazo derecho del Señor ha hecho proezas gloriosas! El fuerte brazo derecho del Señor se levanta triunfante. ¡El fuerte brazo derecho del Señor ha hecho proezas gloriosas!"* Cuando atravezamos por situaciones en las que nuestra fe, paciencia y fortaleza es puesta a prueba, la gran pregunta no es: ¿Seré capaz de soportarlo? La gran pregunta es: ¿Confío en el Dios de gracia y poder que es más grande que todos mis problemas? Si nuestra confianza está en Dios, seremos fuertes y pasaremos por la prueba hacia nuevas bendiciones y oportunidades.La prueba no nos derrotará, al contrario, nos hará ver la bondad de nuestro Dios y así nuestra fe será fortalecida de tal manera que, como el salmista, cantaremos diciendo: *Alaben al Señor porque Él es bueno, porque para siempre es su misericordia.*

OREMOS

Sabes bien, mi Dios, que desespero, las dificultades y la angustia me han encerrado en la cárcel de la desesperación, pero Tú escuchas mi oración y vienes en mi ayuda en los momentos de necesidad, me libras de la angustia, me confortas, me levantas y bendices. Bendita sea Tú misericordia po Jesucristo Tu Hijo. Amén.

Salmo 119

OH, CUÁNTO AMO YO TU LEY

El salmo 119 es un salmo acróstico. Esta dividido en 22 secciones de acuerdo a la letras del alefato hebreo, cada uno de los ocho versos que componen las estrofas comienza con una de esas letras en forma consecutiva. El salmo tiene un tema central que se ve reflejado en cada una de los líneas que lo componen. Este tema es el valor inestimable que tiene la Palabra de Dios para el creyente. El escritor inspirado usa diferentes términos para referirse a ella: decretos, ley, estatutos, mandamientos, enseñanzas, ordenanzas. Cada uno de estos terminos enfatiza la rica diversidad de la revelación divina. Tal revelación contiene abundante bendición y verdad para quien la procura con todo su corazón para leerla, meditarla, creerla y sobre todo, vivirla. La Palabra de Dios es fuente de sabiduría, verdad, justicia, perdón, restauración, salvación y ciertamente un camino de vida para quien considera sus enseñanzas. Naturalmente el salmista tiene en mente lo que los judíos llamaban la Torah compuesta por los primeros cinco libros de la Biblia hebrea, conocidos como los libros de Moisés. Los demás escritos de la Biblia vendrían después y, posteriormente, los libros del Nuevo Testamento que giran en torno a la vida, ministerio y doctrina de nuestro Señor Jesucristo. Así es que para nosotros los cristianos la Palabra de Dios es toda la Escritura, Antiguo y Nuevo Testamento. Toda ella es revelación divina, palabra inspirada del Espiritu Santo, enseñanza y camino de vida y salvación que nos conduce a la verdad que es una persona, el Hijo de Dios, Cristo Jesús.

Sin duda, todos conservamos un ejemplar de la Biblia en nuestros hogares, incluso, tenemos acceso a ella de manera inmedita y gratuita a través de los dispositivos electrónicos, ¡Como nunca antes la Palabra de Dios está al alcance de todos! Nos preguntamos, entonces, porqué nuestra sociedad ha empobrecido tanto moralmente, porque el egoismo, la injusticia, la destrucción de la buena creación de Dios sigue aumentando, porqué hay tanta confusión, desamor, mentira, insatisfacción y falta de sentido en la vida. No basta tener acceso a la Biblia, es necesario valorar, creer y vivir su mensaje, de otra manera, aunque esté a la mano, sus verdades divinas siguen siguen siendo desconocidas. ¡La Biblia con toda su divina enseñanza sigue siendo un libro cerrado para quien no lo lee y medita!

Hubo un hombre de mi pueblo que siempre vivió de la caridad de la gente, vestía andrajos y viviá miserablemente, cuando murió solo en su casucha de cartón y lámina encontraron muchos recipientes con dinero, el hombre poseía un tesoro y pudo haber vivido holgadamente. Así ocurre con nosotros, vivimos miserablemente en términos morales y espirituales teniendo un gran tesoso en casa. El samista habla del valor inestimable de la Palabra de Dios, nos dice que es más dulce que la miel, mas valiosa que el oro más refinado, y una lámpara que guía nuestro pasos por el camino seguro de la voluntad de Dios. Abramos este tesoro y descubarmos sus riquezas eternas. Como el salmista digamos: *"Estudiaré tus mandamientos y reflexionaré sobre tus caminos. Me deleitaré en tus decretos y no olvidaré tu palabra"*.

OREMOS

Señor, abre mi ojos, para que pueda ver las maravillas de Tu ley. Despierta en mi un deseo ardiente de conocerte más y más a través de Tu Palabra. Que sus verdades me guíen en el camino de Tú voluntad y aprendiendo de ella pueda guiar a otros por el sendero que conduce a la vida abundante que nos ofreces en Cristo Tu Hijo. Amén.

Salmo 120

AL SEÑOR CLAMÉ ESTANDO EN ANGUSTIA Y ÉL ME RESPONDIÓ

El salmo 120 abre un conjunto de composiciones conocidas como cánticos graduales o salmos de subidas que comprenden los salmos del 120 al 134. Adoptan este nombre porque son cantos que los peregrinos, venidos de todas partes de Palestina y de la dispersión, entonaban mientras subían hacia la ciudad de Jerusalén para celebrar las fiestas religiosas de su pueblo. Estos cantos mezclaban la alegría de encontrarse con su pueblo y la melancolía de vivir lejos de la tierra amada. ¡Qué fiesta aquella de reunirse nuevamente en esa tierra sagrada ante Dios en su santuario! Si alguna vez hemos estado fuera de nuestro terruño sabemos de la nostalgia por la tierra amada, su gente, sus comidas, su música. Cuántas canciones populares se han escrito para celebrar la alegría de regresar a casa.

El salmo 120 expresa precisamente el sentir de quien habita en una tierra lejana y extraña donde no es muy bien aceptado. Nos dice que ha vivido por mucho tiempo entre personas de labios mentirosos y lengua fraudulenta, personas que aborrecen la paz. ¡Qué difícil situación! Su alma se agita constantemente en medio de la desesperación de sentirse amenazado, tratando de sobrevivir y mantener sus convicciones en un ambiente totalmente extraño y adverso.

La Biblia dice que somos extranjeros y peregrinos en este mundo, ciudadanos del reino de Dios viviendo en medio de una cultura de corrupción, violencia, muerte y desigualdad. Tal como el orante de este salmo desesperamos indignados frente al mal del mundo. Por una parte, no olvidemos que estamos de paso, que esta vida y este mundo no son nuestro hogar definitivo, caminamos hacia el hogar eterno, la Casa del Padre, donde todos seremos reunidos como se reunían los peregrinos en Jerusalén, por otra parte, no podemos permanece indiferentes ante el pecado del mundo, estamos llamados a ser una influencia positiva y transformadora: luz en la oscuridad, verdad en medio de la mentira, amor en medio del odio y la indiferencia, y servicio humilde en una sociedad que adora el poder.

La tentación que enfrentamos en medio de esta cultura decadente en la que vivimos es doble: aislarnos, vivir una religión solipsista, indiferente y alejada de la realidad o, por otro lado, dejarnos llevar por la corriente de este mundo haciendo como hacen los malos, pensando que nada más podemos hacer. No cedamos a esa tentación. El mal y la mentira no son para siempre, pero si la verdad y el amor. No olvidemos que quien cree en la verdad, la bondad y la justicia, tiene a Dios de su lado. Él hará que nuestros débiles esfuerzos sean bendecidos de tal manera que otros recibirán la luz del reino de Dios para volverse a Él. Si desesperamos, recordemos que en nuestra comunión con Dios a través de la oración recibiremos nuevas fuerzas para cumplir nuestro llamado. Hagamos nuestra la oración del salmista: *"Al Señor clamé estando en angustia y Él me respondió"*

OREMOS

Señor, dame el anhelo de la comunión contigo, que, aún rodeado de mentiras siga creyendo en la verdad. Concédeme ser una luz y una huella que señale camino por donde voy pasando en dirección hacia Tu casa. Dame fortaleza y valentía para nunca renunciar al bien. Amén.

Salmo 121

MI SOCORRO VIENE DEL SEÑOR

El salmo 121 se conoce como el salmo del viajero y, ciertamente, es una designación muy apropiada, pues este es uno de esos salmos que los peregrinos venidos de todas partes, entonaban en el trayecto hacia la ciudad santa de Jerusalén. A lo largo de las épocas este canto ha acompañado el viaje de miles y miles de personas en sus travesías. Por algunos años, en la época de mayor riesgo e inseguridad en nuestro país viajé frecuentemente hacia la frontera norte por razón de mis estudios académicos, cada ocasión las palabras de este salmo me comunicaron la confianza y la seguridad que necesitaba en esa carretera interminable en la que muchas veces conduje solas, aunque, maravillosamente acompañado por la presencia de Dios. El salmo inicia con estas palabras: *"Elevo mis ojos a los montes; ¿de dónde vendrá mi socorro? Mi socorro viene del Señor, creador del cielo y de la tierra"*. La altura y la estabilidad inamovible de las montañas nos recuerda permanentemente la grandeza y la majestad de nuestro Dios y su inquebrantable fidelidad. Las alturas nos refieren hacia el lugar de la presencia de Dios que tiene en sus manos el universo entero y nuestras vidas. Cuando estamos en medio de las dificultades, la confusión y al prueba, no nos dejemos atrapar por la angustia, no miremos solo lo inmediato, levantemos nuestros ojos al cielo y recordemos que Dios no deja de mirar por sus hijos e hijas. Él es más grande que nuestros temores y dificultades. Esto nos dará una perspectiva distinta de la realidad que nos rodea. Nuestra visión solo considera lo inmediato, lo que está sucediendo, pero desde el cielo mismo Dios sabe lo que viene adelante en el camino y nos va guiando y cuidando a cada paso. Nunca olvidemos que Dios es nuestro guardador y nuestra vida está siempre segura en su benditas manos. El salmo describe este cuidado divino de maneras muy ilustrativas: *"El Señor no dejará que resbales; el que te cuida jamás duerme...El Señor es tu protector; el Señor es como tu sombra"*. Cuando de cuidar a los suyo se trata Dios no parpadea. Ahora bien, todo esto no significa que no habrá incidencias en el camino, pasajes difíciles y oscuros. La bendita seguridad que tenemos es que nunca vamos solos, siempre acompañados, protegidos y dirigidos por su presencia divina. Este salmo nos comunica una gran seguridad, es un recuerdo del permanente cuidado divino. Ciertamente que a veces el camino se torna cuesta arriba y nos parece interminable. Cuando atravezamos por una gran dificultad, nuestras fuerzas decaen y nos resulta difícil seguir adelante, nuestro ánimo se debilita y se nos cae a tierra, pero de Él viene siempre ayuda, *"Ni el sol te fatigará de día, ni la luna te agobiará en la noche"*. En días luminosos y sombríos seguiremos adeante porque su gracia y su poder nos levantan y nos sostienen para ir más allá de nuestras fuerzas como llevados en alas de águila. *"El Señor te librará de todo mal; el Señor protegerá tu vida"*. Como los peregrinos hacia Jerusalén en todos nuestros andares fatigosos podremos decir con profunda seguridad y convicción: *"El Señor te estará vigilando cuando salgas y cuando regreses, desde ahora y hasta siempre"*.

OREMOS

Gracias mi Dios porque si he llegado hasta aquí, a este momento en la vida es porque Tú caminaste siempre a mi lado. Puedo seguir adelante con la confianza de que nunca te apartarás de mí. Y si mi camino se vuelve difícil, cuesta arriba, concédeme levantar mis ojos al cielo para recordar que Tú me guardas y renuevas mis fuerzas para seguir adelante. Amén.

Salmo 122

La paz sea contigo

El salmo 122 expresa la alegría de los peregrinos que se van encontrando en el camino en dirección hacia la ciudad santa de Jerusalén. Allí, en el santuario, se encontrarán con su Dios y vivirán la bendita y milagrosa comunión de quienes se se saben un solo pueblo y una sola familia bajo la bendición y el cuidado divino. ¡Qué alegría volver a verse despúes de tanto tiempo! Al encontrarse se saludan alegremente con estas palabras: *"Vamos a la casa del Señor"*. La amistad y el compañerismo son una bendicion de Dios. Hoy vivimos en un mundo en el que, no obstante, las distancias se han acortado a través de la internet y las redes sociales, un creciente individualismo ha propiciado que las personas se sientan cada vez más aisladas. Es un hecho que más y más personas se sienten solas, desilusionadas por relaciones rotas y afectos insatisfechos. A medida que se han acrecentado las comunicaciones virtuales, ha crecido también la distancia afectiva. Por supuesto que el uso de las redes sociales tienen una gran importancia, pero hay un riesgo sutil del que no siempre estamos conscientes, el creer que estas redes sustituyen los lazos fraternos y amorosos que solo se experimentan en la convivencia persona a persona. En la medida en la que hacemos más uso de las redes sociales nos distanciamos de la personas y el sentimiento de soledad se acrecienta. Hay una razón para ello, fuimos creados para vivir en relación, es parte de la esencia y condición humana con la cual

Dios nos hizo a su imagen y semejanza. Una idea equivocada que se tiene de Dios es que Él es un ser solitario viviendo sin compañía en la majestad y grandeza de su ser inacccesible. Nada de eso, Dios es un ser relacional que en la eterna y feliz comunión del Padre, el Hijo y Espíritu Santo vive de manera plena y perfecta el gozo de la comunión, y lo más maravilloso es que Él ha querido invitarnos a experimentar ese mismo gozo al llamarnos a ser sus hijos e hijas. El pueblo que marchaba hacia el santuario de Jerusalén lo sabía muy bien, y en ese andar juntos, se animaban unos a otros caminando en una misma dirección hacia la Casa de Dios. La comunión es poderosa, acrecienta nuestra esperanza, aligera nuestras cargas, nos invita a construir una nueva realidad fraterna e inclusiva. Entretanto andaban, iban cantando y orando y esta era su ruego: bendice a la ciudad santa de Jerusalén, *"que sean prosperados los que te aman. Sea la paz dentro de tus muros y el descanso dentro de tus palacios"*. Esto es lo que tanto necesitamos en nuestro mundo y en nuestras vidas: prosperidad, paz y descanso, no para unos cuantos, sino para todos. ¿Cómo vamos a enfrentar y superar los desafíos en un mundo lleno de violencia, deisgualdad y desamor? Solo deseando y trabajando activamente por la paz en todos los órdenes de la existencia. Jesús habló de ese compromiso solidario en el Sermón de la Montaña,él dijo: *"Bienaventurados los pacificadores porque ellos serán llamados hijos de Dios"*. (Mateo 5:9) ¿Por dónde ha de comenzar este compromiso? Por volvernos a quien está a nuestro lado, y en una nueva actitud decidir mirar en una misma dirección hablando un nuevo lenguaje, el lenguaje de la paz: *"Por amor de mis hermanos y mis compañeros diré yo: la paz sea contigo. Por amor a la casa del Señor nuestro Dios buscaré tu bien"*.

OREMOS

Gracias Dios mío porque me invitas a la comunión contigo, una comunión que es alegría y armonía. Quiero ser un constructor de la paz, de puentes que comuniquen, que convoquen a la fraternidad, no quiero ser muralla. Aquí están mi corazón y mis manos junto a las de mis hermanos para trabajar por un mundo mejor. Amén.

Salmo 123

MUÉSTRANOS TU BONDAD, SEÑOR

Cuántas veces hemos nos hemos expresado de esta manera: "Estoy harto". Es un término muy fuerte que refiere hastío e impaciencia, pero también, el ánimo afligido de quien bajo el peso de la desesperación se siente agobiado y próximo a la derrota frente a los males y dificultades que le aquejan. "Estoy harto", es lo que nos dice aquí el salmista, ¿qué es lo que lo ha llevado a ese estado? Recordemos que este salmo forma parte de la sección conocida como cánticos graduales o salmos de subidas, que eran entonados por los peregrinos venidos de todas partes de la dispersión mientras subían a la ciudad de Jerusalén. Vivir lejos de casa, de la gente que conocemos, de la familia, produce un sentimiento de extrañeza y de lejanía. Muchos de estos peregrinos vivían como extranjeros en ambientes adversos en los cuales no eran aceptados y sí sometidos al rechazo, la exclusión y la discriminación. Aquellos que viven más allá de la frontera norte, en tierra extraña como indocumentados pueden entender muy bien el sentimiento de estos peregrinos que por necesidad también debieron emigrar hacia otros pueblos. Así es que el salmista aquí da rienda suelta a su desesperación ante Dios mismo con estas palabras: *"Ten misericordia de nosotros, Señor, ten misericordia porque ya estamos hartos de tanto desprecio. Ya estamos más que hartos de las burlas de los orgullosos y del desprecio de los arrogantes"*. A veces en medio de nuestras quejas alguien nos ha dicho: "No reniegues de Dios porque te va a ir mal". En realidad Dios es tan paciente y compasivo que soporta nuestras quejas porque Él mira lo que nadie más puede mirar, nuestro corazón. Sus brazos siempre están abiertos para recibirnos paternalmente. Somos humanos, estamos hechos de un material frágil; somos vulnerables, nos cansamos, nos dolemos, y Dios lo sabe y se compadece. No obstante, a la queja hay que añadir la oración confiada. Vamos con nuestras cargas delante de Dios, exponemos nuestra queja no solo porque sabemos que Él nos escucha, sino también porque tiene una respuesta a nuestra necesidad y podemos esperar siempre en Él. Así en que, en todo tiempo y circunstancia, especialmente cuando nos sentimos solos o menospreciados alcemos nuestra mirada a Dios. Esta expresión: *"A tí alce mis ojos, a tí que habitas en los cielos".* No solo significa buscar la ayuda divina, sino también mirar más allá. Con frecuencia nos encerramos en el problema, quedamos prisioneros de la ansiedad, dejamos que la desesperanza y la derrota inunde nuestro corazón. Debemos mirar más allá de esa circunstancia, volver nuestra mirada a Dios que sigue reinando en su trono y nos ama y sabe de qué cosas tenemos necesidad. Así es que en medio de la crisis, el aislamiento y la incomprensión miramos en dirección a Dios buscando de Él consuelo, provisión y fortaleza. Para Dios nunca somos extranjeros, nunca estamos más allá de su presencia, dondequiera que vayamos somos sus hijos e hijas amados. Por eso, mientras andamos por la vida estemos atentos al camino, pero también con la mirada hacia lo alto. Nunca olvidemos que Dios acompaña y guía nuestros pasos.

OREMOS

Levanto mis ojos a ti, oh Dios, entronizado en el cielo. Seguimos buscando Tú misericordia Señor nuestro Dios, así como los sirvientes fijan los ojos en su amo y la esclava observa a su ama, atenta al más mínimo gesto. Gracias porque en nuestra necesidad podemos esperar siempre de Ti bendición. Amén.

Salmo 124

Nuestra ayuda viene del Señor

Cuántas veces hemos expresado estas palabras: "qué hubiera sucedido si…" al considerar las situaciones problemáticas y de riesgo por las que atravezamos y fuimos librados. El mal no nos alcanzó. Esta es, precisamente, la reflexión del salmo 124. Nuestra mente se llena de sombrías posibilidades pensando en todas las cosas terribles que hubieran podido suceder, viene un respiro al alma y decimos: "Qué bueno que no ocurrió". Recuerdo el relato de unos queridos amigos que, viajando de noche con su familia en su automóvil, quedaron en medio de intenso tiroteo y ninguna bala los alcanzó. ¿A qué atribuimos este hecho tan extraordinario? Algunos lo llaman suerte. Se suele decir: "No les tocaba". En realidad, lo que llamamos suerte no existe, porque si nuestra vida está expuesta al azar sin sentido, entonces, no hay lugar para la confianza y la fe. El salmista reflexiona sobre el camino andado y las muchas situaciones de enorme riesgo y de inminente peligro de muerte de las que fueron librados milagrosamente por el poder y la misericordia de Dios que, cuando de cuidar sus hijos e hijas se trata, no parpadea. Así narra el salmista su propia experiencia y la experiencia de su pueblo: *"¿Qué habría ocurrido si el Señor no hubiera estado de nuestro lado cuando nos atacaron? Nos habrían tragado vivos en el ardor de su enojo. Las aguas nos habrían envuelto; un torrente nos habría inundado. Así es, las impetuosas aguas de su furia nos habrían ahogado hasta la vida misma"*. Hay situaciones limites en la vida ante las cuales estamos totalmente inermes y nuestra vida e integridad está en riesgo; ante tales situaciones nuestras recursos, fuerzas e inteligencia resultan inútiles. Sencillamente las circunstancias nos rebasan. La gran pregunta, entonces es: ¿Estamos en manos de un destinos ciego e impersonal o en la manos de Dios? Por cuantas situaciones llenas de riesgo había pasado el pueblo de Dios, cuantas batallas desventajosas habían enfrentado con escazas fuerzas y débiles armas, frente a ejercitos numeroso y bien pertrechados. Habían salido de Egipto, atravezado el mar, el desierto, el río, el fuego y Dios los libró siempre preservando su vida y la vida de las futuras generaciones. *"Nuestra alma escapó cual ave de los cazadores; se rompió el lazo, y escapamos nosotros"*, escribe el salmista en su cántico de confianza y victoria. Todos podemos hacer puede hacer un recuento de esas ocasiones en las que estuvimos inermes frente a las circunstancias y de pronto, las cosas sufrieron un cambio inesperados y fuimos librados. Sin embargo, cuántas veces hemos sido librado sin darnos cuenta. Pensando en esto nuestro lenguaje debe dar un giro también: en vez de decir: "que tal si hubiera pasado esto o aquello" a "Gracias a Dios que con su poder nos protegió y nos preservó la vida". Sí, debemos tomar conciencia de que nuestra vida no está en manos de un destino ciego o azarozo, sino en la manos de Dios que nos guarda constantemente. Esto no quiere decir que nada malo ha de sucedernos nunca, pero sí que Dios sabe lo que hace y guardará nuestra alma misma para la eternidad de los ataques del malo. Así es que digamos con la misma convicción del salmista: *"Nuestro socorro está en el Nombre del Señor que hizo el cielo y la tierra"*.

OREMOS

Gracias Dios por las muchas veces que me has librado de grandes riesgos y peligros. Ayúdame a no olvidar jamás que mi vida está en tus manos y en ellas está segura para la eternidad. Dame fe y confianza para esperar de Ti socorro en todo tiempo. Amén.

Salmo 125

SEÑOR, BENDICE A LOS
QUE HACEN EL BIEN

¿Dónde radica la estabilidad y la fuerza de una persona? El salmo 125 responde a esta pregunta: *"Los que confían en el Señor están seguros como el monte Sión; no serán vencidos, sino que permanecen para siempre"*. Este es uno más de los cánticos graduales que los peregrinos entonaban cuando caminaban en dirección a la ciudad santa de Jerusalén. El templo estaba situado en lo alto del monte Sión que evocaba a los pergrinos aquello que tiene fortaleza, estabilidad y permanencia. La altura y la estabilidad de las montaña tienen una doble referencia; por un lado, evocan la grandeza de Dios, su eterna majestad y fuerza en la que podemos apoyarnos siempre; por otra parte, son una referencia al carácter de la persona justa, aquella que permanece firme en su convicciones, que es estable en su carácter, que no negocia su integridad, que no vende su conciencia y, sobre todo, honra a su Dios. Las personas justas no se preocupan de lo que piensan los demás respecto a su manera de proceder, solo les preocupa solo el juicio de Dios ante quien nuestras acciones, pensamientos e intenciones son un libro abierto.

Ciertamente que así como las montañas permanecen impasibles en medio de la furia de los elementos, las personas justas mantienen sus convicciones en medio de la confusión y la desestabilización. Cuando los demás cambian convenientemente como la veleta al viento, o son arrastrados por la multidud devoradora, los justos, permanecen firmes como las montañas. Desde la altura de su carácter tienen una mejor visión de las circunstancias, no se prestan a la mentira, al atropello del débil, a la ganancia deshonesta. Su conciencia no se vende, sus convicciones no se negocian. Aman cuando los demás odian, hacen bien a su prójimo, cuando los demás buscan solo su conveniencia, son activos promotores de la paz, la reconciliación y la fraternidad, en medio de un mundo lleno de odios, límites y murallas que dividen. Su estatura espiritual establece la medida que las personas deben alcanzar para construir una mejor sociedad.

Las persona justas son la complacencia de Dios y tienen una promesa de Él que el salmista menciona aquí: *"Así como la montañas rodean Jerusalén, así rodea el Señor a su pueblo, ahora y para siempre. Los perversos no gobernarán la tierra de los justos, porque entonces los justos pordría ser tentados a hacer el mal"*. Esto es lo que el Señor Jésus nos enseña que pidamos en el Padrenuestro: *"No nos metas en tentación más líbranos del mal"*.

Nos preguntamos porqué el mal del mundo. Martin Luther King, el gran luchador pacifista por los derechos de la gente de color en los Estado Unidos, escribió: *"Lo malo de lo malo, no es que los malos hagan el mal, sino que los buenos han dejado de hacer lo bueno"*. ¡Qué palabras tan desafiantes! ¡Qué llamado al compromiso! Hagámos nuestra la oración confiada del salmista aquí: *"Oh, Señor, haz bien a los que son buenos, a los que tienen el corazón en armonía contigo"*.

OREMOS

Dios nuestro, ayúdame a contemplar desde las alturas de un carácter que aspira al cielo, la realidad confusa que parece dominar el mundo, para no perder de vista lo que es justo y bueno. Dame la valentía para mantenerme firme como una montaña en Tú voluntad, creyendo y haciendo el bien. Gracias, mi Dios, por permanecer a mi lado dándome fuerza para hacer lo que es bueno sin importar las consecuencias. Amén.

Salmo 126

ESTAREMO ALEGRES

Revivir los gratos recuerdos alegra el corazón. Amamos retornar a los sitios en los que vivimos tiempos felices. El pueblo donde nacimos, la casa en la que crecimos, la escuela donde estudiamos y ese lugar tan especial en el que nos enamoramos y experimentamos la emoción del primer beso. Muchos de estos sentimientos llenaban el corazón de los peregrinos que marchaban hacia Jerusalén la ciudad sagrada, un sitio entrañable asociado al santuario que evocaba la presencia de Dios y el especial amor que Él profesaba a su pueblo. El salmo 126 nos describe esta emocion. Alguna vez el pueblo de Dios había sido llevado a la cautividad, lejos de la ciudad amada. Cuánto sufrimiento en tierra extraña y lejana, cuántos deseos de volver. Aún hoy los judios en la dispersión cuando celebran la fiesta de la Pascua, concluyen el ceremonial con estas palabras: "el próximo año en Jerusalén".

Mientras andaban hacia la ciudad sagrada rememoraban la historia de su pueblo. Conocemos esa emoción de volver a los sitios más amados. Siempre hay un deseo profundo en el corazón de regresar a casa, al pueblo amado, de volver a andar por sus calles, de sentarse en la banca de la plaza, de sentir la frescura de su aire, el límpio paisaje de sus montañas, de gustar el aroma y sabor de sus comidas, de reunirse alrededor de la mesa familiar. Así expresaba este sentimiento el pueblo de Dios: *"Cuando el Señor trajo a los desterrados de regreso a Jerusalén,*

¡fue como un sueño! Nos llenamos de risa y cantamos de alegría". Allá lejos la alegría se habia apagado, se había vuelto nostalgia, anhelo anidado en lo profundo de corazón y Dios les concedió la alegría del retorno. La cautividad había sido como un desierto yermo y sin vida, pero Dios tiene el poder de convertir el desierto en un lugar de florecimiento y de victoria. Cada año los arroyos se llenaban en el tiempo de lluvia y el agua comenzaba a correr en medio del desierto desparramando vida a su paso. Los que sembraban arrojaban con esperanza su semilla a una tierra seca, cuando venían las lluvias la semilla brotaba y había bendición, así es que aquellos que habían sembrando con lágrimas en medio del quemante sol del desierto, al final de la fatigosa jornada recogían con gran alegría la abundante cosecha. En nuestra vida atravezamos por muchos desiertos, tiempos de prueba, de necesidad, de grandes dificutades en los que la incertidumbre llena nuestros corazones y tememos a lo que pueda suceder mañana. Pero, así como Dios nunca abandonó a su pueblo y fue con ellos a la cautividad para luego retornarlos, Dios camina con nosotros y esos tiempos de sequía en los que seguimos adelante con lágrimas y fatiga, pensando si vale la pena seguir esforzandonos, si va a haber un mañana, son tiempos en los que Dios nos acompaña. Él tiene el poder de transformar nuestros desiertos en vergeles. El puede abrir caminos en el desierto y aroyos en la soledades para bendecirnos. No deseperemos, volveremos a reir y a cantar y diremos: *"Grandes cosas ha hecho el Señor con nosotros; estaremos alegres".*

OREMOS

Gracias, mi Dios, por los tiempos felices del pasado, pero gracias, también porque hoy estas conmigo y tienes bendiciones nuevas para mí. Atraviezo por un tiempo de prueba, me faltan las fuerzas y a veces quisiera abandonar mis tareas. Hoy te pido que me fortalezcas para seguir sembrando con esperanza. Tu harás brotar la semilla de nuevos días de alegría y realización tal como haces correr arroyos en el desierto. Amén.

Salmo 127

DIOS PRIMERO

Nuestra humana tendencia es pretender tener todo bajo control. Es así que, basados en un falso sentido de autosuficiencia, hemos establecido familias, construido ciudades, y desarrollado toda una civilización bajo la premisa de que no necesitamos a Dios. La pregunta que sacude nuestras conciencias y que hemos aprendido a ignorar es: ¿Cuál es el fundamento sobre el cual hemos edificado nuestra existencia, lo que somos y lo que hacemos? El salmista, en el salmo 127 deja en claro que nada prospera verdaderamente sin Dios. *"Si el Señor no construye la casa, el trabajo de los constructores es una pérdida de tiempo. Si el Señor no protege la ciudad, protegerla con guardias no sirve para nada"*. Si, podemos levantar una casa amplia y sólida, finalmente el paso de los años dejará su huella en ella hasta ser derruida o volverse ruinosa; podemos aumentar la vigilancia, tener policias bien pertrechados cuidando las entradas de la ciudad y nunca será suficiente para sentirnos seguros, podemos levantarnos de madrugada para ir a nuestra labor y trabajar afanosamente sin descanso, al fin, todo aquello que hemos realizado con gran esfuerzo lo podemos perder en un abrir y cerrar de ojos. Y es que no somos dueños de la vida, ni del tiempo. Sea que lo aceptemos o no, estamos en las manos de Dios. La humanidad puede dividirse en dos grandes grupos: el de aquellos que viven ajenos a Dios, confiando en sí mismos, y la de quienes saben, por cierto, que nuestra existencia pertenece a Dios y que dependemos absolutamente de su bondad providencial en nuestra vida. Lo podemos tener todo, pero sin Dios siempre seremos miserables criaturas, podemos carecer de todo, pero con Dios siempre seremos ricos. El apóstol Pablo escribió: *"He aprendido a contentarme, cualquiera que sea mi situación. Se vivir humíldemente, y se tener abundancia; en todo y por tod estoy enseñado, así para estar saciado como para tener hambre; así para tener abundancia como para padecer necesidad. Todo lo puedo en Cristo que me fortalece"* (*Fil. 4:12-13*) Bendito contentamiento aquel que halla su satisfacción en Dios. La realidad es que vivimos con una carga de ansiedad afanados por tantas cosas. Este salmo nos confronta con aquello a lo que le asignamos el mayor valor en nuestra existencia. ¿Cuál es su prioridad de su vida? ¿Qué es lo que le hece levantarse cada día y sentir que vale la pena hacer lo que hace? La tragedia de nuestra civilización no es otra cosa que grandeza edificada sobre nuestra pasajera existencia. Casa sin familia, trabajo sin satisfacción, vigilancia sin seguridad. Que Dios sea el cimiento seguro de nuestra existencia, el fin y el principio de nuestra andar de cada día, la satisfacción plena del alma, el defensor seguro de nuestra alma y el fundamento de nuestro hogar. El salmo concluye invitandonos a volver a la famlia. Lo que vale al fin es verse rodeados del amor de los nuestros y saber que todo nuestro esfuerzo vale porque, como expertos arqueros, lanzaremos a nuestros hijos como flechas para que honren a Dios y lleguen más allá de donde nosotros hemos podido llegar. Eso si que vale la pena.

OREMOS

Mi Dios, no quiero olvidar jamás que Tú eres lo primero en mi vida, mi creador, mi sustentador, y quien me ha llamado a la vida abundante mediante su Hijo. No quiero hacer planes, ni emprender un proyecto o cuidar de mi familia sin Tu ayuda divina. Sobre todas las cosas quiero buscar Tú reino y Tú justicia con la seguridad de que Tu añadirás siempre la bendicion que mi vida necesita. Amén.

DICHOSO EL HOMBRE QUE TEME AL SEÑOR

Un justo reclamo de las mujeres en esta época de tensiones y lucha entre los géneros es la superación de la sociedad patriarcal discriminatoria y abusiva para avanzar a un mundo que supere, al fin, toda forma de degradación, violencia y discriminación tan arraigada aún en nuestra cultura. En el terreno de la luchas ideológicas y las tensiones sociales mucho se ha dicho lo que no es un hombre, pero una pregunta fundamental permanece sin respuesta o clara definición es: ¿En qué sí consiste la verdadera hombría? El salmo 128 responde a esta pregunta. El salmista escribe aquí: *"¡Qué feliz es el que teme al Señor, todo el que sigue sus caminos! Gozarás del fruto de tu trabajo; ¡qué feliz y próspero serás!"* En palabras llanas, el salmista nos dice que la verdadera hombría consiste en temer a Dios y seguir sus caminos. Hay una promesa de parte de Dios para hombres de esta talla espiritual: serán felices y prósperos, y prosperidad no necesariamente significa abundancia material, sino el contentamiento y satisfacción de llevar a casa solo lo que se ha ganado con integridad y trabajo duro. La imagen familiar que aquí se nos presenta es de florecimiento, comunión y alegría. El hombre aquí descrito se ha ganado su lugar en la mesa, tiene el respeto y la honra de su esposa y su familia. ¿Qué mayor bendición puede obtener un hombre en esta vida? *"Tu esposa será como una vid fructífera, floreciente en el hogar. Tus hijos serán como vigorosos retoños de olivo alrededor de tu mesa". Esa es la bendición del Señor para los que le temen".* Porque hay hombres que no se contentan con una sola mesa, una sola mujer y una familia. ¡Qué gran desafío el que tenemos aquí de construir una concepto de hombría que cambie las formas y las actitudes que dominan nuestra cultura

Hace algunos años fui invitado a orar por un hombre ya mayor que pasó por la terrible experiencia de sufrir un secuestro. Este hombre había trabajado de manera dura toda su vida. Nunca llevó a casa nada que no hubiera ganado de manera decente y honesta. Por años no solo se hizo cargo de su casa, también sostuvo a dos hermana solteras a las que siempre protegió. Cuando los secuestradores lo arrojaron a un cuarto oscuro, amordazado y atado de pies y manos, él les suplicó que le hicieran llegar sus medicamentos que estaban en el interior de su vehículo. Aquellos delincuentes ignoraron su súplica y lo tuvieron por tres días sin comida, ni bebida. Le preguntaban constantemente: "¿Cuánto vales?" Qué gran pregunta la que le hicieron. Una pregunta a la que ellos jamás podrían dar respuesta. Aquel hombre no valía por su bienes materiales, valía por el amor, la honra y el respeto de su familia que estaba dispuesta a vender todo cuanto tenían para traerlo con vida de nuevo a casa. Estos deliencuentes jamás podrán entender la bendición que significa sentarse a la mesa, rodeados de sus seres amados para disfrutar de una comida ganada con integridad y decencia. Eso es lo que usted vale como hombre --le dije--. Es tiempo ya que volvamos al concepto y la vivencia de una verdadera hombría, una hombría a la manera de Dios. La pregunta desafiante es: ¿Cuánto estarían dispuestos a dar los tuyos por tu bien? ¿Cuál es tu estatura espiritual como hombre a los ojos de Dios?

OREMOS

Señor, quiero apartarme de los caminos desatrozos de esta cultura para ser un verdadero hombre, a Tú manera y no a la mía. Ayúdame a conducir mi vida de modo tal que no te avergüence y los míos no se avergüencen de llamarme hombre. Amén.

Salmo 129

QUIEN CONFÍA EN DIOS PERMANECE

A lo largo de la historia pueblos y naciones se han levantado y han perecido. Tenemos los mudos e impresionantes testimonios de grandes imperios: Egipto, Babilonia, Grecia, Roma y Persia por ejemplo. En nuestro continente, Aztecas, Mayas e Incas. La lista podría multiplicarse con la mención de otros pueblos cuya historia no ha quedado registrada por no haber alcanzado la grandeza de aquellas otras culturas. El denominador común de estas civilizaciones es que todas han desaparecido. Surgieron, alcanzaron un climax de grandeza y finalmente desaparecieron. El pueblo hebreo parece ser una excepción, ha permanecido y permanece habiendo sobrevivido de manera milagrosa en el devenir de la historia. El salmo 129 es una meditación acerca de este hecho. El salmista hace una reflexión de todas las viscisitudes por las que atravezaron en la historia desde el llamado de Abram, un hombre anciano y de su mujer esteril, a través de las cuales Dios estableció a la nación hebrea. Luego la esclavitud en Egipto por cuatrocientos años, las travesía por el desierto, las luchas en total desventaja contra pueblos enemigos, y el exilio en Babilonia. El salmista describe todo este devenir con estas palabras: *"Desde mi temprana juventud, mis enemigos me han perseguido pero nunca me derrotaron. Tengo la espalda cubierta de heridas, como si un agricultor hubiera arado largos surcos"*. Parece que el escritor sagrado anticipaba los terribles e indescriptibles sufrimientos del puebo judío durante el holocausto. Hitler y su loca ambición de superioridad y dominio pasaron y ellos permanecieron. El salmista atribuye esa milagrosa superviencia a la protección y la compasión divina: *"Pero el Señor es bueno; cortó las cuerdas con que me ataban los impíos"*. En esta revelación histórica del poder y la proteción de Dios a su pueblo amado encontramos una verdad innegable: solo aquello que se fundamenta en Dios permanece, de otra manera está destinado a desaparecer. Este principio es aplicable no solo una nación, sino, también a la familia y a cada persona en paticular. ¿En qué fundamenta ustede su bienestar, seguridad y permanencia? Hay quien confia en su inteligencia y sus recursos; tal cosa es relativa. Nuestras fuerzas tienen límite, nuestra inteligencia con todas sus capacidades enfrenta situaciones para las cuales no hay solución, y nuestros recursos, por más a abundantes que puedan ser, resultan escazos o inútiles frente a muchas situaciones a las que nos vemos expuestos inesperadamente. Solo Dios es nuestra segura defensa, solo quien confía y espera en Él estará en pie y permanecerá frente a las adversidades de la vida. El malo, el que vive para hacer daño, matar y destruir está destinado a desaparecer. Así describe el salmista el destino de los malos: *"Que todos los que odian a Jerusalén retrocedan en vergonzosa derrota. Que sean tan inútiles como la hierba que crece en un techo, que se pone amarilla a la mitad de su desarrollo"*.

Ciertamente el malo no florecerá. La bendición del Señor es para aquellos que confían en Él. Volvamos nuestra mirada a Dios, pongamos nuestra confianza en Él y esperemos en Él siempre. Él nos llevará más alla de nuestras fuerzas y con Él atravezaremos el valle oscuro a la luz de un nuevo día de bendición.

OREMOS

Mi Dios, perdóname por tener la pretensión de ser autosuficiente. Concédeme la humildad para ponerme en tus manos y la sabiduría para saber que sin Ti nada soy y nada puedo. Pongo mi vida en Tus manos benditas suplicándote seas mi fortaleza, mi seguridad y mi paz frente a toda adversidad. Amén.

Salmo 130

DE LO PROFUNDO, SEÑOR, A TI CLAMO

El concepto de pecado y culpa en estos tiempos de relativismo y exaltación de la libertad personal parece un atavismo, un asunto del pasado que tiene que ver con una religiosidad culpígena que debe ser superada. Y vaya que hemos pagado un alto precio personal y social por esta ignorancia voluntaria. Hemos dejado de escuchar la voz de nuestra conciencia dhaciendo aun todo peso de responsabilidad y culpa por nuestras acciones equivocadas. Desde luego que hay culpas irracionales, que no tienen sentido. Los expertos en la psicología la denominan culpa neurótica, es decir, sin una base de real responsabilidad. Pero hay una culpa real resultante de nuestra rebeldía hacia Dios, de la negativa de darle a Él gloria y obediencia. Este es un asunto que está arraigado en lo que la Biblia llama el corazón, la esencia misma de nuestro ser. Nuestra acciones pecaminosas tienen consecuencias no solo en nuestra persona, sino también, en quienes nos rodean. Sorprendentemente no solo tienen que ver con hacer lo malo a los ojos de Dios, sino con dejar de hacer lo bueno. Ante esa realidad, ¿quién puede afirmar que está libre de culpas?

El salmo 130 es la expresión de un orante que mirando la condición de su corazón ante las santidad y pureza de Dios se sabe manchado y se siente agobiado por la culpa. Su oración no pretende ser una justificación ante Dios por la manera como ha actuado. Es una tendencia muy humana responsabilizar a otros de aquello de lo que somos los únicos responsables. El orante no vuelve su mirada a Dios inmediatamente, más bien, mira a lo profundo de su ser y se acerca a Dios humíldemente sabiendo que es digno de reprobación y castigo. *"A ti clamo, Señor, desde el fondo de mi angustia. ¡Escucha, Señor, mi voz! ¡Que no se cierren tus oídos al clamor de mi súplica!".* Está agobiado por una culpa real que resultan de sus acciones. Sabe que no tiene defensa ni argumento alguno delante de Dios ante quien nuestro corazón es un libro abierto: *"Señor, si te fijaras en nuestros pecados, ¿quién podría sostenerse en tu presencia?".* Sabe, por cierto, que su Dios es paciente porque si Él hubiese decidido ejercer juicio, hace mucho tiempo hubiera sido castigado. En la paciencia divina espera misericordia. El orante tiene dos cosas por cierto: la realidad de su pecado y la compasión divina que siempre está dispuesta a perdonar sin importar la inmensidad de la ofensa. *"Pero en ti hallamos perdón, para que seas reverenciado".* El peso de la culpa le ha robado el sueño, y así calladamente en un profundo conflicto en el interior de su alma espera en Dios, como los centinelas vigilantes aguardan la mañana. Un nuevo amanecer de gracia ilumina su alma atormentada y agobiada por el peso de la culpa. Un canto de liberación y gratitud surge de sus labios al despuntar el alba. ¡Su alma encuentra al fin reposo! Dios ha perdonado. En Él hay abundante misericordia y redención y el redimirá no solo su ser, sino a su pueblo de todos sus pecados. Más grande que nuestros pecados es la compasión de nuestro Dios, que desde una cruz ha firmado con sangre su perdón hacia nosotros. Pero Él no solo perdona el pecado, borrándolo definitivamente de su lista, sino que además nos libera de la culpa. Bendito sea su Nombre.

OREMOS

Señor, confieso que soy un pecador que ha añadido a sus faltas la obstinación de no querer reconocerlo. Al mirar la pureza de tu ser me doy cuenta de cuan ofensivas han sido mis faltas delante de Tí. Por tu misericordia abundante y eterna cubre con la preciosa sangre de Tú Hijo mis faltas y libérame de la culpa. Tomame de Tú mano y guía mis pasos para andar en tus caminos. Por Jesucristo Tu Hijo lo ruego. Amén.

Salmo 131

SOY COMO UN NIÑO RECIÉN AMAMANTADO

¿Quiénes somos realmente? Esta es una gran pregunta cuya respuesta requiere una profunda introspección personal. El salmista en el salmo 131 nos hace saber que ha pasado por ese proceso que resultó realmente revelador para él. A veces pareciera que diferentes personas habitan dentro de nosotros. Proyectamos una imagen hacia los demás, algunos considerarán que somos buenas personas, otras pensarán lo contrario. Nos miramos al espejo, lo que vemos es nuestra apariencia, dice algo acerca de nosotros, pero esa imagen no nos define. Tenemos un concepto de quiénes somos, pero la realidad es que no hemos terminado de conocernos, a veces, nuestras propias reacciones nos desconciertan. Aprender a conocernos a nosotros mismos es el arte más complejo y necesario. Nada más terrible que llegar al final de la existencia sin habernos enterado quiénes somos y para qué estuvimos en este mundo.

El salmista mira al interior de su corazón, su oración puede parecernos muy pretensiosa, como si quisiera autojustificarse, pero sabe, por cierto, que está ante la mirada escrutadora de Dios a quien nada se le puede ocultar. Él sí nos conoce, Él sabe como nadie quienes somos realmente. Estas son las palabras del salmista: *"Señor, mi corazón no es orgulloso; mis ojos no son altivos. No me intereso en cuestiones demasiado grandes o impresionantes que no puedo asimilar"*. Probablemente otras personas que pretenden conocerlo lo consideren altivo, orgulloso, que presume lo que no tiene, que nadie le enseña nada porque cree saberlo todo y por esa razón le hacen la guerra sometiéndolo a la crítica injusta. ¿Qué tanto es verdad lo que otros dicen de nosotros? El satisfacer las expectativas de todos cuantos nos rodean no es un asunto de que debiera preocuparnos, preocupación por demás inútil, si lo debe ser el volver nuestra mirada hacia nosotros para tratar de saber quiénes somos realmente.

Escribía un hombre sabio: "No te preocupes por aquello en lo que tu enemigo no tiene la razón, pero sí de aquello en lo que sí la tiene". El salmista que ha hecho este ejercicio de introspección sabe que aquello que sus enemigos critican de él no es verdad, ellos no lo conocen realmente, su evaluación es prejuiciada e injusta y ha decidio no conflictuarse por ello, pero lo más importante, sabe que su Dios lo sabe. Finalmente eso es lo que realmente importa, quiénes somos ante Dios. Si en esta introspección descubrimos algo que debe cambiar, el primer paso es reconocerlo, el paso siguiente será pedir a Dios que nos ayude a cambiar. El salmista continúa diciendo en su oración: *Me he calmado y aquietado, como un niño destetado que ya no llora por la leche de su madre. Sí, tal como un niño destetado es mi alma en mi interior".* Su alma está satisfecha, alimentada, su conciencia en paz, confía en su Dios; Él le guarda en sus brazos como una madre amorosa. Ya no hay tormentas que agiten su alma o le roben el sueño. Puede estar confiado y en paz, su Dios lo conoce, y él puede decir que también se conoce. No se ha dejado arrastrar por el mal, ni contaminar por la ambición egoísta, ha conservado su esencia y su compromiso con la rectitud y la inocencia y así puede dormir tranquilo en los brazos amorosos de Dios.

OREMOS

Señor, muéstrame quien soy realmente delante de Ti. Dame humildad y guárdame de imagenes engañosas de mi propia persona para saber aquello que debo cambiar. Dame la paz de conciencia y la seguridad de quien descansa en Tus amorosos y maternales brazos porque sabe que solo se ha comprometido con el bien. Amén.

Salmo 132

EN ESTE LUGAR VIVIRÉ PARA SIEMPRE

El salmo 132 hace un recuento del amor del rey David por el santuario, la Casa del Señor. En el desierto Dios mostró a Moisés el diseño del santuario que albergaría el mobiliario santo. Esta tienda sagrada sería el lugar donde el arca de a alianza, señal de su presencia descansaría. Aquel era un santuario móvil que acompañó al pueblo de Israel durante cuarenta años en su peregrinaje hacia la tierra prometida. Algunos siglos después, ya establecido el reino, David se propuso construir un templo en la ciudad sagrada de Jerusalén donde al fin el arca reposara, donde las sacerdotes pudieran presentar sus ofrendas y el pueblo se acercara a su Dios. Este era un anhelo que estaba en lo profundo de su corazón expresado aquí en el salmo con estas palabras: *"Le hizo una promesa solemne al Señor; le juró al Poderoso de Israel: No iré a mi hogar ni me permitiré descansar; no dejaré que mis ojos duerman ni cerraré los párpados adormecidos hasta que encuentre un lugar donde construir una casa para el Señor"*.

El rey David murió sin ver cumplido su deseo, fue su hijo Salomón quien llevó a cabo la empresa. Cuánto hubiera deseado entrar David al santuario que imaginó para ser la casa de su Dios donde andaría en íntima comunión con Él y sus oraciones serían escuchadas. Toda esta historia nos conduce a algunas preguntas: ¿Qué santuario podemos edificar en este mundo que sea digna casa del Dios de majestad? ¿En qué santuario hoy podemos encontrarnos con Dios para adorarle? El pueblo judío debía hacer un largo peregrinaje anual a la ciudad santa de Jerusalén para encontrarse con su Dios en el santuario, ¿A dónde debemos acudir nosotros hoy día? Dios prometió al rey David que de su descendencia nacería un Rey cuyo reinado sería eterno. Este Rey gobernaría con justicia, bendeciría a los pobres de la tierra, destronaría a los poderosos y exaltaría a los humildes y excluídos de la tierra. Dios cumplió su promesa, no podría ser de otra manera. El Rey ha nacido para todos, la esperanza ha llegado a la humanidad, la luz verdadera que alumbra a la humanidad ha venido a este mundo para salvación. ¿Cómo recibirle? Es necesario abrir el corazón con verdadero arrepentimiento, volverse al Dios de gracia, abandonar nuestros malos caminos y recibir con humildad y alegría al Rey de reyes. No necesitamos emprender un largo peregrinaje para ir al lugar de su habitación, Él ha venido a nuestro encuentro y ha querido hacer en los corazones dispuestos su santuario. La bendición de su presencia ya estaba anticipada en este salmo: *"Este es mi lugar de descanso para siempre —dijo—; viviré aquí porque este es el hogar que he deseado... Saciaré a sus pobres con alimento. Vestiré a sus sacerdotes con santidad; sus fieles servidores cantarán de alegría".* ¿Cómo responderemos a la gracia de Dios que ha querido hacer de nuestro nosotros su morada? La respuesta está en ese viejo canto de adviento que dice: "Ven a mi corazón, oh Cristo, pues en el hay lugar para ti".

OREMOS

Señor, yo se que mi corazón es el santuario más humilde e indigno para que hagas Tú habitación en el. Pero aquí está, desaloja de él todo lo inservible, limpialo y santifícalo con Tú presencia gloriosa y vive en él para siempre. Te bendigo porque ya no necesito ir a buscarte, Tú has venido a mi con gracia y perdón. Bendigo Tú Nombre para siempre mi Rey y Señor. Amén.

Salmo 133

Qué bueno es vivir en armonía

¡Qué alegría tan grande el reencontrarnos con nuestros seres queridos después de un largo tiempo de no verles! Muchos de los nuestros que viven más allá de la frontera norte han emigrado por necesidad y después de años, aún permanecen como indocumentados en el país vecino. ¡Que dieran por tener la libertad de viajar y reunirse con los suyos que están de este lado! Cuando los emigrados regresaban a Jerusalén para adorar en el santuario del Señor, familiares, amigos y vecinos separados largo tiempo por la distancia se iban reencontrando en los caminos y en los pueblos para reunirse finalmente en el santuario de Jerusalén. ¡Qué alegría la que vivian, ante la presencia de Dios! Allí Dios enviaba bendición y vida eterna. ¡Qué bendiciónel saberse pueblo y familia de Dios expresando su unidad y sentido de pertenencia! El salmo 133 expresa este encuentro con palabras muy descriptivas. Ciertamente llegaría el momento de la despedida, de volver a la dispersión, pero nada rompería los lazos de afecto, amistad y compañerismo que los seguirían uniendo más allá de la distancia y de las fronteras bajo la mirada protectora de Dios.

Miren como es descrita esta comunión: "*¡Qué maravilloso y agradable es cuando los hermanos conviven en armonía!*" Cuando se vive en armonía la distancia no separa. Esto es algo que hemos comprobado durante este tiempo en el que el mundo ha atravezado por la pandemia. Nos hemos visto obligados al encierro y al distanciamiento social, pero

¿no es verdad que nos hemos acercado mucho más unos a otros a través de los medios virtuales? Hemos contactado con los viejos amigos, con familiares con los cuales no hablábamos hacía mucho tiempo. El compañerismo y la amistad han resurgido con mayor intensidad animándonos durante estos tiempos difíciles. Esto es una prueba de que la frontera y el límite que realmente nos distancia de los demás es nuestro corazón. Se puede vivir bajo el mismo techo y estar tan alejados de la otra persona como de quien vive al otro lado del planeta.

El salmista describe esta comunión en términos muy ilustrativos. Es como el aceite de la unción derramado en la consagración del sacerdote de Dios. Ese aceite es señal de aprobación divina, óleo de alegría y bendición. El aceite se usaba en la antigüedad como cosmético para embellecer el rostro y ungüento para suavizar y curar la heridas. Ciertamente que el afecto que nos une a los demás es expresión del gozo de Dios, hermosea el carácter y es sanador porque nos rescatar de la soledad y la incomprensión. La comunión de quienes se aman fraternalmente es, también, como los torrentes de agua que en época de deshielo se desbordan por las laderas del monte Hermón para alimentar las fuentes del Jordán que a su paso va esparciendo vida hasta llegar a los montes de Sion. El Nuevo Testamento nos enseña que quienes confían en Cristo están incorporados por la fe a él y son hijos e hijas del Padre, amigos, compañeros, hermanos y hermanas, unidos por lazos de indestructible fraternidad. Vivamos la armonía de la comunión que es vida y bendición, así enviaremos un mensaje de esperanza a un mundo donde abunda la discordia y el desamor.

OREMOS

Mi Dios, cómo abunda la separación y la falta de armonía en este mundo. No quiero vivir en el encierro egoísta e indiferente, tal cosa me empobrece. Concédeme un corazón que procure la reconciliación, la amistad y la comunión. Porque allí donde aprendemos a estar en paz y armonía Tú te haces presente para traer alegría, bendición y vida eterna. Gracias Jesús por que nos reconcilias unos con otros para que seamos uno solo en Tú Nombre. Amén.

Salmo 134

CON MANOS LEVANTADAS BENDIGAN AL SEÑOR

Qué bendición estar en la casa de Dios, allí hay paz, alegría y comunión. Allí está la presencia de Dios que nos bendice. La Casa de Dios es una morada de puertas abiertas donde todos son bienvenidos, donde todos somos hermanos y hermanas. En la casa de Dios experimentamos el momento culminante de nuestra existencia que es justo cuando nos presentamos como comunidad de fe ante su presencia para agradecer sus bendiciones, presentarle la ofrenda de nuestra labor cotidiana y de nuestra vida toda, que se vive para su gloria. La alegría de estar en su casa la expresa el salmista en el salmo 134 con estas palabras: *"Alaben al Señor, todos ustedes, siervos del Señor, que sirven de noche en la casa del Señor. Levanten sus manos hacia el santuario, y alaben al Señor"*. Una vida que se vive sin adorar a Dios carece de sentido. Vivimos tan de prisa y ensimismados en el ir y venir interminable de cada día que no nos detenemos para preguntarnos ¿Hacía dónde vamos y qué queremos en la vida? Sobre todo, ¿para quién hacemos lo que hacemos? La vida no se puede vivir plenamente sin un sentido de dedicación que solo la comunión con Dios puede darnos. Por eso debemos detenernos cada semana para acudir a su casa para agradecer y alabar, para recibir el reposo de Dios que nos da la fuerza para continuar con nuestra peregrinaje hacia el santuario eterno. El confinamiento en el que hemos vivido nos limita para acudir al templo, pero recordemos que cada hogar es un templo y cada familia una iglesia. Abramos un espacio cada semana, especialmente, los domingos, para alabar a Dios con nuestros cantos y oraciones y presentarle nuestra gratitud. La tecnólogía nos da ahora la oportunidad de estar conectados a distancia, ¿porqué no invitar a otros a unirse a la celebración comunitaria? Tal experiencia fortalece nuestra fe, afirma nuestros lazos de fraternidad y de compañerismo cristiano, equipándonos para seguir la jornada. Volvamos nuestra mirada a Dios, levantemos nuestras manos en su nombre y unamos nuestras intenciones y voces para agradecer y alabar con alegría. Ahora bien, con la presencia de Cristo en la historia, la adoración a nuestro Dios ya no está referida a un lugar determinado. El Señor Jesús dijo a la Samaritana: *"—Créeme, querida mujer, que se acerca el tiempo en que no tendrá importancia si se adora al Padre en este monte o en Jerusalén...Pero se acerca el tiempo —de hecho, ya ha llegado— cuando los verdaderos adoradores adorarán al Padre en espíritu y en verdad. El Padre busca personas que lo adoren de esa manera. Pues Dios es Espíritu, por eso todos los que lo adoran deben hacerlo en espíritu y en verdad".* *(Juan 4:21, 23-24).* Dios está donde se le busca de corazón, cada espacio y cada sitio en el vasto mundo es un santuario en el cual es adorado por todas sus criaturas. Al levantar nuestras manos en alabanza dondequiera que nos encontremos adoremos a Dios, y nos acordemos también de nuestros projimos orando con las palabras de este salmo: *"Que el Señor, quien hizo el cielo y la tierra, te bendiga desde Jerusalén".*

OREMOS

Qué alegría estar en Tú presencia. Gracias por recibirme en Tú casa donde me reuno con mi mi familia cristana para adorar juntos. Qué bendición saber que puedo encontrarme contigo en cualquier sitio donde te busque con un corazón fervientey sincero. Al levantar mis manos te bendigo y bendigo a todos mis hermanos y hermanas pidiendo para ellos Tú cuidado y paz divinas. Amén.

Salmo 135

EL SEÑOR NUESTRO DIOS ES GRANDE

Hace algunos años un querido colega me preguntó: ¿Cómo es tu Dios? Y no es que él creyera que hay muchos dioses o que cada uno debiera concebir a alguno uno según sus criterios. La pregunta en realidad es provocadora y exige discernimiento y reflexión. ¿Quién es Dios para mí. ¿Es un Dios único o uno entre muchos? ¿Esta distante de nuestro mundo o activamente presente en el? ¿Es posible conocerlo o está mas allá de toda relación posible? El salmo 135 responde a estas preguntas. Cuando de Dios se trata, nuestros conceptos resultan insuficientes, las palabras del diccionario no bastan, nuestras limitadas definiciones son incapaces de describirlo. La respuesta del salmista es breve, pero a la vez, abierta a lo indescriptible: *Yo conozco la grandeza del Señor: nuestro Señor es más grande que cualquier otro dios.* El samista parece quedarse sin palabras y solo acierta a decir: "es grande", y luego matiza su respuesta añadiendo: "más grande que cualquier otro dios". Y no es que haya otros dioses. Todos los pueblos alrededor de Israel tenían sus dioses, les temían y los adoraban. Esos dioses eran grandes en la medida en que los favorecían con cosechas abundantes y victorias en la guerra, pero el salmista afirma que toda la grandeza y el poder que se pueden asociar a esos falsos dioses no es nada comparado con el poder y la majestad del Dios de Israel. En realidad esas deidades son absolutamente incapaces de hacer nada, son un invento, no existen: *"Los ídolos de las naciones no son más que objetos de plata y oro, manos humanas les dieron forma. Tienen boca pero no pueden hablar, tienen ojos pero no pueden ver. Tienen oídos pero no pueden oír, tienen boca pero no pueden respirar. Y los que hacen ídolos son iguales a ellos, como también todos los que confían en ellos"*. Llama la atención la expresión del salmista cuando dice: *"Yo conozco la grandeza del Señor"*. No solo ha escuchado acerca de Dios, ha experimentado personalmente su presencia. ¿De qué manera? Por medio de toda la grandeza de su poder manifestado en la creación y sus obras en la historia. Dios se hace presente en la inmensidad del mar, en el asombro de los abismos insondables, en el trueno, en el relámpago y la tempestad, en la manera providencial como hace caer la lluvia que fertiliza la tierra para sustento de sus criaturas. Esto no es todo, cuando el pueblo de Israel reflexiona en su devenir histórico se da cuenta de la bondad y el cuidado divino que les acompañó en todo su caminar.

No podemos describir a Dios, solo contemplar con asombro su grandeza y alabarlo, sin embargo, qué maravilloso como el salmista confesar: ¡Que grande es mi Dios! Él se ha revelado, ha venido a nuestro encuentro con gracia y perdón. La Palabra eterna se ha hecho carne y se ha manifestado a nosotros. Abrimos nuestros ojos a la maravilla de la creación y decimos: que grande es nuestro Dios. Consideramos nuestro pasado y reconocemos que ese Dios ha caminado con nosotros hasta este día, miramos por la fe el amor divino manifestado en Jesús el Hijo de Dios y expresamos: ¡Cuánto me ama el Señor! Ciertamente Él es el Dios que hizo el cielo y la tierra, y es también Aquel a quien lleno de confianza puedo llamar Padre.

OREMOS

Miro la grandeza de la creación que has formado y digo: ahí estás Tú. Contemplo por la fe Tú amor infinito y perdonador manifestado en la cruz y digo: ahí estás. Miro hacia mi pasado y considero la manera cómo me has levantado de la miseria y has juntado los pedazos de mi existencia para hacerla de nuevo y me digo: cuánto me amas. Por eso, mi Dios y Padre, creo en Ti. Amén.

Salmo 136

PORQUE PARA SIEMPRE ES SU MISERICORDIA

En esta vida relativa y pasajera todo cambia. Somos viajeros en el tiempo que vemos pasar los días como las estaciones de un tren que avanza hacia su destino. La provisionalidad de nuestra existencia nos asusta, quisiéramos retener para siempre a las personas que amamos y las cosas que para nosotros tienen un especial valor. Pero, ¿qué sentido tendría nuestra vida si estuvieramos estacionados permanentemente en alguna de esas estaciones que en realidad son de paso? No podríamos esperar lo nuevo hacia adelante. No obstante, siempre hay algo que permanece, o más bien alguien, y es Dios. Él es el eterno. Estuvo, está y estará para siempre en nuestra vida y esa realidad es lo que constituye no solo nuestra mayor certeza, sino también nuestra más grande seguridad.

En el salmo 136 el salmista mira hacia el pasado para hacer un recuento del caminar de su pueblo por la historia. Cuántas experiencias adversas pasaron y en todas ellas Dios estuvo con ellos: la liberación de la esclavitud en Egipto, el cruce milagroso por el Mar Rojo, el desierto donde fueron sustentados por cuarenta años, las batallas que libraron y de las cuales salieron victoriosos a pesar de estar en gran desventaja. Ciertamente Dios peleó sus batallas; y, finalmente, les dio la tierra prometida como bendición y herencia. Su historia es la historia de la bondad de Dios hacia su pueblo. A lo largo de todo este salmo se repite como un estribillo la expresión: *"Porque para siempre es su misericordia".* Así el salmista refiere cada experiencia vivida por su pueblo desde la perspectiva de la compasión de su Dios que nunca los abandonó. Incluso, la misericordia divina, ya se había manifestado desde mucho antes que la nación Isarelita llegara a existir. Nuestro Dios creó los cielos y la tierra, el mundo fue formado para ser la habitación del ser humano por la misericordia de Dios. ¿Por qué decidió crear? ¿Tenía necesidad de ello? ¿Deseaba un universo y unas criaturas humanas que le adoráran? Absolutamnete no. Él es pleno en sí mismo en la eterna y divina comunión del Padre, el Hijo y el Espíritu Santo, pero decidió crear por su bondad generosa, para compartir su alegría con las criaturas humanas a quienes formó a su imagen y semejanza. Así es que toda la creación y nuestras vidas son un testimonio constante de la misericordia de Dios. Al mirar hacia su pasado, ¿de qué manera lo interpreta? Sin duda, ha habido toda clase de experiencias, alegrías y tristezas, pérdidas y ganacias. Tal vez su valoración de lo vivido sea negativa o pesimista. La realidad es que si usted ha llegado a este momento de la vida, sin importar lo que haya pasado, es porque Dios no se ha partado de usted, su misericordia lo ha sostenido, su bondad lo ha acompañado a cada paso, y sin duda, así será siempre. Podemos decir que, para quienes confiamos en Dios, nuestra historia será de misericordia de principio a fin, y aun más allá de esta vida será de bondad y bendición por la eternidad. Miren lo que dice el salmista: *"Él es el que en nuestro abatimiento se acordó de nosotros, porque para siempre es su misericordia".*

OREMOS

Mi Dios, si solo pienso en aquello que he perdido, en lo que ha dejado de ser, ciertamente me voy a deprimir. Ayúdame a pensar en todo lo pasado con una visión diferente. Mi vida es, ciertamente, una historia que habla de Tú bondad y misericordia que en medio de todo lo cambiante y relativo permanece. En esa misericorida me refugio y encuentro paz y seguridad. Gracias, Dios mío, poque nunca me has abandonado. Estás y estarás conmigo para siempre. Amén.

Salmo 137

CUANDO NUESTRO CANTO SE HA APAGADO

Hay pérdidas en la vida esperadas e inesperadas. Entre las esperadas están aquellas que son parte natural de nuestra evolución. La primera gran pérdida es abandonar el seno materno, la última será despedirnos de esta vida. Escribió el cantante Serrat: "Todo pasa y todo queda, pero lo nuestro es pasar". A lo largo de nuestra existencia nos vamos desprendiendo de lo caduco, de lo que ya no nos resulta útil o necesario. En este sentido es verdad que hay que perder para ganar lo nuevo, lo que nos hará caminar hacia adelante en la vida, pero también padecemos aquellas pérdidas inesperadas que nos dejan perplejos y postrados emocionalmente: una ruptura amorosa, la enfermedad, la muerte de un ser querido. Surgen, entonces, diversos sentimientos que, como torbellino se apoderan de nuestro corazón: tristeza, enojo y desesperanza. ¿Cómo lidiar con todo eso? ¿Cómo levantarnos de la postración y seguir adelante? Sentimientos como los mencionados están plasmados en el salmo 137. El pueblo de Israel hace memoria de aquellos días tristes en los que vieron la desolación de su pueblo, su ciudad arrasada, el muro que protegía la ciudad y el templo reducidos en cenizas, y luego, ser arrancados de la tierra y transportados a tierra extraña. Allá, lejos de los suyos, enfrentados a la tragedia inesperada, se sentaban junto a los ríos de Babilonia y lloraban acordándose de la ciudad amada ahora tan lejana.

La gloria de la ciudad de Jerusalén dejó de ser lo que había sido para volverse una tierra yerma y abandonada. El canto y la alegría se habían apagado, sobre los sauces llorones las arpas estaban colgadas, los que los habían llevado cautivos les pedían que cantaran, y quienes los había desolado les pedían alegría diciendo: "Cántennos algunos de los cánticos de Sion" ¿Quién tiene ánimo para cantar cuando el duelo y la tristeza inundan el corazón? Este es un salmo de difícil lectura porque expresa toda esa ira contenida frente a una realidad que no termina de asimilarse, pero si lo consideramos desde el punto de vista estrictamente humano, no es más que a expresión del dolor que produce la pérdida de todo lo valioso, lo que nos da alegría y seguridad: la libertad, la tierra, la paz y el estar al lado de quienes amamos. Hay quien le pone reglas a sus sentimientos: no debo enojarme, no debo entristecerme, no debo desanimarme, no debo ser débil. Ese "no debo" es devastador porque nos impide reconocer, expresar y procesar nuestras emociones. Frente al dolor no merecido y la pérdida inesperada solo podemos ser seres dolientes. Dios entiende todo ese dolor y lo acompaña. Él lo sabe porque revistió su divinidad en la humanidad con todas sus condicionantes, aún la mortalidad, lo cual resulta un misterio incomprensible. Así es que el Señor Jesús se compadece, se sienta al lado de nosotros en los ríos de nuestra desolación y nos entiende como nadie, pero también nos da esperanza. El dolor y la tragedia nunca serán lo último. Un día todas nuestras lágrimas serán enjugadas, todo dolor será confortado, toda enfermedad sanada y nos reuniremos para siempre delante del trono de Dios para nunca mas ser separados. Entonces entenderemosque todo lo vivido: ganancia y pérdidas nos llevaron por un camino que conduce a la mismísima gloria de Dios.

OREMOS

Hoy lloro Señor, el canto y la alegría se han apagado, pero no estoy solo, Tú estás aquí a mi lado consolando. Cuando esta tristeza pase me devolverás el canto y entonces entenderé y aceptaré con esperanza. Gracias por ser no solo mi fortaleza, sino también mi más grande esperanza y salvación. Amén.

TÚ, SEÑOR, CUMPLIRÁS EN MÍ TUS PLANES

Siempre me ha llamado la atención los manantiales de agua que brotan de las montañas. El agua fluye constantemente, y aunque sea apenas un pequeño reservorio a nuestra vista, no se agota. El secreto está en lo que no vemos. Oculto en las entrañas de la tierra se encuentra el venero que alimenta constantemente el manantial. Viktor Frankl, el neuropsiquiatra vienés, sobreviviente del horror del holocausto, documentó su experiencia en el campo de concentración. Él observó que las personas más fuertes y dotadas físicamente sucumbían antes que aquellas que lucían débiles y vulnerables. ¿Cómo se explica este fenómeno? A las personas que lo han tenido todo les resulta más difícil sobrellevar las adversidades, a diferencia de aquellas que han luchado toda la vida, desarrollado una mayor capacidad de soporte. Observó, además, que las personas que eran capaces de mantener la esperanza y darle un sentido a su sufrimiento fueron las que, finalmente, sobrevivieron a las pruebas más extremas a las que puede ser expuesta la condición humana. La apariencia exterior puede resultar engañosa, la raíz de la fortaleza de una persona está en su interioridad. El salmo 138 es un cantico de acción de gracias que el salmista David eleva a Dios. Sorprendentemente el secreto de su fortaleza espiritual no está en él; él esta rodeado de debilidad, inerme frente a la furia injusta de sus adversarios que lo acosan continuamente y, frecuentemente, se pregunta ¿Qué va a ser de mí? ¿Qué sucederá mañana? Él encontró una fuente inagotable de gracia, seguridad y fortaleza en Dios que vino en su ayuda en los momentos de angustia para rescatarlo. Ahora se da cuenta que nunca ha estado solo. En cada batalla que libró tuvo fuerzas más allá de sus propias fuerzas. Agradecido se postrá ante su Dios para alabarlo por su misericordia y su fidelidad, porque ha engrandecido su nombre y su palabra sobre todas las cosas. Y vaya que tiene razón para adorarlo: *"El día que clamé me fortaleciste con vigor en mi alma"*. Cuando estamos en medio de las dificultades que ponen a prueba nuestra paciencia y fe, cuando nuestros recursos resultan escasos e inútiles, nos preguntamos si Dios realmente nos escucha. Una y otra vez el salmista experimentó esta verdad: Dios actúa de una manera inesperada y gloriosa para bien de quienes lo necesitan, porque el Señor *"... es excelso, y atiende al humilde, más al altivo mira de lejos"*. Dios escucha cuando en medio de nuestra carencia y necesidad le buscamos. Podemos tener por seguro que en Él encontraremos esa fuente inagotable de gracia y poder que se perfecciona en nuestra debilidad. Está confianza está expresada por el salmista con estas palabras: *"Si anduviere en medio de la angusta tú me vivificarás"*. No sabemos que va a pasar mañana, pero se que mañana Dios estará conmigo como lo está hoy. Mi vida no esta en manos de un destino incierto, sino en las manos del Dios Todopoderoso que con designio amoroso acompaña mi caminar y me da la fuerza para cada día. Mire que admirable certeza que la que nos anima y conforta: *"El Señor cumplirá su propósito en mí; tu misericordia, oh Señor, es para siempre; no desamparaes la obra de tus manos"*

OREMOS

Tú sabes cuánto te necesito en esta hora de prueba. Gracias por escucharme, por atender mi súplica. Hoy y siempre estoy en tus manos. Se para mi esa fuente inagotabe de gracia que renueva mis fuerzas más allá de mí mismo y me da una esperanza más cierta que toda aflicción y dificultad. Amén.

Salmo 139

¿CÓMO PODRÍA HUIR DE TU PRESENCIA?

Dios está siempre con los suyos. No hay absolutamente ningún sitio o circunstancia en la vida en la que estemos abandondados de su presencia. Esta es la maravillosa verdad que nos comuncia el salmo 139. Todos en algún momento nos hemos sentido solos y abandonados, caminando por un sendero de prueba, temor y sufrimiento preguntándonos si alguien lo sabe. Hace algunos años mientras conducía hacia la frontera norte me sorprendió la noche. Me encontré con muy pocos vehículos en el trayecto y, prácticamente, los últimos cien kilometros antes de llegar a mí destino los recorrí en completa soledad. El ritmo acompasado del motor y la música que escuchaba no apaciguaban mi inquietud, pensamientos de tragedia se apoderaban de mi mente. ¿Si algo me ocurre aquí quien lo va a saber? Me puse en la manos de Dios. Ciertamente no iba solo, Él estaba a mi lado, su mirada atenta y su cuidado divino no se apartaban de mi. Esta convicción es la que expresa aquí el salmista que se sabe rodeado de la presencia de Dios. *"Oh Señor, has examinado mi corazón y sabes todo acerca de mí. Sabes cuándo me siento y cuándo me levanto; conoces mis pensamientos aun cuando me encuentro lejos. Me ves cuando viajo y cuando descanso en casa. Sabes todo lo que hago. Sabes lo que voy a decir incluso antes de que lo diga, Señor. Vas delante y detrás de mí. Pones tu mano de bendición sobre mi cabeza".* Qué expresión de confianza la que encontramos aquí. El Señor conoce mis pensamientos y las palabras que aún no he expresado, me acompaña en mi entrar y salir y me rodea con su presencia protectora. El salmista abunda en la maneras maravillosas en las que Dios lo acompaña: si corriera tan rápido como la luz del alba para ir al extremo más alejado del mundo, ahí estaría tú; si subiera a lo más alto de los cielos, o descendiese a la partes más bajas y ocultas de la tierra, ahí está tú. En la más densa oscuridad la luz de Tú presencia brilla para mi. No hay absolutamente ningún sitio en el mundo en el que pueda estar lejos de su presencia. Esta presencia divina no solo es una realidad en el presente, Dios ciertamente ha estado con nosotros desde el principio. Cuando apenas eramos un montón de informes células titilantes en el vientre de nuestra madre, Dios ya conocía la forma de nuestro rostro y sabía nuestros nombres. Asi lo expresa el salmista: *"Tú me observabas mientras iba cobrando forma en secreto, mientras se entretejían mis partes en la oscuridad de la matriz. Me viste antes de que naciera. Cada día de mi vida estaba registrado en tu libro. Cada momento fue diseñado antes de que un solo día pasara".* Hay quien siente que haber llegado a este mundo fue una equivocación y lo expresa porque quizá no fue esperado con amor. Dios no se equivoca, el cobijó con ternura tu cuerpo en formación, te concedió el don de la vida y te ha traído aquí con un propósito. Consciente de la presencia divina, el salmista tiene una sola cosa que pedir al Señor: Que así como Tú está conmigo, yo pueda estar contigo: *"Examíname, oh Dios, y conoce mi corazón; pruébame y conoce los pensamientos que me inquietan. Señálame cualquier cosa en mí que te ofenda y guíame por el camino de la vida eterna".*

OREMOS

Gracias mi Dios porque siempre has estado conmigo, no siempre he estado consciente de Tu presencia, por esa razón el temor y el sentimiento de soledad se han apoderado de mi en muchas ocasiones. Tú no te equivocaste al concederme la vida y cada día guías y acompañas mi caminar. Que nada más pueda desear más en la vida que estar contigo, así como Tú estás conmigo. Amén.

Salmo 140

TÚ, SEÑOR MI DIOS, ERES MI PODEROSO SALVADOR

Una buena dosis de dificutades nos es necesaria para forjar el carácter. Siempre es posible sacar partido de las situaciones contradictorias, en principio, aprendizaje, pero, sin duda, también la capacidad desarrollar y descubrir alternativas para alcanzar aquello que es bueno y deseable. En este proceso no estamos solos, Dios nos fortalce y concéde sabiduría si tenemos la humildad de dejarnos guiar. No obstante, hay situaciones en la vida que rebasan por mucho nuestra capacidad de resistencia, situaciones antes las cuales nos sentimos inermes y preplejos. En el salmo 140 el salmista vuelve sobre el tema que ha sido el motivo de un buen número de salmos: cómo enfrentar a los enemigos gratuitos que desean y procuran activamente nuestro mal. Vale más hacer frente a un enemigo que abiertamente nos ataca, que a aquellos que fingen ser amigos, pero que encubiertamente traman nuestro mal. El salmista los describe nuevamente aquí: *"Oh Señor, rescátame de los malvados; protégeme de los que son violentos, de quienes traman el mal en el corazón y causan problemas todo el día. Su lengua pica como una serpiente; veneno de víbora gotea de sus labios"*. El corazón de estos malvados trama continuamente planes para hacer daño, y su arma más poderosa es su lengua. Nos dice Santiago en su epístola que la lengua es un miembro pequeño que se jacta de grandes cosas, es como un pequeño fuego capaz de incendiar un gran bosque. Aquí el samista compara el poder destructivo de la lengua con la ponzoña de una serpiente venenosa. Ciertamente la insidia, la difamación, el manchar el buen nombre, el desatar el falso rumor, todo ello es manifestación del poder de la lengua. Igual de dañino es quien produce el chisme como quien se encarga de esparcirlo, volviéndose cómplice de la maldad. ¿Cómo protegerse de semejantes ataques? Nuestra humana tendencia es pagar con la misma moneda y devolver mal con mal y maldición con maldición, pero, entonces como detener el incendio, como desactivar el rumor infundado y alentar el espíritu de paz y conciliación. El salmista lo deja todo a Dios, eso de andar cuidándose de enemigos encubiertos es muy desgastante, pero Dios conoce las intenciones más ocultas del corazón. El salmista dice: *"Rescátame de los malvados, líbrame de la mano de los perversos y violentos, escucha la voz de mis ruegos, no permitas que los mavados se salgan con la suya"*. Esta actitud no solo es la más sensata, sino la más eficaz, porque ocupados en cuidarnos de los ataques nos distraemos y dejamos de hacer aquello que es necesario hacer. Que nada nos distraiga y aparte de lo verdadermente importante, de aquello en lo que debemos invertiras nuestras fuerzas y capacidades. No le demos la satisfacción a los que nuestro mal desean de vernos envueltos en pequeños fuegos mientras abandonamos las batallas verdaderamente decisivas porque, entonces, ellos habrán triunfado. Confiemos en Dios que es justo y bueno y decidamos no obrar como los malos. Esta es la confianza del salmista y debe ser la nuestra: *"Yo se que el Señor tomará a su cargo la causa del afligido, y el derecho de los necesitados, ciertamente los justos alabarán su nombre; los rectos morarán en su presencia"*.

OREMOS

Mi Dios, hoy quiero hacer mía la oración que he aprendido de mi Señor Jesús, hágase Tú voluntad, no nos dejes caer en tentación, más líbranos del mal.Te pido també n que me libres de ser como el malo. Que mi mayor fortaleza sea actuar con integridad y confiar en Tú cuidado divino, porque ciertamente no abandonaras a quien actúa con justicia. Amén.

Salmo 141

NO DEJES QUE MI CORAZÓN CAIGA EN LA MALDAD

Ciertamente que nos podemos dejar arrastrar por la vorágine del mal. ¿Para que intentar lo bueno cuando muchos hacen el mal? Esta es una gran tentación que está siempre a la puerta del alma. El salmista mira la maldad que hay a su alrededor y toma una decisión: no quiero eso para mi, no quiero ser como el malo, así lo expresa en e salmo 141. En realidad uno desespera cuando ve los efectos desastrozos de los que siembran destrucción, el salmista no solo se indigna y pide a Dios que haga justicia con palabras de apasionada indignación, pero también le pide a Dios le conceda la fortaleza de mantenerse fiel a lo que es justo y bueno. Para mantenerse en ese propósito se necesita una valentía y determinación que solamente se puede obtener con la ayuda de Dios, por eso al final del día le busca afanosamente en la quietud de la oración: *"Oh Señor, clamo a ti. ¡Por favor, apresúrate! ¡Escucha cuando clamo a ti por ayuda! Acepta como incienso la oración que te ofrezco, y mis manos levantadas, como una ofrenda vespertina".*

Miremos el giro que el salmista da a sus oraciones: *"Toma control de lo que digo, oh Señor, y guarda mis labios. No permitas que me deslice hacia el mal ni que me involucre en actos perversos. No me dejes participar de los manjares de quienes hacen lo malo".* ¡Qué petición esta que encontramos aquí! Esta es una propuesta que implica un giro transformador en la manera como oramos. Estas palabras contienen una verdad revolucionaria en la que no solemos pensar mucho. En todos los órdenes de la vida esperamos que las circunstancias cambien favorablemente, que las personas se comporten de diferente manera y se comprometan a actuar con decencia e integridad, soñamos con ese mundo ideal y no nos damos cuenta de que el bien comienza con nosotros, con nuestro compromiso irrenunciable e incondicional de hacer lo que es justo y bueno. Dios nos dice que se mundo nuevo esta dentro de nosotros si le damos lugar, si estamos dispuestos a hacer la diferencia sin importar que las circunstancias que nos rodeen sean totalmente adversas. Para esto es necesario pedir a Dios que sea el guardian de nuestras palabras y acciones, porque, ciertamente, el mal es lo que encontramos en los otros, no estamos dispuestos a darnos cuenta de que nuestras palabras ofenden, de que nuestras acciones lastiman, que dejamos de hacer el bien, y cerramos los ojos frente a la necesidad ajena, porque pensamos precisamente que es ajena. Para ello debemos dejar del lado el orgullo que afirma: a mí nadie me enseña, y tener la humildad de estar disupuestos a ser corregidos. *"¡Deja que los justos me golpeen! ¡Será un acto de bondad! Si me corrigen, es un remedio calmante; no permitas que lo rechace".* Obviamente no habla en un sentido literal al referirse a los golpes de los justos, sino al poder que tienen las acciones y palabras de aquellos que nos enseñan el bien sacudiendo nuestras conciencias debilitadas. Si, luchar contra el mal que hay en nosotros y comprometerse con el bien en un mundo lleno de egoísmo y violencia es una tarea de valientes, pero nuestra confianza está en Dios: *"Busco tu ayuda, oh Señor Soberano. Tú eres mi refugio; no dejes que me maten. Líbrame de las trampas que me han tendido y de los engaños de los que hacen el mal".*

OREMOS

Señor, sabes que sueño con un mundo diferente, donde no existan los egoísmo y las injusticias. Frecuentemete me indigno frente a las palabras y las malas acciones de los demás. Ayúdame darme cuenta de que ese bien que busco en otros comienza conmigo. Dame la valentía para comprometerme con el bien, y la humildad para ser enseñado. Amén.

Salmo 142

TÚ, SEÑOR, SABES POR DÓNDE DEBO IR

El título del salmo 142 da cuenta de la circunstancia en la que el rey David escribió este salmo: *"oración que hizo estando en la cueva"*. David huye del rey Saúl quien lo persigue con ánimo asesino. David se había vuelto un héroe popular y estimado por su pueblo debido a su valentía y carácter de líder. Esto es algo que Saúl, hombre pasional, impulsivo e inestable no podía soportar. Cambió su afecto hacia David por envidia y resentimiento. Pensando que su trono estaba en peligro, persigue a David como un cazador a su presa. David amaba a Saúl como padre y jamás hubiera conspirado contra él. ¿Cómo luchar contra un enemigo poderoso al que, además, considera su padre? ¿No son las luchas más desgastantes aquellas en las que nos vemos enfrentados con las personas más cercanas e íntimas? Uno puede luchar contra los extraños, pero con los de casa, eso es otra cosa.

Huyendo de Saúl se refugia en la cueva de Adulam, no tiene a donde ir, nadie está a su lado para acompañarlo o defenderlo. Está cansado de andar a salto de mata. La queja y la desesperación se convierten en lamento que se expresan en las palabras de este salmo: *"Busco a alguien que venga a ayudarme, ¡pero a nadie se le ocurre hacerlo! Nadie me ayudará; a nadie le importa un bledo lo que me pasa"*. En medio de su encierro y total y su deseperación vuelve su mirada a Dios. En medio de las sombras y la soledad de esa cueva brilla de pronto a presencia de Dios. Ciertamente no está sólo, Dios lo acompaña. Él escucha su grito desesperado, Él entiende por lo que está pasando como nadie. Dios da cuenta de sus pasos errantes en medio de su incierto camino: *"Clamo al Señor; ruego la misericordia del Señor. Expongo mis quejas delante de él y le cuento todos mis problemas. Cuando me siento agobiado, solo tú sabes qué camino debo tomar. Vaya adonde vaya"*. Dios sabe, siempre sabe, y esa convicción torna la más completa desesperación existencial en un momento de revelación: *"Entonces oro a ti, oh Señor, y digo: Tú eres mi lugar de refugio. En verdad, eres todo lo que quiero en la vida. Oye mi clamor, porque estoy muy decaído. Rescátame de mis perseguidores, porque son demasiado fuertes para mí. Sácame de la prisión para que pueda agradecerte"*. Ciertamente la vida nos lleva a momentos de desperanza total, llegamos a sentirnos como David, encerrados en una cueva, perplejos y asustados. La pandemia que hemos padecido nos ha obligado al encierro, al distanciamiento social, nos ha traído enfermedad, duelo y necesidad. Que el encierro no aprisione nuestras almas. Nunca estamos abandonados de la presencia de Dios. Él nunca está ausente, a Él le importa, tiene cuidado y nos liberta de las prisiones del miedo y la desesperanza rescatándonos de nuesta soledad. Él puede transformar los encierros más terribles en un canto de alabanza y gratitud.

El miedo se va, cálidamente envuelto en la presencia divina el salmista concluye su salmo con palabras que expresan seguridad y esperanza: *"Sácame de la prisión para que pueda agradecerte. Los justos se amontonarán a mi alrededor, porque tú eres bueno conmigo"*.

OREMOS

Aquí estoy delante de Ti mi Dios, sabes lo solo que me siento en estos momentos, no se que hacer, o a quien acudir, pero Tú presencia brilla en medio de la oscuridad que me rodea. Ciertamente Tú eres luz y esperanza y aunque no se el camino para mi, Tú tienes un camino para mi. Confiadamente me entrego a Tú cuidado. Amén.

Salmo 143

RESPÓNDEME PORQUE MI ESPÍRITU SE APAGA

Los más grandes enemigos no son los que amenazan el cuerpo, sino el alma. La derrota defintiva en la vida viene de nuestro interior, cuando estamos descorazonados y la angustia se apodera de nosotros encerrandonos en la cárcel de la desesperanza absoluta. El salmista atravieza por un profundo pesar, la tristeza lo ha postrado, las fuerzas lo abandonan, ha perdido el ánimo. Así describe su experiencia: *"El enemigo me ha perseguido; me ha tirado al suelo y me obliga a vivir en la oscuridad como los que están en la tumba. Estoy perdiendo toda esperanza; quedé paralizado de miedo".* Un hecho llama la atención: sus enemigos persiguen su alma. Sin duda, la peor derrota que nos pueden infligir es abatir nuestra interioridad, arrebatarnos la esperanza, encerrárnos en el miedo. Una vez más acude a su Dios: *"Oye mi oración, oh Señor; ¡escucha mi ruego! Respóndeme, porque eres fiel y justo. No lleves a juicio a tu siervo, porque ante ti nadie es inocente".* Ciertamente es un ruego que surge como una queja y un suspiro constante delante de su Dios, pero ese ruego no le trae la paz. Hay una razón, él también ha hecho daño, ha intimidado a otros con amenazas, ha ignorado su necesidad. ¡No tiene cara con que pedir la misericordia de Dios! Desde luego que esa idea que ronda su cabeza viene de su abatimiento. La culpa es desgastante y nuestra conciencia nos exige castigo o, al menos la indiferencia de Dios. Pero Dios no es así y, ciertamente, que el enemigo de nuestra alma no desea que concibamos a un Dios bueno, un Dios perdonador, que restaura y reconforta. En su mente como estribillo burlón e incesante se repiten las palabras: Dios no te escucha, no lo mereces.

En la noche oscura de su alma se refugia en el pasado cuando caminaba en integridad y en comunión con Dios; todo era bueno entonces. Seguramente los males que le han sobrevenido son un justo castigo por haber abandonado el camino de justicia. En medio de la desolación de su alma desierta levanta sus manos a Dios, como la tierra reseca que busca la lluvia milagosa del cielo para saciar su sed. *"Ven pronto, Señor, y respóndeme, porque mi abatimiento se profundiza. No te apartes de mí, o moriré. Hazme oír cada mañana acerca de tu amor inagotable, porque en ti confío. Muéstrame por dónde debo andar, porque a ti me entrego".* Ciertamente lo que pienses o creas de Dios no cambia a realidad de lo que Él es. Dios escucha siempre, es bueno y pedonador, Dios esta con nosotros sin importar que lo sintamos ausente o lejano. Es siempre nuestro refugio, nos libra de la angustia, y si hemos perdido el rumbo, Él está dispuesto a guiarnos por el camino de lo bueno y justo ante sus ojos. El sol de un nuevo día ilumina ahora el alma a oscuras y abatida, la esperanza renace, su misericordia nos abraza con perdón levantándonos de la postración y se abren nuevos caminos frente a nuestros desiertos. El alma confortada se dirige ahora confiada a Dios para pedirle humildemente:

"Enséñame a hacer tu voluntad, porque tú eres mi Dios. Que tu buen Espíritu me lleve hacia adelante con pasos firmes".

OREMOS

Desde mi abatimiento me dirijo a Tí. Mi alma sedienta te busca en esta hora de necesidad. En Tí está mi esperanza y la satisfacción de mi alma. Resplandece con la luz de Tú presencia en mi oscuridad, rodeame de tu misericordia perdonadora y renueva mis fuerzas. Llenamé de esperanza y abre nuevos caminos delante de mí. Guia mis pasos para andar en Tu voluntad. Gracias por escuchar mi ruego y venir en mi ayuda. Amén.

Salmo 144

FELICES LOS QUE TIENEN A DIOS COMO EL SEÑOR

¿Cuál es el secreto de la verdadera prosperidad y la fuente del bienestar presente y futuro? La cultura de la producción interminable y del consumo que caracteriza a la presente generación crea un falso paraíso que nos promete felicidad al alcance de la mano, mientras tengamos poder adquisitivo. En el mercado todo está cuidadosamante planificado para que las personas no piensen, generando necesidades ficticias. Usted no compra un refresco, compra la felicidad embotellada, la mercadotecnia se encarga de generar el espejismo y el placer intenso y pasajero la necesidad constante de satisfacción que nunca se sacia. Ahora tenemos centros comerciales que abren durante las noches para que la maquinaria del comercio no pare. Naturalmente esto exige que las conciencias estén adormecidas y domesticadas y trabajen no para cultivar el mundo de Dios, sino para comprar el bienestar en un supermercado. Por supuesto que para eso hay que trabajar sin parar para producir sin parar en un mercado que jamás se detiene, ofreciéndonos la vida al costo de la vida misma. ¿No es inhumano trabajar catorce horas por día sin un día de descanso? Sin duda esto es una religión con sus adeptos, que somos todos los fieles consumidores; sus gurús, los especialistas en economía de mercado; y los templos, los centros comerciales diseñados para atraer con sus luces y sus promesas de bienestar inmediato a los ávidos compradores.

El salmo 144 despierta nuestras conciencias, nos invita a volver la mirada a Dios y no al mercado. Porque cuando vienen las luchas desafiantes de la vida que nos desgastan y nos enfrentan con las preguntas últimas sobre el sentido de la vida, el espejismo desparece y nos damos cuenta realmente quienes somos. Aquí el salmista habla del Dios que se le ha revelado. Cada una de sus cualidades divinas es una fuente de defensa, consuelo y provisión que nunca faltan a quienes confían en Él: Él es misericordioso, castillo fuerte en el cual podemos resguardarnos, escudo que nos guarda de los ataques destuctivos que amenazan con arrebatarnos la paz del alma. Ante su majestad nada somos, criaturas pretensiosas cuyos días son como la sombra que pasa. Él es el Dios creador, lleno de gloria y poder que viene a nosotros cuando lo buscamos de manera humilde, habiéndo descubierto que nuestra verdadera y gran necesidad es su presencia en nuestras vidas. Él es quien nos acompaña cuando atravezamos por el valle sombrío de la pérdida y el sufrimiento devolviéndonos el canto, quien promete bendecirnos a nosotros y a nuestras generaciones si confiamos en Él. Él bendice el trabajo de nuestra manos alegrándonos con el fruto de nuestro esfuerzo invitandonos al reposo al detener nuestra labor para agradecer, bendecir y consagrarle nuestra vida en adoración constante. Él es el único dueño de todo cuanto existe, lo cual nos incluye a nosotros, y nos ha concedido vivir en su mundo para que disfrutemos y compartamos como familia humana las bendiciones de su creación. Por eso bien dice el salmista: *"¡Felices los que viven así! Felices de verdad son los que tienen a Dios como el Señor".*

OREMOS

Perdónanos. Señor, por ceder al engaño de los espejismos de la falsa felicidad, por convertir en el adquirir la finalidad de la vida, y en el consumo mi dios. Solo Tú eres la verdadera satisfaccion del alma, la defensa segura de mi ser, y el resposo que me repara y bendice con alegría y paz. Ayúdame a dar un giro radical a mi ser encontrando más satisfacción en el dar que en el tener, tal como Tú te me has dado en Jesucristo Tu Hijo. Amén

Salmo 145

GRANDE ES EL SEÑOR, Y DIGNO DE SUPREMA ALABANZA

El salmo 145 es una expresión de exaltada alabanza a Dios, un pequeño libro de instrucciones acerca de cómo acercarnos y vivir en constante adoración a su Nombre. Nos dice, primero, cuándo debemos alabarlo: eternamente y para siempre. Es una alabanza continua, una actitud constante de acción de gracias conscientes de su presencia que no se aparta de nosotros en nuestro vivir cotidiano. Aún más allá de esta vida cuando seamos reunidos en el cielo seguiremos alabándolo por siempre en el gozo perpetuo e imperturbable de los que ahora ya habitan ante la gloria de su trono. Así es que podemos decir que la contemplación adorativa de Dios en el presente es un anticipo de la perenne gloria y alegría que hemos de experimentar en comunión con todos los santos un día en su presencia. Esta adoración se perpetúa al transmitirla a las nuevas generaciones. Así como la alegría es contagiosa, lo es también la gozosa alabanza que damos a nuestro Dios. Nuestros hijos y nietos, conociendo de su poder y bondad, han de honrarlo también con agradecida dedicación.

Este salmo nos enseña, también, quién es ese Dios al que adoramos: su grandeza no puede ser medida, es bondadoso, justo, paciente, misericordioso, lleno de la majestad que corresponde a su realeza incomparable que resplandece en todo universo No solo su ser es inconmensurablemente grande, sus hechos son imponentes. Toda la creación y todas las criaturas que en Él encuentra su ser y su sustento rinden alabanzas constantes a su divinidad incomparable: *"El Señor es bueno con todos; desborda compasión sobre toda su creación. Todas tus obras te agradecerán, Señor, y tus fieles seguidores te darán alabanza. Hablarán de la gloria de tu reino; darán ejemplos de tu poder. Contarán de tus obras poderosas y de la majestad y la gloria de tu reinado".* Pero no solo adoramos a Dios por sus hechos portentosos manifestados de generación en generación, sino por lo que hace constantemente en nuestras vidas necesitadas: sostienen a todos los que caen, alimenta a todo ser viviente, está cercano a todos aquellos que en su deseperación y necesidad lo invocan, oye sus gritos pidiendo auxilio y los rescata concediendo el deseo del corazón de quienes le temen, protegiendo a todos los que lo aman. Cuántas razones tenemos para adorarlo, porque todo lo que es y todo lo que hace, porque en su providencia paternal nos bendice constantemente y nos provee. Puedo decir con confiada seguridad: este maravilloso Dios que creó todas las cosas y sustenta con poder a todas sus criaturas es mi Dios, quien que me levanta cuando estoy caído, que escucha mis oraciones, que me guarda, me defiende y me acompaña a cada paso de mi existencia pasajera en este mundo guiandome hacia la eternidad, a la plenitud del gozo, y lo hace así porque ha querido amarme y bendecirme. Con gratitud y alegría nos unimos al salmista para decir: *"Alabaré al Señor, y que todo el mundo bendiga su santo nombre por siempre y para siempre".*

OREMOS

Estoy asombrado ante la majestad de Tú ser incomparable. Por todas partes se manifiesta el brillo de Tú presencia. Dame ojos, mi Dios, para contemplar la belleza y el poder de tus hechos y un corazón agradecido para alabarte por todo lo que eres y haces en mi vida. Gracias por amarme, perdonarme, escuchar mis oraciones y venir en mi ayuda en la hora de la necesidad. Contigo a mi lado camino seguro y protegido. Que no haya para mí mayor alegría que vivir agradecidamente dando adoración a Tú bendito Nombre. Amén.

Salmo 146

¡Dichosos los que confían en Dios!

El salmo 146 es un salmo desafiante que pone en entredicho los poderes falsos y endiosados de este mundo. Una pregunta se palpa aquí: ¿en quien está nuestra confianza? De forma lapidaria el salmista afirma *"No pongan su confianza en los poderosos; no está allí la ayuda para ustedes. Ellos, al dar su último suspiro, vuelven al polvo, y todos sus planes mueren con ellos"*. Ciertamente existe una legítima autoridad, aquella que se ejerce para el bien común, y sobre todo, voltea para mirar a los más desprotegidos y olvidados. Todos nos preguntamos, ¿dónde están esa clase de gobernates? El poder atrae, seduce, mostrando a las personas tal como son. Hay una lección que parece que nunca terminamos de aprender: Dios es soberano y Él determina en nuestras vidas según su voluntad. Cuando Dios dice: "se acabó", ¿quién puede cambiar su designio?

No solo el que se endiosa con el poder vive en el engaño, aquellos que esperan que su salvación venga de una persona y buscan congraciarse con el poderoso también viven una fantasía. Nunca el déspota va a hacer un favor que no haya cobrado ya o pretenda cobrar. Hay un engaño en todo este juego del poder, el creer que la justicia, el derecho y el bien común son una concesión graciosa de un personaje sentado en la silla del que manda. El pecado más grave de poner nuestra confianza en los príncipes de este mundo es que dejamos de confiar en Dios, pretendiedendo crear un reino aparte donde nosotros decidimos. ¡Cuidado!, nos advierte una y otra vez la Escritura. Ignorar el poder soberano de Dios trae como consecuencia una pérdida eterna, porque tan vana es la existencia de quien se siente un dios como la de quien pone su confianza en él. *"Felices son los que tienen como ayudador al Dios de Israel, los que han puesto su esperanza en el Señor su Dios. Él hizo el cielo y la tierra, el mar y todo lo que hay en ellos. Él cumple todas sus promesas para siempre".* No olvidemos jamás que Dios gobierna soberano en su trono de gloria. En Él debemos confiar. Miren la admirable descripción que nos da el salmista de cómo actua Dios: *"El Señor libera a los prisioneros. El Señor abre los ojos de los ciegos. El Señor levanta a los agobiados. El Señor ama a los justos. El Señor protege a los extranjeros que viven entre nosotros. Cuida de los huérfanos y las viudas, pero frustra los planes de los perversos".* Esas palabras se hicieron una realidad concreta e histórica cuando el Señor Jesús, el Hijo de Dios, inicia su ministerio leyendo las palabras del profeta Isaías en la sinagoga de Nazaret: *"El Espíritu del Señor está sobre mí, porque me ha ungido para llevar la Buena Noticia a los pobres. Me ha enviado a proclamar que los cautivos serán liberados, que los ciegos verán, que los oprimidos serán puestos en libertad, y que ha llegado el tiempo del favor del Señor".* *(Isaías 61:1-2)* Después de leer Jesús añade estas estremecedoras palabras: *"Hoy se ha cumplido esta escritura delante de ustedes".* Cambiar el rostro de este mundo desigual exige volver nuestra mirada a Dios de tal manera que pongamos nuestra confianza sólo en Él y confesando a un Dios de justicia aprendamos a vivir en justicia.

OREMOS

Perdóname, Señor, porque he esperado de las personas lo que solo debo esperar de Ti. Se que vivo en un mundo lleno de injusticias y desigualdades. Dame la fortaleza y la visión para nunca conformarme con lo malo. Que al confesarte a Ti, un Dios justo y compasivo, pueda hacer en Tú Nombre todo el bien posible, especialmente a aquellos que viven ignorados esperando una justicia que no llega. Amén.

Salmo 147

¡QUÉ BUENO ES CANTAR ALABANZAS A NUESTRO DIOS!

Los salmos son cantos y poesía, inspiración humana que se eleva en alabanza a Dios. El salmo 147 nos invita con estas palabras a la acción de gracias: *"¡Alabado sea el Señor! ¡Qué bueno es cantar alabanzas a nuestro Dios! ¡Qué agradable y apropiado!"* El salmista expresa en palabras inspiradas los grandes motivos que le mueven a la gratitud y que se resumen en estas palabras: Dios ha estado siempre al lado de su pueblo: el edifica y defiende nuestra ciudad, hace volver a los desterrados, sana a los que quebrantados de corazón y venda sus heridas. Es un hecho de que las buenas intenciones no son acciones. Sabemos que Dios es bueno y quiere el bien de aquellos que ama, pero, ¿qué sentido tendría querer todo el bien de sus amados sino fuera capaz de llevarlo a cabo? Miren la maravilla de su ser: Dios no solo es bueno, sino también todopoderoso para llevar a cabo sus deseos y propósitos. El salmista asombrado frente al despliegue de la omnipotencia divina expresa: *"¡Qué grande es nuestro Señor! ¡Su poder es absoluto! ¡Su comprensión supera todo entendimiento!"* Solo basta mirar la forma como su poder y sabiduría se manifiestan en toda la creación para darnos cuenta de lo incomparable que es su ser: *"Cuenta las estrellas y llama a cada una por su nombre, cubre los cielos con nubes, provee lluvia a la tierra, y hace crecer la hierba en los pastizales de los montes. Da alimento a los animales salvajes y alimenta a las crías del cuervo cuando chillan. Envía sus órdenes al mundo; ¡qué veloz corre su palabra! Envía la nieve como lana blanca y esparce la escarcha sobre la tierra como ceniza…Luego, a su orden todo se derrite; envía sus vientos y el hielo se disuelve".* Bien se puede argumentar que todo esto que el salmista menciona aquí son procesos naturales que se explican por la dinámica evolutiva del universo. La pregunta que el incrédulo aún debe responder es: ¿cómo podemos hablar de leyes que gobiernan los procesos naturales y le dan sentido y designio a todo lo que sucede a nuestro alrededor, de tal manera que podemos conocer y explicar las conexiones que unen a todo el orden estructural del universo? Ciertamente Dios creó todas las cosas, estableció leyes que gobiernan a sus criaturas, y no sólo eso, Él está activamente presente sosteniendo todo la creación que formó con la Palabra de su poder. El salmista no trata de explicar estos procesos, sencillamente cree y asume como una convicción esa verdad para él incuestionable. La contemplación nos debe llevar al asombro y el asombro a la adoración a Dios expresada en canto. Esta es la esencia de la verdadera religión. Pero el salmista va más allá, sabe por cierto que Dios está siempre con los que ha amado. Ese poder que despliega en la creación lo manifiesta en el cuidado de quienes en Él confían y esperan: *"El ha reforzado las rejas de tus puertas y ha bendecido a tus hijos que habitan dentro de tus murallas. Envía paz por toda tu nación y te sacia el hambre con el mejor trigo".* Adoremos este Dios con cánticos de gratitud, confiemos en su cuidado divino en nuestras vidas, esperemos siempre en Él, porque ciertamente Dios nos ha bendecido y nos bendecirá.

OREMOS

Cuando contemplo la grandeza de la creación y el cuidado providencial que tienes de todas tus criaturas y de mi vida, mi alma asombrada por tu bondad y poder se eleva a Ti en un canto de gratitud a Tú nombre glorioso. Te bendigo mi Dios, por proveerme de todo cuanto necesito cada dia: del sol, la lluvia, del fruto de la tierra, del descanso de la noche. Vivo seguro bajo tu amparo y protección. Amén.

¡ALABADO SEA EL SEÑOR DESDE LOS CIELOS!

El salmo 148 convoca a toda la creación a alabar a Dios. La gloria de Dios y el despliegue de su poder sustentador y providencial se manifiestan en todo lo existente, visible e invisible. No hay rincón alguno en la inmensidad del universo, ni criatura alguna que no sea beneficiaria del gobierno y del cuidado divino. La mente inquisitiva del ser humano investiga y busca en el inmenso macrocosmos y en las más infinitesimales particulas las conexiones y las leyes que gobiernan todo lo existente. El desentrañar los misterios del universo, ciertamente, es un don divino que se nos ha concedido para asombrarnos ante la grandeza de todo y la pequeñez de nuestra existencia frente a lo inconmensurable. No obstante, el explicarnos los procesos de la naturaleza y como toda la estructura de la creación está interconectada no nos revela su significado. Sabemos que todo lo que nos reodea tiene existencia, el misterio por desvelar es, precisamente comprender para qué existen y cuál es su significado último. Estas interrogantes se tornan existencialmente relevantes cuando nos conducen a la reflexión personal: ¿Cuál es la finalidad suprema de mi existencia? ¿Con qué propósito se me ha concedido el ser? Este conocimiento supremo, el más alto al que podemos aspirar, jamás podrá ser descubierto por los caminos de la razón humana obnubilada por el pecado. Ciertamente nuestra mente está oscurecida y solo puede ser iluminada por un bondadoso acto de revelación divina. Toda criatura es significado, y ese significado ha sido revelado por Dios en su Palabra. Toda criatura y el ser humano encuentran su felicidad y la más alta vocación de su existencia al vivir para la alabanza de ese Dios que en su bondad ha creado todas las cosas y nos ha hecho a nosotros, seres humanos, a su imagen y semejanza. Por esa razón el salmista convoca a toda las criaturas de Dios a expresar alabanza a su nombre: al mundo invisible de los seres angélicos, a los abiertos espacios más allá de nuestra atmosfera, a las esferas celestes: estrellas y planetas; a los fenómenos de la naturaleza: fuego, granizo, nieve, vapor; al mundo vegetal y animal: árboles, a todas las criaturas grandes y pequeñas de los oceános, a las que andan por el suelo y las que vuelan. Que todos le alaben al vivir obedeciendo sus leyes y y revelando el brillo de su gloria. También se incluye, y de manera esepcial, a la comunidad humana: los gobernantes, los pueblos, los muchachos y las jovencitas, los ancianos y los niños y, sobre todos, el pueblo que Él ha amado y rescatado manifestandoles su gracia y su perdón. Todo el pensamiento de este salmo se resume en estas palabras: *"Que toda cosa creada alabe al Señor, pues él dio la orden y todo cobró vida. Puso todo lo creado en su lugar por siempre y para siempre. Su decreto jamás será revocado".* Esto es verdad, nunca encontraremos la felicidad si pretendemos vivir para nosotros mismos. Tal como dice el apóstol Pablo haciendo eco de este maravilloso salmo: *"Todas las cosas provienen de él y existen por su poder y son para su gloria. ¡A él sea toda la gloria por siempre! Amén". (Romanos 11:36)*

OREMOS

Mi Dios, cuánto me asombra la grandeza de todo lo que has creado. Todo lo que me rodea me invita a adorarte. Gracias porque me has formado por amor, y por amor me has rescatado revelándome el más grande conocimiento al que puedo aspirar, que mi mayor alegría y felicidad consiste en vivir para la gloria y la alabanza de Tú Nombre. Amén.

Salmo 149

EXALTEMOS A DIOS A VOZ EN CUELLO

El salmo 149 vuelve sobre ese tema glorioso de la alabanza a Dios. En realidad, detrás de todo el conjunto de los salmos este es el gran tema subyacente. La vida en Dios es adoración constante a su Nombre. No es que Él necesite de nuestras alabanzas, Él es pleno en sí mismo en la perfecta y eterna comunión del Padre, el Hijo y el Espíritu Santo. ¿Entonces porque una y otra vez somos convocados a darle alabanzas? Entre las muchas razones que podemos argumentar, destacan dos de ellas: La primera es que nosotros sí necesitamos de Dios siempre y a cada momento de nuestras vidas. La gratitud nos es necesaria para no olvidar quién es la fuente de todas nuestras bendiciones; la segunda razón es que, en realidad, Dios ha querido en su gracia incluirnos en la gloriosa comunión de su ser al habernos creado y rescatado mediante la obra redentora de su Hijo. Esa comunión trae a nuestras vidas no solo fortaleza y confianza, sino verdadero gozo y significado.

El salmo 149 nos enseña que la alabanza a Dios ha de ser no solo individual, en la intimidad de nuestra alma, sino también adorción comunitaria: *"¡Canten al Señor un cántico nuevo! ¡Alábenlo en la comunidad de los justos! ¡Que Israel se alegre en su creador! ¡Que los hijos de Sión se regocijen por su Rey!"*. Ha de ser no solamente callada oración, sino exultante expresión de alegría que involucra toda nuestra persona y sentimientos, y se expresa en nuestra voces y la diversidad de instrumentos musicales.

A veces hemos comprendido mal lo que significa reverencia. Por supuesto que hay momento para la callada meditación y el silencio interior que nos invita a pensar en Dios, pero también la adoración es fiesta, alegría, comunidad y familia que se congrega. Esto me hace pensar que Dios es muy alegre y quiere que vivamos y expresemos esa alegría delante de su presencia.

Este salmo tiene connotaciones de guerra, se refiere a un ejercito que se prepara para enfrentar una batalla con un canto en sus garagantas y espadas de dos filos en sus manos dispuestos a hacer valer la justicia ante quienes la quebrantan. Saben que no pueden hacer frente al enemigo sin antes estar ante su Dios que les ha de acompañar y guiar en la batalla. Hoy enfrentamos otro tipo de luchas. El desaliento, las injusticias y el mal del mundo nos desafían cada día. Podemos desalentarnos fácilmente frente a los formidables enemigos que enfrentamos. Por esa razón nos es necesario estar como comunidad de adoradores ante Dios para recibir fortaleza y gracia, de tal manera que tengamos siempre presente quién está a nuestro lado en todas nuestras batallas para hacernos más que vencedores.

La adoración a Dios es también una disposición constante que se expresa en todo lugar: *"Regocíjense los santos en su gloria, y canten aún sobre sus camas"*. Vaya que invitación la que tenemos aquí a transformar las notas discordantes de la queja y la inconformidad en cantos de alabanza y gratitud a nuestro Dios.

OREMOS

Querio adorarte siempre mi Dios, quiero adorarte en la callada oración, en meditación personal, en medio de la congregación de tu pueblo, durante el día y la noche. Que nada apague mi canto, que nada me arrebate el contentamiento y la gratitud, de tal manera que en la alabanza constante a Tú Nombre encuentre siempre fortaleza y gracia para librar mis batallas. Amén.

 Salmo 150

TODO LO QUE RESPIRA ALABE AL SEÑOR. ALELUYA

Concluímos este camino que hemos andado juntos orando con los salmos de la Escritura. Quiero agradecerte por haberme acompañado. En medio de este tiempos difíciles que vivimos, la Palabra de Dios nos bendice y guía iluminando nuestra caminar de fe y fortaleciendo la esperanza. Ciertamente, Dios está siempre con nosotros noche y día. El salmo 150 cierra este admirable libro con un nota de exultante alegría invitándonos a adorar a Dios. ¿Dónde lo podemos adorar? En la quietud de un santuario, pero también en la majestad del amplio firmamento donde está inscripta su gloria. Esta es una manera de decir que le adoramos aquí y allá, de dia y de noche, dondequiera que nuestra alma inquieta y necesitada lo busque. Este salmo nos dice, también, porqué debemos adorarle. *"Alábenlo por sus obras poderosas; ¡alaben su grandeza sin igual!"*. Ciertamente nuestro Dios es único e incomparable, no existen palabras en el diccionario o en cualquier idioma que describan su ser trascendente. Nuestra alabanza es contemplación de sus majestad y asombro ante sus obras incomparables. Nos dice también el salmo cómo debemos adorarle: al son de instrumentos musicales. Desde luego que cada cultura tiene sus propios instrumentos y formas musicales, y a Dios se le puede adorar con todos ellos. Aquí se mencionan las diversas familias de instrumentos: de cuerdas, de aliento y de percusión, y los más importante: nuestra propia persona es el mejor instrumento que a través del canto y la danza expresa su adoración. Cada instrumento tene su propia tesitura, pero al unirse en el conjunto producen una musica inspiradora. Tal como los instrumentos musicales el pueblo de Dios está constituido por una gran diversidad de personas, cada una con su individualidad y manera de ser, con su propio color, lengua y vestimenta, produciendo todas un conjunto armonico de colorido, belleza y diversidad que encuentran la armonía al bendecir el nombre del Dios que nos ha creado y llamado por su gracia a ser un solo pueblo bajo su gracia y amparo paternal.

Ciertamente existe la piedad individual, el culto personal, pero la adoración debe ser, preponderantemente, una manifestación colectiva, un encuentro fraterno, una fiesta donde todos somos invitados, la mesa abierta de la comunión en la que todos tenemos un asiento. Nadie hace una fiesta para sí mismo en la soledad, las fiestas son para alegrarse con otros. Esta diversidad en armonia nos lleva a una contemplación anticipada del cielo descrito en el apocalipsis: *"Después de esto vi una enorme multitud de todo pueblo y toda nación, tribu y lengua, que era tan numerosa que nadie podía contarla. Estaban de pie delante del trono y delante del Cordero. Vestían túnicas blancas y tenían en sus manos ramas de palmeras". (Apocalipsis 7:9)*

Las palabras finales de este salmo concluyen de manera admirable todo el conjunto al expresar en una cuántas palabras todo lo que aquí nos ha querido comunicar cada uno de los autores inspirados: *"Todo lo que respira alabe al Señor. Aleluya".*

OREMOS

Gracias mi Dios porque las palabras inspiradas por Tú Espíritu en estos gloriosos salmos me bendicen y me llevan a tener presente que eres un Dios amoroso que está siempre conmigo, mi pastor, mi defensor, mi luz. Gracias por escuchar mis oraciones y estar conmigo día y noche. Gracias por darme aliento para glorificar Tú nombre con cada respiración y latido de mi corazón, gracias por invitarme a ser parte de la comunidad de adoradores, la familia de la fe, donde a todos nos has dado un lugar. Te bendigo por Jesucristo Tú Hijo mi Señor y Salvador. Amén

Made in the USA
Monee, IL
25 July 2021